Nederlands voor buitenlanders

De tweede ronde

De Delftse methode

Onder redactie van
A.G. Sciarone

Nederlands voor buitenlanders

De tweede ronde

Herziene editie

A. Blom
L. Heerkens
J. Laboyrie

Boom
Amsterdam Meppel

© Uitgeverij Boom Amsterdam, 1993, 1994

Niets uit deze uitgave mag worden verveelvoudigd
en/of openbaar gemaakt door middel van druk,
fotocopie, microfilm of op welke andere wijze ook
zonder voorafgaande schriftelijke toestemming van de
uitgever; *no part of this book may be reproduced in any way*
whatsoever without the written permission of the publisher.

Verzorging omslag Marjo Starink, Amsterdam
Illustraties Paul Pennock, Amsterdam
Druk Boompers drukkerijen bv, Meppel

CIP-GEGEVENS KONINKLIJKE BIBLIOTHEEK, DEN HAAG

Blom, A.

Nederlands voor buitenlanders : tweede ronde : de
Delftse methode / A. Blom, L. Heerkens, J. Laboyrie. -
Amsterdam [etc.] : Boom
1e dr.: 1986.
ISBN 90-5352-050-3
NUGI 941
Trefw.: Nederlandse taal voor buitenlanders.

Inhoud

Overzicht grammatica oefenpagina's

Grammatica		Tekst
1	1 stoel, 2 stoelen	11
2	de, het	3, 5
4	groot, grote	4, 20, 21
5	groot, groter, grootst	21
8	leren, werken	6, 18, 19, 28, 33
10	hebben of zijn?	36
11	worden en zijn	37
12	onregelmatige werkwoorden	6, 12, 15, 22, 36
13	kan + komen	9, 27
14	woordvolgorde	28
15	woordvolgorde: hebben gewoond	25
16	woordvolgorde: omdat ... wonen	1, 2
17	woordvolgorde: omdat – daarom	12, 23, 34, 38
18	na–denken	7, 8, 9, 20
19	ik – mij – mijn	4, 16
20	zich herinneren	5, 14
21	de trein = hij	16, 22, 26, 27, 29
22	die – dat – waar – wie	14, 15, 16, 17
23	er	11, 13, 30

Voorwoord

De Delftse methode heeft zich vanaf het verschijnen van het cursusboek *Nederlands voor buitenlanders* in een groeiende belangstelling mogen verheugen. Steeds sterker deed zich dan ook de behoefte gevoelen aan een algemeen bruikbaar vervolgdeel. Het in 1986 verschenen cursusboek *De tweede ronde* was immers voor een belangrijk deel afgestemd op cursisten die zich voorbereiden op een technische opleiding. Met de geheel vernieuwde editie van *De tweede ronde* die nu voor u ligt, is in deze behoefte voorzien.

Het boek bevat 39 speciaal voor dit boek geschreven teksten over uiteenlopende onderwerpen die het leven in Nederland belichten, en die dus voor een brede doelgroep interessant zijn. Ook is variatie aangebracht in tekstsoorten: het boek bevat stellende, verhalende en opiniërende teksten, maar ook gesprekken, de tekst van een ansichtkaart, twee journaalteksten en een authentiek krantebericht. In totaal worden 2535 woordvormen aangeboden, waarbij zo veel mogelijk geput is uit de 2500 meest frequente woorden van het Nederlands.

Doelgroep

De tweede ronde richt zich in de eerste plaats op cursisten die enkele jaren voortgezet onderwijs hebben gevolgd, en die zich voorbereiden op een opleiding of werkkring in Nederland. De 1200 meest frequente woorden, onder andere aangeboden in *De Delftse methode: Nederlands voor buitenlanders*, worden bekend verondersteld. Hoewel het natuurlijk veel voordelen heeft een tweede taal onder begeleiding te leren, is *De tweede ronde* ook geschikt voor zelfstudie.

Beschrijving van *De tweede ronde*

Voor in het boek staat de '*basisgrammatica*', zoals die ook in deel 1 opgenomen is. Hierin wordt de taalsystematiek uitgelegd aan de hand van voorbeelden; het gebruik van grammaticale terminologie is vermeden. Vervolgens vindt u 39 teksten waarin de woordenschat telkens uitgebreid wordt met 40-90 nieuwe vormen. Deze nieuwe vormen zijn in de teksten cursief gedrukt, zodat de cursist weet welke woorden nieuw en welke woorden bekend zijn. Bij iedere tekst hoort een *woordenlijst*, waarin de cursief gedrukte woorden vertaald zijn. *De tweede ronde* bevat een Engelse, Franse, Duitse, Turkse, en Indonesische vertaling[1]. Verder vindt u bij elke tekst een toets in de vorm van een zogenaamde *cloze-versie*. Deze toets is identiek aan de tekst, met dien verstande dat telkens het achtste woord is weggelaten. Met behulp van de cloze-versie kan de cursist zelf nagaan of de tekst voldoende bestudeerd is. Bij iedere tekst hoort ook een *oefenpagina* met begrips- en conversatievragen, cloze-oefeningen en schrijf- of spreekopdrachten; ook wordt aanvullende uitleg gegeven van grammaticale of lexicale verschijnselen, met verwijzingen (indien van toepassing) naar de grammatica voorin. Achter in het boek is een *index* opgenomen. Alle woorden die in het boek voorkomen zijn daar in alfabetische volgorde gerangschikt en voorzien van een nummer dat naar de eerste vindplaats verwijst.

Bij *De tweede ronde* horen *geluidscassettes* waarop alle teksten uit het boek zijn ingesproken, voorzien van naspreekpauzes.

Ook zijn er floppy's verkrijgbaar die zowel de docent als de cursist *computer-ondersteuning* bieden. De docent kan hiermee snel overhoringen maken of eigen tekstmateriaal aan het bestaande cursusmateriaal toevoegen; de cursist kan de aangeboden stof op de PC oefenen[2].

Voor een uitvoerige bespreking van De Delftse methode verwijzen we naar: A.G. Sciarone, F. Montens, *Hoe leer je een taal?* (Boom, Meppel/ Amsterdam, 1988), en naar F. Lo Cascio en L. Heerkens, *Handleiding bij De Delftse methode* (Boom, Meppel/Amsterdam, 1991).

Aanwijzingen voor de docent

Zelfwerkzaamheid – Zoals u uit de beschrijving van *De tweede ronde* kunt opmaken, is de opzet zodanig dat de cursisten het meeste werk zelf kunnen doen: de teksten bestuderen en beluisteren, de uitspraak oefenen, nieuwe en vergeten woorden opzoeken, met behulp van cloze-versies nagaan of zij de teksten voldoende kennen, grammaticale problemen bij het maken van de oefeningen oplossen. Uw taak is vooral het bevorderen van de zelfwerkzaamheid van de cursisten. In plaats van vragen van cursisten te beantwoorden kunt u beter eerst proberen de cursisten de antwoorden op die vragen zelf op te laten zoeken in de grammatica, de teksten en de index.

De cloze-versie – Het echte leerwerk voor de cursisten betreft de teksten, niet de woordenlijsten of de grammatica. De cloze-versie is niet bedoeld als een taalvaardigheidstoets, maar als een 'vlijttoets', waarmee de inspanning van de cursisten effectief en snel op waarde geschat kan worden. U kunt de overhoring als vaste procedure in de les opnemen. Door regelmatige schriftelijke overhoringen kan een goed beeld worden verkregen van de voortgang. Indien de cursisten kunnen beschikken over een PC, kunt u voor het overhoren ook het oefenprogramma gebruiken dat op floppy beschikbaar is.

Conversatie – Het belangrijkste onderdeel van de les is de conversatie naar aanleiding van de teksten. Ruimt u hier zoveel mogelijk tijd voor in. Op het moment dat u de conversatie start, moeten de cursisten de teksten kennen, zodat ze voor hun antwoorden of vragen kunnen teruggrijpen naar de zinnen in de tekst. U doet er hierbij goed aan niet al te vaak corrigerend in te grijpen, en vooral in te gaan op de inhoud van de conversatiebijdragen. De oefenpagina begint met enkele vragen die het tekstbegrip aan de orde stellen, de andere vragen zijn bedoeld als mogelijke aanknopingspunten voor een vrijere conversatie.

Oefeningen – De eerste cloze-tekst op de oefenpagina biedt enkele woorden uit de tekst nog eens aan in een ander zinsverband. Op de rest van deze oefenpagina worden nog enkele grammaticale of lexicale kwesties aan de orde gesteld. De 'blokjes' geven verhelderende voorbeelden. Daarbij is zoveel mogelijk gebruik gemaakt van het woordmateriaal uit de tekst. De oefeningen direct onder de blokjes gaan nader in op de gedemonstreerde verschijnselen. De verwijzingen naar de grammatica voor in het boek vormen een schakel tussen al eerder besproken grammaticale verschijnselen en voorbeelden van deze verschijnselen in de tekst. Ook stimuleren ze cursisten de basisgrammatica te raadplegen en eventuele vragen over de grammatica zelf op te lossen.

Schrijfopdrachten – De tweede ronde biedt een groot aantal woorden en de hele elementaire grammatica in korte tijd aan, maar dat wil natuurlijk niet zeggen dat u vanaf het moment van aanbieden een perfecte beheersing van het geleerde kunt verwachten. In de keuze van het tekst- en oefenmateriaal is gestreefd naar een herhaling van woorden en constructies, zodat de cursist de gelegenheid krijgt om het geleerde steeds opnieuw te oefenen en zo een steeds beter functionerend taalsysteem op te bouwen. Wij adviseren daarom, om vooral inhoudelijk op de schrijfprodukten in te gaan, en commentaar op de vorm tot een minimum te beperken; dit om te voorkomen dat de communicatieve activiteiten van de cursist afgeremd worden in plaats van gestimuleerd. Wanneer u op vormfouten wilt wijzen, geeft u dan alleen aan dát er iets fout is en niet wát, en kijkt u vervolgens eerst of de cursist zelf de correcte vorm kan bedenken.

Aanwijzingen voor zelfstudie

De tekst – U begint met het beluisteren van de tekst op de cassette, terwijl u meeleest in het boek. Woorden in *cursief* zijn nieuw voor u: de vertaling ervan vindt u op de rechterpagina. De andere woorden hebt u al geleerd. Als u ze bent vergeten, zoek dan hun betekenis op met behulp van de index achter in dit boek of de index achter in *De Delftse methode: Nederlands voor buitenlanders* (deel 1). Lees en beluister de tekst net zo vaak als nodig is om hem helemaal te begrijpen en te kunnen verstaan. Stel uzelf vragen, zowel over de betekenis van de woorden als over de grammatica voor in het boek.

Cassettes – Als u vaak naar de cassettes luistert, wordt uw uitspraak beter, en zult u het Nederlands beter verstaan. Het is goed om enige keren te luisteren naar de tekst zonder in het boek mee te lezen. Er zijn pauzes tussen de zinnen in het luistermateriaal, zodat u de tekst kunt naspreken.

De cloze-versie – Als u dit allemaal gedaan heeft, probeert u dan of u de gaten in de cloze-versies kunt invullen zonder naar de vorige bladzijde te kijken. Schrijf de antwoorden niet in uw boek! Deze bladzijde moet u kunnen oplezen zonder aarzelingen. Het is daarom belangrijk om de tekst eerst zeer goed te leren en dan pas de cloze-versie te gaan oefenen. Het is niet de bedoeling dat u de tekst uit uw hoofd leert, maar dat u de gaten kunt invullen omdat u de tekst begrijpt.

Oefeningen – Pas als u de cloze-versie goed kunt lezen, gaat u door naar de oefeningen. U komt in de oefeningen veel woorden tegen die ook in de tekst voorkomen. Ook de zinnen lijken vaak op de zinnen in de tekst. Gebruik daarom de tekst, en ook de grammatica, de woordenlijsten en de index om de problemen op te lossen.

Zelfstudie – Als u niet onder begeleiding van een docent studeert, kunt u gebruik maken van een oefenprogramma voor de PC, waarmee u uzelf kunt overhoren (zie noot 2). Probeert u in ieder geval voor uzelf hardop antwoorden te formuleren op de vragen op de oefenpagina, en past u het geleerde zo veel mogelijk toe in gesprekken met kennissen.

Verantwoording

Bij het schrijven van de teksten is gebruik gemaakt van de 'Eindhovense' frequentielijst, samengesteld door P.C. uit den Boogaart: Verder hebben wij achtergrondinformatie gehaald uit de volgende publicaties:
- Wilfried Uitterhove e.a. (red.), *De Staat van Nederland*, (Sun, Nijmegen, 1990);
- Kees Snoek, *Nederland leren kennen*, (Martinus Nijhoff Uitgevers, Leiden/Antwerpen, 1989);
- Afleveringen van *De Wetenschapslijn*, Stichting voor Publieksvoorlichting over Wetenschap en Techniek (Utrecht);
- Een interview met Frank van Rijn, gepubliceerd in *Op Pad*, juli/ augustus 1990.
- *Spil*, kritisch tweemaandelijks tijdschrift over landbouw -platteland,

afleveringen 81-84 (1989) en 89-90 (1990).
- Kranteartikelen uit de Volkskrant en NRC Handelsblad.

Ten slotte

Wij willen graag een aantal mensen bedanken voor hun bijdrage tot de totstandkoming van dit boek. In de eerste plaats A.G. Sciarone, die de herziening van *De tweede ronde* geïnitieerd en begeleid heeft, en ons de programmatuur verschafte die noodzakelijk is voor een uitgave als deze, onder meer om per tekst vast te stellen welke van de gebruikte woorden nieuw zijn, om de voorkomens van alle woorden in hun contekst(en) te verzamelen, en ten slotte, om de cloze-versies en de woordenlijsten te produceren. Onze collega P. Meijer zijn wij zeer erkentelijk voor het steeds weer doorlezen en becommentariëren van de teksten en oefeningen. Veel dank ook aan J.E. Grezel en M. Elsen voor hun suggesties en kritische opmerkingen. Voorts gaat onze dank uit naar P. Pennock (illustraties), T. van den Bosch en Th. Wenneker (secretariële ondersteuning), A. van Bommel (vertaling Frans), J. Ellis (vertaling Engels), S. Raven (vertaling Indonesisch), I. Tramm (vertaling Duits), en K. Ulçay (vertaling Turks).

Alied Blom
Lidwien Heerkens
Jan Laboyrie

---

1. Lijsten met vertalingen naar andere talen kunt u aanvragen bij Uitgeverij Boom door middel van het bestelformulier voorin het boek, of telefonisch: 05220-57012.

2. PC-programmatuur kunt u alleen bestellen door middel van het bestelformulier voorin het boek. Voor een *campuslicentie* kunt u zich richten tot Eurocall, mw. E. Heyn, Bakenessergracht 105, 2011 JV Haarlem, tel. 023-313123, fax 023-316508.

Grammatica

1. 1 stoel, 2 stoelen

stoel	stoel**en**		stad	st**e**den
boek	boek**en**		lid	l**e**den
tafel	tafel**s**		moeilijkh**eid**	moeilijkh**eden**
jong**en**	jongen**s**		kind	kind**eren**
kam**er**	kamer**s**		blad	bl**aderen**
meis**je**	meisje**s**		broer	broer**s**
situat**ie**	situatie**s**			
fot**o**	foto'**s**			

maar:

2. de, het

de	stoel	**het**	boek	de	stoelen, boeken
die	tafel	dat	woord	die	tafels, woorden
deze	jongen	dit	meisje	deze	jongens, meisjes
onze	klas	ons	land	onze	klassen, landen
welke	les?	welk	stukje?	welke	lessen, stukjes?
elke	leraar	elk	kind	alle	leraren, kinderen
iedere	stad	ieder	dorp	alle	steden, dorpen

Het is	een kleine stad.
Het zijn	kleine steden.
Dit/Dat is	Greta.
Dit/Dat zijn	onze vrienden.

3. spelling

man	ma**nn**en	t**aa**l	talen
les	le**ss**en	heel	hele
stop	sto**pp**en	gr**oo**t	groter
druk	dru**kk**e	d**uu**rt	duren
zit	zi**tt**en		

14

f	v	s	z		maar:	
geef	geven	lees	lezen		mens	mensen
brief	brieven	grens	grenzen		wens	wensen
geloof	geloven	talloos	talloze		kans	kansen
					eis	eisen
					Europees	Europese

4. groot, grote

De/een stad is   groot.

Het/een dorp is   klein.

maar:

(De) steden zijn   groot.
(De) dorpen zijn   klein.

de   grote stad
een   grote stad
het   kleine dorp
een   klein dorp

(de)   grote steden
(de)   kleine dorpen

5. groot, groter, grootst

De stad is groot.	Breda is gro**ter** dan Delft.	Leiden is **het** groo**tst**(e).
De grote stad	Een grot**ere** stad	De groo**tste** stad
Het kleine dorp	Een klein**er** dorp	Het klein**ste** dorp
groot	grot**er**	groot**st**

maar:

veel	meer	meest
weinig	minder	minst
goed	beter	best
duur	duur**d**er	duurst
graag	liever	liefst
dichtbij	dicht**er**bij	dicht**st**bij

6. zijn

ik	**ben**	
	ben	jij/je (?)
jij/je	**bent**	
u		
hij		
zij/ze	**is**	
het/'t		
men		
wij/we		
jullie	**zijn**	
zij/ze		

ik	
jij/je	
u	
hij	**was**
zij/ze	
het/'t	
men	
wij/we	
jullie	**waren**
zij/ze	

ik	ben	**geweest**
jullie	zijn	

7. hebben

ik	**heb**	
	heb	jij/je (?)
jij/je	**hebt**	
u		
u		
hij		
zij/ze	**heeft**	
het/'t		
men		
wij/we		
jullie	**hebben**	
zij/ze		

ik	
jij/je	
u	
hij	**had**
zij/ze	
het/'t	
men	
wij/we	
jullie	**hadden**
zij/ze	

ik	heb	**gehad**
jullie	hebben	

8. leren, werken

ik	**leer**		ik		
	leer jij/je (?)		jij/je		
			u		
			hij	**leerde, werkte**	
jij/je			zij/ze		
u			het/'t		
hij	**leert**		men		
zij/ze					
het/'t			wij/we		
men			jullie	**leerden, werkten**	
			zij/ze		
wij/we					
jullie	**leren**		ik	heb	**geleerd**
zij/ze			jullie	hebben	**gewerkt**

leerde(n), geleerd, maar:

	't	k	o	f	s	ch	i	p
	praatte	werkte		strafte	miste	lachte		stopte
	gepraat	gewerkt		gestraft	gemist	gekocht		gestopt

		leven	reizen	
		leefde	reisde	
		geleefd	gereisd	

9. geleerd, maar betaald

leren   ik heb **geleerd**

maar:

betalen	ik heb **beta**ald	**ont**dekken	ik heb **ont**dekt
ervaren	ik heb **er**varen	**ver**tellen	ik heb **ver**teld
herhalen	ik heb **her**haald	**ge**beuren	het is **ge**beurd

10. hebben of zijn?

Hij **heeft** geleerd, hij **heeft** gewerkt

maar:
Hij **is** gekomen, gegaan, geweest, gebleven, gevallen, geworden, begonnen, veranderd, gestorven, toegenomen, ...

Hij **heeft** gefietst.   *ook:* Hij **is** naar huis gefietst.

11. worden en zijn

Iedereen viert Nieuwjaar: Nieuwjaar **wordt** overal gevierd.
Er belt iemand: er **wordt** gebeld.

Men heeft de woorden vertaald: de woorden **zijn** vertaald.
De dokter heeft me behandeld: ik **ben** behandeld door de dokter.

12. onregelmatige werkwoorden

bedenken	bedacht	bedacht	buigen	boog	gebogen
bedragen	bedroeg	bedragen	denken	dacht	gedacht
beginnen	begon	is begonnen	doen	deed	gedaan
begrijpen	begreep	begrepen	dragen	droeg	gedragen
bekijken	bekeek	bekeken	drinken	dronk	gedronken
besluiten	besloot	besloten	dwingen	dwong	gedwongen
bespreken	besprak	besproken	eten	at	gegeten
bestaan	bestond	bestaan	gaan	ging	is gegaan
betreffen	betrof	betroffen	gelden	gold	gegolden
bevinden	bevond	bevonden	genieten	genoot	genoten
bewegen	bewoog	bewogen	geven	gaf	gegeven
bewijzen	bewees	bewezen	hangen	hing	gehangen
bezitten	bezat	bezeten	helpen	hielp	geholpen
bezoeken	bezocht	bezocht	heten	heette	geheten
bieden	bood	geboden	hoeven	hoefde	gehoeven
binden	bond	gebonden	kiezen	koos	gekozen
blijken	bleek	is gebleken	kijken	keek	gekeken
blijven	bleef	is gebleven	klinken	klonk	geklonken
breken	brak	gebroken	komen	kwam	is gekomen
brengen	bracht	gebracht	kopen	kocht	gekocht

krijgen	kreeg		gekregen	sterven	stierf	is	gestorven
kunnen	kon/konden		gekund	stijgen	steeg	is	gestegen
lachen	lachte		gelachen	strijden	streed		gestreden
laten	liet		gelaten	treffen	trof		getroffen
lezen	las		gelezen	trekken	trok		getrokken
liggen	lag		gelegen	vallen	viel	is	gevallen
lijken	leek		geleken	verbieden	verbood		verboden
lopen	liep		gelopen	verbinden	verbond		verbonden
moeten	moest		gemoeten	verdwijnen	verdween	is	verdwenen
mogen	mocht		gemogen	vergelijken	vergeleek		vergeleken
nemen	nam		genomen	vergeten	vergat		vergeten
onderwijzen	onderwees		onderwezen	verkopen	verkocht		verkocht
ontbijten	ontbeet		ontbeten	verlaten	verliet		verlaten
ontbreken	ontbrak		ontbroken	verliezen	verloor		verloren
onthouden	onthield		onthouden	verschijnen	verscheen	is	verschenen
ontstaan	ontstond	is	ontstaan	verstaan	verstond		verstaan
ontvangen	ontving		ontvangen	vertrekken	vertrok	is	vertrokken
optreden	trad op	is	opgetreden	vliegen	vloog		gevlogen
plegen	placht		gepleegd	voorkómen	voorkwám		voorkómen
rijden	reed		gereden	vóórkomen	kwam vóór	is	vóórgekomen
roepen	riep		geroepen	voorzien	voorzag		voorzien
schenken	schonk		geschonken	vragen	vroeg		gevraagd
scheppen	schiep		geschapen	wassen	waste		gewassen
schieten	schoot		geschoten	weten	wist		geweten
schijnen	scheen		geschenen	wijzen	wees		gewezen
schrijven	schreef		geschreven	winnen	won		gewonnen
schrikken	schrok	is	geschrokken	worden	werd	is	geworden
schuiven	schoof		geschoven	zeggen	zei/zeiden		gezegd
slaan	sloeg		geslagen	zien	zag		gezien
slapen	sliep		geslapen	zingen	zong		gezongen
sluiten	sloot		gesloten	zitten	zat		gezeten
spreken	sprak		gesproken	zoeken	zocht		gezocht
staan	stond		gestaan	zullen	zou/zouden		
steken	stak		gestoken	zwijgen	zweeg		gezwegen

13. kan + komen

Hij kan (moet/mag/wil/zal) komen.   Hij heeft kunnen (...) komen.

Hij komt (gaat/blijft) eten.   Hij is komen (...) eten.

Ik laat (hoor/zie) hem komen.   Ik heb hem laten (...) komen.

Hij zit (staat/ligt/loopt) te denken.   Hij heeft zitten (...) denken.

Hij probeert te helpen.   Hij heeft geprobeerd te helpen.

14. woordvolgorde

		2	
Ik	kom	morgen.	
Morgen	kom	ik.	
Wanneer	kom	jij?	
In dat geval	komen	we morgen.	
Als het regent,	kom	ik niet.	

1

Kom je morgen niet?
Kom dan overmorgen!

15. woordvolgorde: hebben ... gewoond

Jullie	**hebben** eerst ergens anders	**gewoond.**
Wanneer	**ben** je naar Nederland	**gekomen?**
Het Chinees	**wordt** als een moeilijke taal	**beschouwd.**
Nieuwe woorden	**zijn** schuin	**gedrukt.**

	Wil je snel Nederlands	**leren?**
Ik	**laat** me door de dokter	**onderzoeken.**

Ik	**probeer** op tijd	**te komen.**
Ze	**durven** eerst nog niet	**te praten.**

ook:

Jullie	hebben gestudeerd	**in** een ander land.
Het Chinees	wordt beschouwd	**als** een moeilijke taal.
Ik	laat me onderzoeken	**door** de dokter.

16. woordvolgorde: omdat ... wonen

We leren Nederlands	**omdat** we in Nederland	**wonen**.
Dat betekent	**dat** jullie straks klaar	**zijn**.
Ik verlies geen tijd	**als** ik met de trein	**ga**.
Ze vroeg	**of** ik al een baan	**had**.
Soms legt hij uit	**wat** een woord	**betekent**.
Zo weet je	**waar** de woorden	**staan**.
Er zijn treinen	**die** pas in Den Haag	**stoppen**.

2	*ook:*	2
Ik kom morgen	**want** ik **kom** vandaag niet.	
Ik kom morgen	**maar** ik **kom** overmorgen niet.	
Ik kom morgen	**en** ik **kom** overmorgen ook.	

17. woordvolgorde: omdat - daarom

	2
Omdat ik hier **woon**	**leer** ik Nederlands.
Daarom	

Nadat we gelezen **hadden**	**hebben** we een gesprek **gevoerd**.
Daarna	

Doordat de bevolking **groeit**	zijn er problemen **ontstaan**.
Daardoor	

Toen de les afgelopen **was**	**gingen** we koffie **drinken**.
Toen	

18. nà-denken

Ik **denk** goed **nà**.	Ik **kom** snel **terùg**.
Je moet goed **nàdenken**.	Ik zal snel **terùgkomen**.
Als je goed **nàdenkt** ...	Als je snel **terùgkomt** ...
Ik heb goed **nàge**dacht.	Ik ben snel **terùg**gekomen.
Probeer goed **nà** te **denken**.	Probeer snel **terùg** te **komen**.

19. ik - mij - mijn

	Ik heet X.	Men noemt	mij/me	X.	Mijn/m'n	naam is X.
Jij/je/u			jou/je/u		Jouw/je/uw	
Hij			hem/'m		Zijn/z'n	
Zij/ze			haar/d'r		Haar/d'r	
Het/'t			het/'t		Zijn/z'n	
Men			---		---	
Wij/we	heten X.		ons		Onze	(Ons adres)
Jullie			jullie		Jullie	
Zij/ze			hen/hun/ze		Hun	

20. zich herinneren

Ik	herinner	mij/me.	Wij/we		ons.
Jij/je	herinnert	je.	Jullie	herinneren	jullie/je.
Hij/zij/u	herinnert	**zich**.	Zij/ze		**zich**.

21. de trein = hij

De trein is al aangekomen: **Hij** is al aangekomen.
Het boek bevat 200 bladzijden: **Het** bevat 200 bladzijden.
De bladeren worden bruin: **Ze** zullen gauw op de grond vallen.

Ik lees **de krant** 's avonds: Ik lees **hem** 's avonds.
Ik koop **het boek** in de winkel: Ik koop **het** in de winkel.
Ik ken **de straten** allemaal: Ik ken **ze** allemaal.

Ik denk **aan mijn moeder/vader**:   Ik denk **aan haar/hem**.

Ik lees **in de krant:**   Ik lees **erin.**
Ik lees graag **in de krant**:   Ik lees **er** graag **in.**

Je moet **voor deze les** wel werken: Je moet **hiervoor** wel werken.
    Je moet **hier** wel **voor** werken.

Aan die tafel eten we altijd: **Daaraan** eten we altijd.
    Daar eten we altijd **aan.**

Met wie spreek ik? **Met Jansen?**   Ja, **daar** spreekt u **mee.**

22. die - dat - waar - wie

De direkte trein: De trein **die** niet overal stopt.
Het onbekende woord: Het woord **dat** je niet kent.
Teksten met veel nieuwe woorden: Teksten **die** veel nieuwe woorden bevatten.

Een land met veel inwoners: Een land **waar** veel mensen wonen.

De eettafel   De tafel **waaraan** we altijd eten.
    De tafel **waar** we altijd **aan** eten.

Onze Engelse docent   De docent **van wie** we Engels leren.
    De docent **waarvan** we Engels leren.
    De docent **waar** we Engels **van** leren.

Een kortingkaart   Een kaart **waarmee** je korting krijgt.
    Een kaart **waar** je korting **mee** krijgt.

23. er

Ze gaan naar **Indonesië**:   Ze blijven **er** drie weken.
Iedereen is **aanwezig/in de klas**:   Iedereen is **er**.

Er was een interessant programma op de televisie.
Er zijn veel treinen uit Rotterdam. Elk uur vertrekt **er** een trein.
Wat gebeurt **er** als de conducteur niet langskomt?
Hoeveel leerlingen zitten **er** in de klas?
Is **er** hier een café in de buurt?
Er wordt gebeld! Is **er** iemand?

24. niet - geen

Ik praat.   Ik praat **niet**.
Ik koop dit boek.   Ik koop dit boek **niet**.
Ik heb gepraat.   Ik heb **niet** gepraat.
Ik wil praten.   Ik wil **niet** praten.
Het huis is mooi.   Het huis is **niet** mooi.
Ik woon in Leiden.   Ik woon **niet** in Leiden.

Ik heb **een** (mooi) **boek**.   Ik heb **geen** (mooi) boek.
Ik heb (mooie) **boeken**.   Ik heb **geen** (mooie) boeken.
Hij spreekt **Turks**.   Hij spreekt **geen** Turks, maar **wel** Frans.
Is er nu nog **tijd**?   Er is nu **geen** tijd meer, maar straks **wel**.

Teksten

1

Inleiding

1　Nederlanders, wat zijn dat voor mensen? Hoe wonen ze? Hoe *ziet* hun
land *eruit*? Wat zijn hun opvattingen en hoe zijn die in de loop der jaren
veranderd? Wie *bestuurt* het land, en op welke manier? Hoe *ervaren*
buitenlanders het om in Nederland te wonen, en hoe *staan* Nederlanders
5　*tegenover* buitenlanders? Deze en nog vele andere *onderwerpen* worden in dit
boek behandeld.

　　Maar De tweede ronde is meer dan een boek over Nederland. De
teksten vormen het *lesmateriaal* voor een *cursus* Nederlands. Net als in Het
groene boek, het eerste deel in de *serie* (*reeks*) Nederlands voor
10　Buitenlanders, zijn in De tweede ronde (Het gele boek) de *meest frequente*
woorden van het Nederlands *verwerkt*. Wie beide boeken heeft *bestudeerd*,
kent de 2500 meest gebruikte woorden van het Nederlands.

　　Het gele boek is op dezelfde wijze *opgebouwd* als Het groene boek. Het
begint met een *overzicht* van de belangrijkste grammaticale *verschijnselen*.
15　Elk *hoofdstuk* bevat één tekst. Daarin zijn alle nieuwe woorden schuin
gedrukt. Op de bladzijde (*pagina*) *ernaast* staat de betekenis (vertaling)
van die woorden. U moet deze tekst goed *bestuderen*. Op de volgende
pagina staat dezelfde tekst, maar nu is elk *achtste* woord *weggelaten*. *Met
behulp van* deze 'gatentekst', en ook met de oefeningen, kunt u *controleren* of u
20　de tekst goed *beheerst*. Achter in het boek is een *index opgenomen*. Daarin
kunt u woorden *opzoeken* die u bent vergeten. Bij het boek *horen* ook *bandjes*
(*cassettes*) waarop de teksten zijn *ingesproken*. Als u regelmatig naar de
bandjes *luistert*, zult u het Nederlands snel *verstaan*; ook leert u hoe u het
moet uitspreken.
25

Wij hopen dat u in dit boek *interessante* informatie (gegevens) en
opvattingen (*standpunten*, meningen) over het leven in Nederland zult
aantreffen, en dat u na het bestuderen van de teksten zowel de Nederlandse
taal als de *sprekers* van die taal beter zult begrijpen. Veel succes!
30

De *auteurs*

1944	inleiding	introduction	introduction	Einführung	kata pengantar	önsöz
1945	ziet eruit	looks like	est l'aspect de	sieht aus	tampak	-dır
1946	bestuurt	governs	gouverne	regiert	memerintah	yönetiyor
1947	ervaren	experience	perçoivent	erfahren	mengalami	algılıyorlar
1948	staan tegenover	think of	pensent de	stehen gegenüber	berpendirian terhadap	davranıyorlar
1949	onderwerpen	subjects	sujets	Themen	hal-hal	konular
1950	lesmateriaal	lesson material	matériel scolaire	Unterrichtsma-terial	alat pengajaran	ders malzemeleri
1951	cursus	course	cours	Kursus	kursus	kurs
1952	serie	series	série	Serie	seri	seri
1953	reeks	series	série	Reihe	rangkaian	dizi
1954	meest	most	les plus	meist	paling	en (çok)
1955	frequente	frequently used	fréquents	häufige	kerap dipakai	sık rastlanan
1956	verwerkt	incorporated	employés	verarbeitet	dipergunakan	kullanılmıştır
1957	bestudeerd	studied	étudié	studiert	telah mempelajari	öğrenen
1958	opgebouwd	built up	construit	aufgebaut	disusun	düzenlenmiştir
1959	overzicht	survey	sommaire	übersicht	ikhtisar	özet
1960	verschijnselen	phenomena	phénomènes	Phänomene	gejala-gejala	görüngü
1961	hoofdstuk	chapter	chapitre	Kapitel	bab	ünite
1962	pagina	page	page	Seite	halaman	sayfa
1963	ernaast	adjoining	à côté	daneben	disebelah	yanında
1964	bestuderen	study	étudier	studieren	mempelajari	öğrenmek
1965	achtste	eighth	huitième	achtste	yang kedelapan	sekizinci
1966	weggelaten	left out	omis	ausgelassen	dihilangkan	boş bırakılmıştır
1967	met behulp van	with the help of	à l'aide de	mit Hilfe (+2e)	dengan memakai	yardımı ile
1968	gatentekst	broken text	texte à trous	'Löchertextes'	'teks bersela'	"açık metin"
1969	controleren	check	vérifier	kontrollieren	mengontrol	kontrol edebilirsiniz
1970	beheerst	have mastered	maîtrisez	beherrschen	menguasai	egemen olup olmadığınızı
1971	index	index	index	Verzeichnis	indeks	içerik
1972	opgenomen	compiled	inclus	aufgenommen	dimuat	bulunmaktadır
1973	opzoeken	look up	chercher	aufsuchen	mencari	arayabilirsiniz
1974	horen (bij)	are accom-panying	font partie (de)	gehören (zu)	dilengkapi (dengan)	vardır
1975	bandjes	tapes	bandes magnétiques	Tonbänder	pita-pita	bant(cık)lar
1976	cassettes	cassettes	cassettes	Kassetten	kaset-kaset	kasetler
1977	ingesproken	recorded	enregistrés	eingesprochen	disuarakan	kayıt edilmiştir
1978	luistert (naar)	listen (to)	écoutez	zuhört	mendengarkan	dinlerseniz
1979	verstaan	understand	comprendre	verstehen	mengerti	anlayacaksınız
1980	interessante	interesting	intéressantes	interessante	yang menarik	enteresan
1981	standpunten	points of view	points de vue	Standpunkte	pendirian-pendirian	bakış açıları
1982	aantreffen	come across	découvrir	antreffen	menemui	bulacaksınız
1983	sprekers	speakers	ceux qui parlent	Sprecher	penutur-penutur bahasa	konuşanları
1984	auteurs	authors	auteurs	Autoren	penyusun-penyusun	yazarlar

Inleiding

Nederlanders, wat zijn dat voor mensen? Hoe wonen ze? Hoe _____ hun land eruit? Wat zijn hun opvattingen _____ hoe zijn die in de loop der _____ veranderd? Wie bestuurt het land, en op _____ manier? Hoe ervaren buitenlanders het om in Nederland _____ wonen, en hoe staan Nederlanders tegenover _____? Deze en nog vele andere onderwerpen worden _____ dit boek behandeld.

Maar De tweede ronde _____ meer dan een boek over Nederland. De _____ vormen het lesmateriaal voor een cursus Nederlands. _____ als in Het groene boek, het eerste _____ in de serie (reeks) Nederlands voor Buitenlanders, _____ in De tweede ronde (Het gele boek) _____ meest frequente woorden van het Nederlands verwerkt. _____ beide boeken heeft bestudeerd, kent de 2500 _____ gebruikte woorden van het Nederlands.

Het gele _____ is op dezelfde wijze opgebouwd als Het _____ boek. Het begint met een overzicht van _____ belangrijkste grammaticale verschijnselen. Elk hoofdstuk bevat één _____. Daarin zijn alle nieuwe woorden schuin gedrukt. _____ de bladzijde (pagina) ernaast staat de betekenis (_____) van die woorden. U moet deze tekst _____ bestuderen. Op de volgende pagina staat dezelfde _____, maar nu is elk achtste woord weggelaten. _____ behulp van deze 'gatentekst', en ook met _____ oefeningen, kunt u controleren of u de _____ goed beheerst. Achter in het boek is _____ index opgenomen. Daarin kunt u woorden opzoeken _____ u bent vergeten. Bij het boek horen _____ bandjes (cassettes) waarop de teksten zijn ingesproken. _____ u regelmatig naar de bandjes luistert, zult _____ het Nederlands snel verstaan; ook leert u _____ u het moet uitspreken.

Wij hopen dat _____ in dit boek interessante informatie (gegevens) en _____ (standpunten, meningen) over het leven in Nederland _____ aantreffen, en dat u na het bestuderen _____ de teksten zowel de Nederlandse taal als _____ sprekers van die taal beter zult begrijpen. _____ succes!

De auteurs

Geef antwoord:

a. Kunt u iemand anders uitleggen wat de Delftse Methode inhoudt?
b. Woorden zijn belangrijker dan grammatica. Wat vindt u?
c. Hoe heeft u uw eerste vreemde taal geleerd?
d. Wat vindt u moeilijker, Nederlands spreken of Nederlands schrijven?
e. Welk onderwerp zou u in elk geval behandelen in een boek over uw land?

Vul in of aan:

◼ Het gele boek zit net zo in elkaar als Het groene boek: het is op dezelfde _____ opgebouwd. Voorin staat een overzicht van de _____. Dit overzicht bevat alleen de belangrijkste _____ verschijnselen: stel je voor, een complete grammatica van slechts 11 _____ (pagina's)! De teksten bevatten de meest frequente _____ van het Nederlands. Helaas bevatten ze ook m_____ frequente woorden! Jammer: waarom zijn die niet w_____g_____?!

◼ Nederlanders, wat voor mensen zijn dat? _____ zijn dat voor mensen? In wat voor _____ wonen ze? Welke talen spreken ze? Door _____ wordt het land bestuurd? Hoeveel buitenlanders _____ er? Wanneer zijn ze naar Nederland gekomen? _____lang wonen ze er al? Waarover gaat deze oefening? _____ gaat deze oefening over?

Grammatica §16 'woordvolgorde: omdat ... wonen'

De auteurs hopen *dat* u interessante informatie *zult aantreffen.*
U verstaat het beter *als* u regelmatig naar de bandjes *luistert.*
U begrijpt de tekst, *omdat* de vertaling van de woorden ernaast *staat.*
Dit zijn woorden *die* u vergeten *bent.*
Hoe vindt u het *om* in Nederland te *wonen?*

2

Een tweede *vaderland*?

1   *Voor* (Voordat) ik hier *kwam* wonen, had ik *geen flauw idee* (*geen enkel*
vermoeden) waar Nederland *lag*. Toen ik mijn vrienden vroeg of zij het
wisten, antwoordde een van hen dat het een *provincie* van Duitsland was.
Iemand anders *verzekerde* me dat het vlakbij Amsterdam lag. Ja, en de
5   Nederlanders wonen op de *bodem* van de zee en iedereen loopt op *klompen*,
beweerde een derde heel *stellig* (met grote *zekerheid*).
    Inmiddels weet ik beter. Nederland is een *zelfstandige* (*onafhankelijke*)
staat, en Amsterdam is de *hoofdstad*. Meer dan de helft van de
Nederlanders woont inderdaad 'op de bodem van de zee': ruim 50% van
10   Nederland bestaat uit *drooggemaakt* land (*polders*). Klompen heb ik nog
niet kunnen *ontdekken* – maar wel *sportschoenen:* in alle *soorten* en *maten!*
    Laatst heb ik Den Haag *bezocht*. En Leiden ken ik al goed. Maar dat is
logisch, want daar *volg* ik een cursus Nederlands. Amsterdam *hoop* ik
binnenkort te gaan bekijken, als ik meer tijd heb.
15   Als je *verwachtte* dat ik hier de *enige buitenlander* zou zijn, heb je *je lelijk*
vergist. Er wonen hier mensen uit alle delen van de wereld. Ja, ook uit ...,
en dat komt goed uit: nu kan ik *zo af en toe* (*zo nu en dan*) mijn eigen taal
spreken.
    Ik moet *bekennen* (Ik kan niet *ontkennen*) dat ik soms *eenzaam* (alleen) ben.
20   Ik *gedraag me zo* Nederlands *mogelijk*. Ik *fiets* naar school, zeg 'Jan' tegen
mijn leraar, en praat over *voetballen* en het weer. Toch voel ik me hier vaak
niet thuis. Niet dat de Nederlanders *onvriendelijk* zijn. *Integendeel*. Ze willen
je *heus* (echt) wel helpen. Maar ze kennen bijna allemaal Engels, en dat

1985	vaderland	fatherland	patrie	Vaterland	tanah air	anavatan
1986	voor	before	avant que	bevor	sebelum	önce
1987	kwam	came	vienne	kam	datang (untuk)	gelmeden
1988	geen flauw idee	not the faintest idea	pas la moindre idée	keine blaße Ahnung	samasekali tidak tahu	hiçbir fikrim
1989	geen enkel	not a single	aucun	nicht das geringste	sesuatupun tidak	hiçbir
1990	vermoeden	inkling	soupçon	Vermuten	dugaan	fikir
1991	lag	lay	se trouvait	lag	terletak	olduğu
1992	wisten	knew	savaient	wüßten	tahu	bilip bilmediklerini
1993	provincie	province	province	Provinz	propinsi	bölge, vilayet
1994	verzekerde	assured	assura	versicherte	menerangkan dengan pasti	inandırdı
1995	bodem	bottom	fond	Boden	dasar	dibinde
1996	klompen	clogs	sabots	Klumpen	sepatu kayu	tahta kunduralar
1997	beweerde	asserted	affirma	behauptete	mengatakan	iddia etti
1998	stellig	firmly	catégorique-ment	entschieden	dengan pasti	katiyetle
1999	zekerheid	certainty	assurance	Gewißheit	kepastian	kesinlik
2000	zelfstandige	self-contained	indépendant	selbständiger	mandiri	egemen
2001	onafhankelijke	independent	indépendant	unabhängiger	berdaulat	bağımsız
2002	hoofdstad	capital	capitale	Hauptstadt	ibukota	başşehir
2003	drooggemaakt	reclaimed	asséchées	trockengelegt	yang dikeringkan	kurutulmuş
2004	polders	polders	polders	Polder	polder-polder	kurutulmuş arazi
2005	ontdekken	discover	découvrir	entdecken	menemukan	bulamadım
2006	sportschoenen	sports shoes	chaussures de sport	Sportschuhe	sepatu sport	spor ayakkabıları
2007	soorten	kinds	sortes	Sorten	macam-macam	tür(ler)
2008	maten	sizes	tailles	Größen	ukuran-ukuran	boy(lar)
2009	bezocht	visited	visité	besucht	berkunjung	ziyaret ettim
2010	logisch	logical	logique	logisch	lalu di angan	mantıklı
2011	volg	am following	suis	nehme teil (an)	mengikuti	takip ediyorum
2012	hoop	hope	espère	hoffe	mengharap	umut ediyorum
2013	binnenkort	shortly	sous peu	bald	tidak lama lagi	kısa süre içinde
2014	verwachtte	expected	attendais	erwartetest	mengira	tahmin ettiysen
2015	enige	only	seul	einzige	yang satu-satunya	tek
2016	buitenlander	foreigner	étranger	Ausländer	orang asing	yabancı
2017	lelijk	ugly (very)	laid (drôlement)	häßlich	betul	kötü
2018	je ... vergist	are wrong	t'es trompé	dich geirrt	keliru	yanıldın
2019	zo af en toe	every now and again	de temps en temps	so ab und zu	sekali-sekali	ara sıra, bazen
2020	zo nu en dan	now and then	de temps à autre	so ab und an	kadang-kadang	ara sıra, bazen
2021	bekennen	confess	avouer	zugeben	mengaku	itiraf etmeliyim
2022	ontkennen	deny	nier	leugnen	menyangkal	inkar edemem
2023	eenzaam	lonely	isolé	einsam	kesunyian	yalnız
2024	gedraag ... me	behave	me comporte	benehme mich	berkelakuan	davranıyorum
2025	zo ... mogelijk	as ... as possible	aussi ... que possible	so ... wie möglich	se mungkin	mümkün olduğu kadar
2026	fiets	cycle	vais à bicyclette	radele	naik sepeda	bisikletle gidiyorum
2027	voetballen	football	foot(ball)	Fußball spielen	main sepak bola	futbol
2028	onvriendelijk	unfriendly	désobligeants	unfreundlich	tidak ramah	sevimsiz, kaba, nahoş
2029	integendeel	on the contrary	au contraire	im Gegenteil	sebaliknya	aksine
2030	heus	really	vraiment	wirklich	betul	gerçekten

willen ze zo graag laten horen dat ik nauwelijks de gelegenheid krijg
25 Nederlands te praten. Ze *beseffen* (*realiseren zich*) *blijkbaar* niet dat ik hier
ben om hun taal te leren en een *opleiding* te *volgen* aan een Nederlands
instituut (een Nederlandse *instelling*).

2031	beseffen	realise	se rendent compte	sind sich bewußt	insaf akan	anlamıyorlar
2032	realiseren ... zich	realise	réalisent	sind sich im klaren	menyadari	idrak etmiyorlar
2033	blijkbaar	apparently	évidemment	anscheinend	nyatanya	görünüşe göre
2034	opleiding	training course	formation	Ausbildung	pendidikan	eğitim
2035	volgen	follow	suivre	folgen	menuntut	görmek
2036	instituut	institute	institut	Institut	institut	enstitü
2037	instelling	institution	institution	Einrichtung	lembaga	kurum

Een tweede vaderland?

Voor (Voordat) ik hier _____ wonen, had ik geen flauw idee (geen _____
vermoeden) waar Nederland lag. Toen ik mijn _____ vroeg of zij het
wisten, antwoordde een _____ hen dat het een provincie van
Duitsland _____. Iemand anders verzekerde me dat het vlakbij _____ lag.
Ja, en de Nederlanders wonen op _____ bodem van de zee en iedereen
loopt _____ klompen, beweerde een derde heel stellig (met _____
zekerheid).

Inmiddels weet ik beter. Nederland is _____ zelfstandige
(onafhankelijke) staat, en Amsterdam is de _____. Meer dan de helft van
de Nederlanders _____ inderdaad 'op de bodem van de zee': _____ 50%
van Nederland bestaat uit drooggemaakt land (_____). Klompen heb ik
nog niet kunnen ontdekken – _____ wel sportschoenen: in alle soorten en
maten!

_____ heb ik Den Haag bezocht. En Leiden _____ ik al goed. Maar dat
is logisch, _____ daar volg ik een cursus Nederlands. Amsterdam _____ ik
binnenkort te gaan bekijken, als ik _____ tijd heb.

Als je verwachtte dat ik _____ de enige buitenlander zou zijn, heb
je _____ lelijk vergist. Er wonen hier mensen uit _____ delen van de
wereld. Ja, ook uit ..., _____ dat komt goed uit: nu kan ik _____ af en toe
(zo nu en dan) _____ eigen taal spreken.

Ik moet bekennen (Ik _____ niet ontkennen) dat ik soms eenzaam
(alleen) _____. Ik gedraag me zo Nederlands mogelijk. Ik _____ naar
school, zeg 'Jan' tegen mijn leraar, _____ praat over voetballen en het
weer. Toch _____ ik me hier vaak niet thuis. Niet _____ de Nederlanders
onvriendelijk zijn. Integendeel. Ze willen _____ heus (echt) wel helpen.
Maar ze kennen _____ allemaal Engels, en dat willen ze zo _____ laten

horen dat ik nauwelijks de gelegenheid _____ Nederlands te praten. Ze beseffen (realiseren zich) _____ niet dat ik hier ben om hun _____ te leren en een opleiding te volgen _____ een Nederlands instituut (een Nederlandse instelling).

Geef antwoord:

a. Wat wordt bedoeld met 'op de bodem van de zee wonen'?

b. Woont de 'ik' uit de tekst in Amsterdam? Of in Leiden, of in Den Haag?

c. Wist u iets van Nederland voordat u er kwam wonen? Wat?

d. Welke taal spreekt u het meest in Nederland, en waarom?

e. Gedraagt u zich ook 'zo Nederlands mogelijk'? Hoe dan?

f. Heeft u al Nederlandse steden bezocht? Wat vond u ervan?

Vul in of aan:

■ Ik heb geen flauw idee waar Amsterdam _____. Dus vraag ik mijn vrienden of zij _____ weten. 'Ja', zeggen ze, dat is de _____ van Nederland. 'Nederland, is dat niet een _____ van Duitsland?', vraag ik. 'Nee hoor, je _____ je lelijk', lachen mijn vrienden.

grammatica §16 'woordvolgorde: omdat ... wonen'	
Ik vraag me af	*of* Nederland groot *is.*
Kun je me zeggen	*wat voor* mensen er *wonen?*
Weet je	*waar* Leiden *ligt?*
Vertel me eens	*hoe groot* die stad *is?*
Mag ik vragen	*van wie* je dat *gehoord hebt?*

■ Net als veel van mijn vrienden wist ik niet _____ Nederland lag voor ik hier kwam wonen. Ik _____ geen idee hoeveel mensen hier woonden, en _____ de hoofdstad was. Intussen heb _____ veel geleerd. Weet jij bijvoorbeeld wat polders zijn? En _____ je dat een groot deel van de

Nederlanders op de _____ van de zee woont? Ik vraag me af _____ de Nederlanders zelf zich dat wel realiseren!

want – omdat

Den Haag ken ik een beetje, want ik ben daar laatst geweest (= *omdat ik daar laatst geweest ben*). Leiden ken ik al goed; logisch, want daar volg ik een cursus (= *omdat ....*). Amsterdam heb ik nog niet bezocht, omdat ik te weinig tijd heb (= *want ....*).

3

Een vreemde taal?

1 Een vreemd land. Overal fietsen, nergens een *berg* te zien, voortdurend *regen*, maar *het vreemdste*: men praat hier Nederlands. En dat levert vaak een reeks *ongewone klanken* op. Probeer maar eens: 'De *jeugdige toeschouwers schreeuwden luid* van *vreugde*'. *Breek* je *tong* niet! Een wereld van verschil (een
5 heel groot verschil) met je eigen taal ... of toch niet?

Laten we de vorm van de woorden eens *nader* bekijken, en bijvoorbeeld het Nederlandse woord moeder vergelijken met het *Perzische* 'madar'. Een *duidelijke overeenkomst, nietwaar*? En zo kunnen we een heel *rijtje* maken van woorden met deze betekenis in het *Hindi, Russisch, Tsjechisch, Grieks,*
10 Frans, *Spaans*, Engels, Duits, enzovoort (*etcetera*)! En net zo'n serie kun je maken van vader, dochter, *zuster, broer* (*broeder*), ... *ga* maar *na!* Hoe kunnen we dit verklaren? De *taalwetenschap* zegt dat deze talen familie van elkaar zijn. Ze worden alle *gerekend* tot de familie van de *Indo-Europese* talen. Voor iemand die een van deze talen spreekt, is het Nederlands
15 *herkenbaarder. Alhoewel* ...???

Het Nederlands bevat ook een *verzameling internationale* woorden die iedereen wel kent. Vaak komen ze uit de technische sfeer: *techniek, elektriciteit, materie,* meter, *centimeter* (cm), *seconde. Voorts* (verder) *komen* woorden als *algebra* en *cijfer* je misschien *bekend voor.* Dat *klopt*, vooral als je

2038	berg	mountain	montagne	Berg	gunung	dağ
2039	regen	rain	pluie	Regen	hujan	yağmur
2040	het vreemdste	the strangest thing	le plus étrange	das Merk- würdigste	yang paling aneh	en garibi
2041	ongewone	uncommon	inhabituels	ungewohnte	tidak biasa	alışılmamış
2042	klanken	sounds	sons	Klänge	suara-suara	sesler
2043	jeugdige	youthful	jeunes	jugendliche	muda	genç
2044	toeschouwers	spectators	spectateurs	Zuschauer	para penonton	seyirciler
2045	schreeuwden	cried	criaient	schrieen	bertempik-sorak	bağırıyorlardı
2046	luid	loudly	fort	laut	dengan riuh	yüksek sesle
2047	vreugde	joy	joie	Freude	kegembiraan	sevinçten
2048	breek	tripover	casse	brich	patah	parçalanmasın
2049	tong	tongue	langue	Zunge	lidah	dilin
2050	nader	further	de plus près	genauer	lebih saksama	daha yakından
2051	Perzische	Persian	persan	persische	kata Parsi	Farsça
2052	duidelijke	clear	claire	deutliche	yang jelas	belirgin
2053	overeenkomst	similarity	ressemblance	übereinstim- mung	persamaan	benzerlik
2054	nietwaar	isn't there	n'est-ce pas	nicht wahr	bukan	değil mi
2055	rijtje	row	série	Reihe	deretan kecil	dizi(cik)
2056	Hindi	Hindi	hindi	Hindi	bahasa Hindi	Hintçe
2057	Russisch	Russian	russe	Russisch	bahasa Rusia	Rusça
2058	Tsjechisch	Czech	tchèque	Tschechisch	bahasa Ceko	çekoslovakyaca
2059	Grieks	Greek	grec	Griechisch	bahasa Yunani	Yunanca
2060	Spaans	Spanish	espagnol	Spanisch	bahasa Sepanyol	Ispanyolca
2061	etcetera	etc.	et cetera	u.s.w.	dan lain-lain	vesaire
2062	zuster	sister	soeur	Schwester	saudara kandung perempuan	kız kardeş
2063	broer	brother	frère	Bruder	saudara kandung laki-laki	erkek kardeş
2064	broeder	brother	frère	Bruder	saudara	erkek kardeş
2065	ga ... na	see for yourself	va voir	untersuche	selidikilah	araştır da gör
2066	taalwetenschap	linguistics	linguistique	Sprachwissen- schaft	ilmu bahasa	dilbilim
2067	gerekend (tot)	attributable (to)	comptées	gerechnet (zu)	termasuk (dalam)	sayılır
2068	Indo-Europese	Indo-European	indo- européennes	indoeuropäi- schen	Indo-Eropah	Hint-Avrupalı
2069	herkenbaarder	more recognisable	plus recon- naissable	besser erkennbar	lebih mudah dikenali	daha iyi seçilebilir
2070	alhoewel	although	encore que	obwohl	walaupun	yoksa
2071	verzameling	collection	rassemblement	Sammlung	kelompok	koleksiyon
2072	internationale	international	internationaux	internationaler	internasional	uluslararası, enternasyonal
2073	techniek	technics	technique	Technik	teknik	teknik
2074	elektriciteit	electricity	électricité	Elektrizität	listrik	elektrik
2075	materie	matter	matière	Materie	materi	madde
2076	centimeter	centimetre	centimètre	Zentimeter	sentimeter	santimetre
2077	seconde	second	seconde	Sekunde	sekon	saniye
2078	voorts	moreover	ensuite	außerdem	selanjutnya	ayrıca
2079	komen bekend voor	appear familiar	déjà vus	kommen bekannt vor	dengan mudah dikenali	aşina gelebilir
2080	algebra	algebra	algèbre	Algebra	aljabar	cebir
2081	cijfer	figure	chiffre	Ziffer	angka	sayı
2082	klopt	tallies	(c') est exact	stimmt	betul begitu	doğrudur

20 *Arabisch* spreekt, want deze woorden komen *oorspronkelijk* uit die taal. Dat
geldt trouwens ook voor woorden als koffie en suiker. En het zal niemand
verbazen dat het woord thee uit het Chinees komt! Wie *Turks* spreekt,
herkent de woorden (kranten)*kiosk* en *yoghurt*, die uit die taal *(daaruit)* zijn
overgenomen; ook *divan* is *afgeleid* van een Turks woord. Wie *Indonesisch*

25 spreekt, zal weinig moeite hebben met de woorden amper
(= nauwelijks), pienter (= *slim*) en bakkeleien (=*vechten*): die zijn
namelijk aan die taal *ontleend. Omgekeerd* heeft het Indonesisch ook
Nederlandse woorden opgenomen. Zo komen 'kantor pos' en 'kulkas' van
twee heel *gewone* Nederlandse woorden ... *zij het dat ze enigszins aangepast*

30 zijn!

Velen* zullen voordeel hebben van de Engelse woorden in het
Nederlands. Evenals veel andere landen is Nederland sterk gericht op
Amerika en Engeland, in *politiek*, economisch en *cultureel* opzicht.
Hierdoor zijn allerlei Engelse woorden *in gebruik: computer*, *team*, *club*, *coach*,

35 *show*, *trainer*.

Hopelijk* lijkt het Nederlands minder moeilijk, nu *er* zoveel bekende
woorden *in* blijken *voor* te *komen*.

2083	Arabisch	Arabic	arabe	Arabisch	bahasa Arab	Arapça
2084	oorspronkelijk	originally	à l'origine	ursprünglich	(komen-) berasal	aslen
2085	verbazen	surprise	étonner	verwundern	heran	şaşırtmaz
2086	Turks	Turkish	turc	Türkisch	bahasa Turki	Türkçe
2087	herkent	recognises	reconnaît	erkennt wieder	mengenali	tanır
2088	kiosk	kiosk	kiosque	Kiosk	kios	köşk
2089	yoghurt	yoghurt	yaourt	Yoghurt	yoghurt	yoğurt
2090	daaruit	from that	de là	daraus	dari kata itu	ondan
2091	overgenomen	taken from	repris	übernommen	diambil	alınmıştır
2092	divan	divan	divan	Sofa	dipan	divan
2093	afgeleid	derived	dérivé	abgeleitet	diturunkan	türetilmiştir
2094	Indonesisch	Indonesian	indonésien	Indonesisch	bahasa Indonesia	Indonezyaca
2095	slim	clever	malin	schlau	pintar	kurnaz
2096	vechten	to fight	se battre	streiten	berkelahi	kavga etmek
2097	ontleend	borrowed	empruntés	entliehen	diambil alih	alınmıştır
2098	omgekeerd	contrarily	à l'inverse	umgekehrt	sebaliknya	bunun tersine
2099	gewone	common	simple	normale	biasa	alelade
2100	zij het dat	even though	bien que	obwohl	biarpun	olsa bile
2101	enigszins	somewhat	quelque peu	ein wenig	sedikit	kısmen
2102	aangepast	adapted	adaptés	angepasst	disesuaikan	uyarlanmış
2103	velen	many (people)	beaucoup	viele	banyak orang	birçok kişi
2104	politiek	political	politique	politischer	politik	politika
2105	cultureel	cultural	culturel	kultureller	kebudayaan	kültür
2106	in gebruik	in use	utilisés	(werden) gebraucht	berlaku	kullanılır
2107	computer	computer	ordinateur	Computer	komputer	bilgisayar
2108	team	team	équipe	Team	tim	takım
2109	club	club	club	Club	klab	kulüp
2110	coach	coach	coach	Coach	pelatih	kaptan
2111	show	show	show	Show	tontonan	gösteri
2112	trainer	trainer	entraîneur	Trainer	pelatih	antrenör
2113	hopelijk	hopefully	espérons (que)	hoffentlich	mudah-mudahan	inşallah
2114	er ... in	in it	y	darin	didalamnya	içinde
2115	voor ... komen	occur	se trouvent	vorkommen	terdapat	olduğu

Een vreemde taal?

Een _____ land. Overal fietsen, nergens een berg te _____, voortdurend
regen, maar het vreemdste: men praat _____ Nederlands. En dat levert
vaak een reeks _____ klanken op. Probeer maar eens: 'De jeugdige _____
schreeuwden luid van vreugde'. Breek je tong _____! Een wereld van
verschil (een heel groot _____) met je eigen taal ... of toch niet?

_____ we de vorm van de woorden eens _____ bekijken, en bijvoorbeeld
het Nederlandse woord moeder _____ met het Perzische 'madar'. Een
duidelijke overeenkomst, _____? En zo kunnen we een heel rijtje _____
van woorden met deze betekenis in het _____, Russisch, Tsjechisch,
Grieks, Frans, Spaans, Engels, Duits, _____ (etcetera)! En net zo'n serie

kun ____ maken van vader, dochter, zuster, broer (broeder), ... ____
maar na! Hoe kunnen we dit verklaren? ____ taalwetenschap zegt dat
deze talen familie van ____ zijn. Ze worden alle gerekend tot de ____
van de Indo-Europese talen. Voor iemand ____ een van deze talen
spreekt, is het ____ herkenbaarder. Alhoewel ...???

Het Nederlands bevat ook een ____ internationale woorden die
iedereen wel kent. Vaak ____ ze uit de technische sfeer: techniek,
elektriciteit, ____, meter, centimeter (cm), seconde. Voorts (verder)
komen ____ als algebra en cijfer je misschien bekend ____. Dat klopt,
vooral als je Arabisch spreekt, ____ deze woorden komen oorspronkelijk
uit die taal. ____ geldt trouwens ook voor woorden als koffie ____
suiker. En het zal niemand verbazen dat ____ woord thee uit het Chinees
komt! Wie ____ spreekt, herkent de woorden (kranten)kiosk en ____,
die uit die taal (daaruit) zijn overgenomen; ____ divan is afgeleid van
een Turks woord. ____ Indonesisch spreekt, zal weinig moeite hebben
met ____ woorden amper (= nauwelijks), pienter (=slim) en bakkeleien
(=____): die zijn namelijk aan die taal ontleend. ____ heeft het
Indonesisch ook Nederlandse woorden opgenomen. ____ komen 'kantor
pos' en 'kulkas' van twee ____ gewone Nederlandse woorden ... zij het
dat ze ____ aangepast zijn!

Velen zullen voordeel hebben van ____ Engelse woorden in het
Nederlands. Evenals veel ____ landen is Nederland sterk gericht op
Amerika ____ Engeland, in politiek, economisch en cultureel
opzicht. ____ zijn allerlei Engelse woorden in gebruik: computer, ____,
club, coach, show, trainer.

Hopelijk lijkt het ____ minder moeilijk, nu er zoveel bekende
woorden ____ blijken voor te komen.

Geef antwoord:

a. Noem twee oorzaken waardoor talen op elkaar kunnen lijken.
b. Verbaast het u dat het woord 'thee' uit het Chinees komt?
c. Kent u (nog meer) woorden die het Nederlands uit uw taal heeft
   overgenomen?
d. Op welke taal (talen) lijkt uw taal veel? Hoe komt dat?

e. Zijn er in uw taal veel woorden afkomstig uit het Engels? Zo ja, zijn die ook 'enigszins aangepast'?

f. Bestaat er een goede vertaling voor het woord 'polder' in uw taal?

g. Wat vindt u het opvallendste verschil tussen uw taal en het Nederlands?

Vul in of aan:

■ Wie uit Turkije komt, spreekt natuurlijk Turks, terwijl _____ die uit Marokko komt, Arabisch beheerst, en vaak ook _____ . In China spreekt men een van de _____ talen, en het zal u niet verbazen _____ in Duitsland Duits gesproken wordt. Een taal _____ veel mensen overal in de wereld spreken, _____ het Engels. En uw eigen taal, het _____ , wordt die door veel mensen gesproken?

Grammatica §2 'de, het'		
de verzameling	de informatie	het rijtje
de betekenis	de produktie	het bestuderen
de spreker	de wetenschap	het Nederlands
de waarheid	de elektriciteit	het verschijnsel

■ Het Nederlands _____ een grote verzameling woorden die afgeleid zijn _____ een ander woord. Laten we bijvoorbeeld het _____ 'verzameling' eens nader bekijken, en het vergelijken met _____ woord 'verzamelen': een duidelijke overeenkomst, nietwaar? En _____ kunnen we een hele serie maken van _____ die van een ander woord zijn afgeleid: 'spreker' komt van '_____', en in 'Nederlander' herkent _____ gemakkelijk 'Nederland'. 'Gebruik' komt van 'gebruiken', terwijl 'waarheid' natuurlijk _____ is van 'waar'. En hebt u gezien dat woorden _____ op -ing, -is, -er, -heid, -tie, -schap en -teit eindigen, nog een interessante eigenschap _____ ? Het zijn allemaal de-woorden.

4

Zeg maar Jan!

1   – Meneer, mag ik u wat vragen? Toen wij *ons* aan elkaar *voorstelden*, zei u:
    'Ik ben de leraar. Mijn naam is Jan de Vries. Maar zeggen jullie maar
    Jan.' Ik vond dat gek. In mijn land noemen wij de leraar nooit bij de
    voornaam. Studenten moeten *respect tonen*. Als de leraar de klas *binnenkomt*,
5   moet iedereen gaan staan. Hoe zit (is) dat hier? Mag je een docent hier
    altijd met de voornaam *aanspreken*?
    – *Tja*, dat is een vraag die ik niet *één*, *twee*, *drie* kan *beantwoorden*. Het *hangt*,
    denk ik, *af* van het verschil in leeftijd tussen docent en *student*. Jonge
    docenten die *lesgeven* aan volwassenen, zullen *zich* meestal met hun
10 voornaam *voorstellen*, en het dus ook gewoon vinden als ze met 'jij' worden
    aangesproken. Oudere docenten zijn daarin vaak *ouderwetser* (minder
    modern). Die kunnen maar moeilijk *wennen* aan die *gewoonte*. Vroeger *sprak*
    men ook bij ons een leraar *aan* met 'u' en met zijn *achternaam*. De laatste 25
    jaar is er wat dat betreft veel veranderd in Nederland. Ik *twijfel* zelf ook
15 wel eens of ik iemand die ik voor het eerst (voor de eerste keer) *ontmoet*,
    met 'u' of met 'jij' moet aanspreken. Als iemand ouder is, of
    maatschappelijk gezien meer *status* heeft, dan zeg ik altijd 'u'. Meestal *wacht*
    ik *af* totdat de ander zegt: 'je mag wel 'je' zeggen' of 'noem me maar
    Anne'.
20 – 't (Het) Klinkt allemaal nogal moeilijk. Als zelfs Nederlanders het niet
    altijd weten...
    – Ja, soms is het niet *eenvoudig*. Gelukkig zijn er ook veel situaties waarin
    het wel duidelijk is. In een winkel zeg je meestal 'u'. Thuis is 'je' steeds
    gebruikelijker.
25 – Dus er zijn kinderen die 'je' zeggen tegen hun ouders? Dat zou bij ons
    absoluut niet kunnen (mogelijk zijn).
    – Inderdaad. Sommige kinderen noemen hun ouders zelfs bij de
    voornaam. De *relaties* (*verhoudingen*) binnen het gezin zijn in de loop der

42

2116	ons voorstellen (aan)	introduced ourselves (to)	nous sommes présentés	uns vorstellten (an)	memperkenalkan diri	tanıştığımızda
2117	voornaam	Christian name	prénom	Vorname	nama kecil	isim
2118	respect	respect	respect	Respekt	rasa hormat	saygı, hürmet
2119	tonen	show	montrer	zeigen	menunjukkan	göstermek
2120	binnenkomt	enters	entre (dans)	hereinkommt	masuk	girdiğinde
2121	aanspreken (met)	address	appeler (par)	anreden	menyapa	hitap etmek
2122	tja	well, ...	ben	tja	entah	hmm
2123	één, twee, drie	straight off	de but en blanc	mir nichts, dir nichts	begitu saja	hemencecik
2124	beantwoorden	answer	répondre	beantworten	menjawab	cevaplayamam
2125	hangt ... af (van)	depends (on)	dépend (de)	hängt ab (von)	tergantung (pada)	bağlıdır
2126	student	student	étudiant	Student	siswa	öğrenci
2127	lesgeven	teach	enseignent	Unterricht geben	mengajar	ders veren
2128	zich ... voorstellen	introduce themselves	se présenter	sich vorstellen	memperkenalkan diri	tanıtır
2129	aangesproken (met)	addressed (as)	appelés (par)	angesprochen	disapa	hitap edilmesini
2130	ouderwetser	more old-fashioned	plus vieux jeu	altmodischer	lebih kolot	daha eski kafalı
2131	modern	modern	modernes	modern	modern	modern, çağdaş
2132	wennen (aan)	become accustomed	s'accoutumer (à)	gewöhnen (an)	membiasakan diri (pada)	alışırlar
2133	gewoonte	custom	habitude	Gewohnheit	kelaziman	adet
2134	sprak ... aan (met)	addressed (as)	appelait (par)	sprach an (mit)	menyapa	hitap edilirdi
2135	achternaam	surname	nom de famille	Nachname	nama keluarga	soyisim
2136	twijfel	doubt	hésite	zweifele	ragu	tereddüt ederim
2137	ontmoet	meet	rencontre	treffe	bertemu dengan	gördüğüm
2138	maatschappelijk	socially	socialement	gesellschaftlich	kemasyarakatan	sosyal
2139	gezien	seen	vu	betrachtet	dipandang dari sudut	açıdan
2140	status	status	statut	Ansehen	status	saygınlık
2141	wacht ... af	wait	attends	warte ab	menunggu	beklerim
2142	eenvoudig	simple	simple	einfach	gampang	kolay
2143	gebruikelijker	more customary	plus usité	üblicher	makin sering dipakai	alışılagelmiş
2144	absoluut	absolutely	absolument	absolut	samasekali	kesin
2145	relaties	relationships	relations	Beziehungen	relasi-relasi	ilişkiler
2146	verhoudingen	relationships	rapports	Verhältnisse	hubungan-hubungan	ilişkiler

jaren nogal veranderd. Ouders en kinderen *gaan* tegenwoordig heel anders met elkaar *om*. Vroeger vond men het normaal dat de ouders *bepaalden* wat goed was voor hun kinderen. Kinderen *werden geacht gehoorzaam* te zijn. Nu proberen steeds meer ouders hun kinderen te leren om zelf *na* te *denken* over hun *doen en laten (daden)*. En dat betekent: *overleggen* over *afspraken* en regels.

2147	gaan ... om (met)	get on with	vivent ensemble	gehen um	bergaul (dengan)	davranıyorlar
2148	bepaalden	determined	décidaient	bestimmten	menentukan	belirlerlerdi
2149	werden	were	étaient	wurden	-----	-irdi
2150	geacht	supposed	tenus	erwartet	(werden -) dianggap	olmaları beklenirdi
2151	gehoorzaam	obedient	obéissants	gehorsam	mematuh	itaatli
2152	na ... denken (over)	reflect (upon)	réfléchir (à)	nachdenken	menimbangkan	düşünmeyi
2153	doen en laten	exploits	faits et gestes	Tun und Lassen	kelakuan	davranışlar
2154	daden	deeds	actes	Taten	perbuatan-perbuatan	eylemler
2155	overleggen (over)	consultation (about)	délibérer (sur)	beratschlagen	membicarakan	ölçüp biçmek
2156	afspraken	agreements	accords	Verabredungen	perjanjian-perjanjian	anlaşma

Zeg maar Jan!

– Meneer, mag ik _____ wat vragen? Toen wij ons aan elkaar _____, zei u:
'Ik ben de leraar. Mijn _____ is Jan de Vries. Maar zeggen jullie _____
Jan.' Ik vond dat gek. In mijn _____ noemen wij de leraar nooit bij
de _____. Studenten moeten respect tonen. Als de leraar _____ klas
binnenkomt, moet iedereen gaan staan. Hoe _____ (is) dat hier? Mag je
een docent _____ altijd met de voornaam aanspreken?
– Tja, dat _____ een vraag die ik niet één, twee, _____ kan beantwoorden.
Het hangt, denk ik, af _____ het verschil in leeftijd tussen docent en _____.
Jonge docenten die lesgeven aan volwassenen, zullen _____ meestal met
hun voornaam voorstellen, en het _____ ook gewoon vinden als ze met
'jij' _____ aangesproken. Oudere docenten zijn daarin vaak ouderwetser
(_____ modern). Die kunnen maar moeilijk wennen aan _____ gewoonte.
Vroeger sprak men ook bij ons _____ leraar aan met 'u' en met zijn _____.
De laatste 25 jaar is er _____ dat betreft veel veranderd in Nederland.
Ik _____ zelf ook wel eens of ik iemand _____ ik voor het eerst (voor de
eerste _____) ontmoet, met 'u' of met 'jij' moet _____. Als iemand ouder
is, of maatschappelijk gezien _____ status heeft, dan zeg ik altijd
'u'. _____ wacht ik af totdat de ander zegt: '_____ mag wel 'je' zeggen' of
'noem me _____ Anne'.
– 't (Het) Klinkt allemaal nogal moeilijk. _____ zelfs Nederlanders het
niet altijd weten...

– Ja, ____ is het niet eenvoudig. Gelukkig zijn er ____ veel situaties waarin het wel duidelijk is. ____ een winkel zeg je meestal 'u'. Thuis ____ 'je' steeds gebruikelijker.
– Dus er zijn kinderen ____ 'je' zeggen tegen hun ouders? Dat zou ____ ons absoluut niet kunnen (mogelijk zijn).
– Inderdaad. ____ kinderen noemen hun ouders zelfs bij de ____. De relaties (verhoudingen) binnen het gezin zijn ____ de loop der jaren nogal veranderd. Ouders ____ kinderen gaan tegenwoordig heel anders met elkaar ____. Vroeger vond men het normaal dat de ____ bepaalden wat goed was voor hun kinderen. ____ werden geacht gehoorzaam te zijn. Nu proberen ____ meer ouders hun kinderen te leren om ____ na te denken over hun doen en ____ (daden). En dat betekent: overleggen over afspraken ____ regels.

Geef antwoord:

a. In welke gevallen zeg je volgens de tekst meestal 'u' in Nederland?
b. Kent u wellicht nog andere situaties waarin men beslist 'u' moet zeggen?
c. Wat is er veranderd in de relaties binnen het Nederlandse gezin? Zijn de relaties binnen het gezin en/of de familie in uw land net zo veranderd?
d. Bestaat er in uw taal ook een verschil tussen woorden als 'u' en 'jij'?
e. Op welke manier toont men in uw land respect voor de leraar?
f. Moeten kinderen gehoorzaam zijn?

Vul in of aan:

■ Toen ik voor het eerst op mijn werk kwam, stelde mijn nieuwe baas zich ____ me voor met: 'Zeg ____ Jan!' Nou, ik ben misschien o____, maar ik kan niet goed w____ aan die nieuwe gewoontes. Waarom mag ik mijn baas niet gewoon met 'meneer' ____, dan is de ____ (relatie) tenminste duidelijk!

Grammatica §19 'ik – mij – mijn'

25 jaar geleden sprak men een leraar meestal aan met 'u'; nu noemt _____ hem vaak bij zijn voornaam, en spreekt men _____ aan met 'je'.
Als je twijfelt of _____ iemand met 'u' of met 'jij' moet _____, kun je 't beste afwachten totdat de ander _____ naam zegt. Dan weet je meestal ook wat _____ moet zeggen.
En als we iemand tegenkomen _____ jonger is, kunnen we zelf kiezen of _____ met onze voornaam of met onze achternaam _____ worden.
En u, mevrouw? Hoe wilt _____ dat ze u aanspreken? Mogen ze u bij uw _____ noemen, of moeten ze 'mevrouw' _____?

Grammatica §4 'groot, grote'

het antwoord	– geen *direct* antwoord	*het* land	– elk *ander* land
het probleem	– zo'n *lastig* probleem	*het* gezin	– welk *modern* gezin
het respect	– weinig respect	*het* kind	– ieder *klein* kind

47

5

De doorzonwoning

1   Een *karakteristiek* produkt van de Nederlandse *huizenbouw* is de
doorzonwoning. Je *treft* dit *type* huis *aan* in *buitenwijken: lage rijtjes* huizen
onder één *dak*, vaak van *baksteen*. Het eigen *karakter* van de doorzonwoning
zit hem hierin, dat de zon er *dwars doorheen schijnt*. De woonkamer *loopt* van
5   *voren* naar *achteren door*, en heeft aan voor- en *achterzijde* grote *ramen*. Vanaf
de straat kunnen we alles zien wat *zich* binnen *afspeelt: afgezien* van de
potten met *planten* voor het raam is er niets wat de *bewoners beschermt* tegen
onze *nieuwsgierigheid*. Om 11 uur zien we de koffie op tafel staan, om vier
uur *schenkt* men thee. Maar voordat we op bezoek gaan, moeten we wel
10   eerst even *opbellen*.

    We gaan door het *hekje* het *keurige tuintje* in, waar altijd wel wat *bloeit*. Er
staat een tafel met wat *tuinstoelen*. Als we *aanbellen*, horen we een hond
opgewonden blaffen. Vaag is zijn *kop zichtbaar* door het *raampje* in de deur. Hij
wordt op *strenge toon toegesproken:* Hector, *af*!
15   We *bieden* de *gastvrouw* ons *bosje* bloemen *aan*, en hangen onze *jas* in het

2157	karakteristiek	characteristic	caractéristique	charakteristisch	yang khas	tipik, kendine özgü
2158	huizenbouw	house building	construction de maisons	Häuserbau	perumahan	mesken inşaati
2159	treft ... aan	come across	trouve	findet	terdapat	rastlarsın
2160	type	type	type	Typ	jenis	tip
2161	buitenwijken	suburbs	quartiers extérieurs	Außenvierteln	pinggiran kota	dış semtler
2162	lage	low	basses	niedrige	rendah	alçak
2163	rijtjes	little rows	mitoyennes	Reihen	deretan singkat	dizi(cik)ler
2164	dak	roof	toit	Dach	atap	dam
2165	baksteen	brick	briques	Ziegelstein	batu bata	tuğla
2166	karakter	character	caractère	Eigenart	(eigen -) ciri yang khas	karakter
2167	zit hem hierin	is the following	tient au faît	besteht darin	adalah	şudur ki
2168	dwars	transversely	à travers	quer	---	bir yandan öte yana
2169	doorheen	through it	à travers	hindurch	(dwars-) membujur	içinden
2170	schijnt	shines	brille	scheint	menembus	geçer
2171	loopt ... door	runs through	s'étend	läuft durch	membujur	uzanır
2172	(van) voren	(from the) front	(du) devant	(von) vorne	dari muka	önden
2173	(naar) achteren	(to the) back	(à) l'arrière	(nach) hinten	ke belakang	arkaya
2174	achterzijde	rear	façade arrière	Rückseite	bagian belakang	arka taraf
2175	ramen	windows	fenêtres	Fenster	jendela-jendela	pencereler
2176	zich ... afspeelt	is enacted	se passe	sich abspielt	terjadi	olduğunu
2177	afgezien (van)	apart (from)	à part	außer	selain (dari)	-den/-dan başka
2178	potten	pots	pots	Töpfen	pot-pot	saksılar
2179	planten	plants	plantes	Pflanzen	tanaman	bitkiler
2180	bewoners	inhabitants	habitants	Bewohner	para penghuni	sakinler
2181	beschermt	protects (from)	protège (contre)	beschützt	melindungi	koruyan
2182	nieuwsgierig-heid	curiosity	curiosité	Neugierde	keingintahuan	merak
2183	schenkt	serves	sert	schenkt ein	dihidangkan	içilir
2184	opbellen	ring up	téléphoner	anrufen	menelepon	telefon etmeliyiz
2185	hekje	little gate	clôture	Gartentür	pagar kecil	çit(cik), parmaklık(cık)
2186	keurige	exemplary	soigné	gepflegte	rapi	çok güzel, zarif
2187	tuintje	little garden	(petit) jardin	Gärtchen	halaman kecil	bahçe(cik)
2188	bloeit	is blooming	fleurit	blüht	berbunga	çiçek içinde olan
2189	tuinstoelen	garden chairs	chaises de jardin	Gartenstühlen	kursi kebun	bahçe iskemleleri
2190	aanbellen	ring the bell	sonnons	klingeln	mengebel	zili çaldığımızda
2191	opgewonden	excitedly	agitée	aufgeregt	dengan gegap-gempita	heyecanlı, telaşlı
2192	blaffen	barking	aboyer	bellen	menggongong	havladığını
2193	vaag	vaguely	vaguement	undeutlich	samar-samar	hayal meyal
2194	kop	head	tête	Kopf	kepala	kafa
2195	zichtbaar	visible	visible	sichtbar	terlihat	görülür
2196	raampje	small window	(petite) fenêtre	Fensterchen	jendela kecil	pencere(cik)
2197	strenge	firm	sévère	strengen	keras	sert
2198	toon	tone	ton	Ton	suara	ses
2199	toegesproken	spoken to	interpelé	zugesprochen	ditegur	hitap edildi
2200	af	off	couché	ab	nyah	çekil
2201	bieden ... aan	offer	offrons	bieten an	mengunjukkan	veriyoruz
2202	gastvrouw	hostess	maîtresse de maison	Gastgeberin	nyonya rumah	evin hanımı
2203	bosje	small bunch	(petit) bouquet	Sträußchen	(een -) seikat	demet(cik)
2204	jas	coat	manteau	Mantel	jas	ceket

smalle (nauwe) gangetje. Ze *gaat* ons *voor*, de woonkamer in. De *kat*, heerlijk *uitgestrekt* op de *bank*, *staart* ons *aan*. De hond *springt tegen* ons *op*, en moet voor *straf* in zijn *mand*. Of we thee willen? Of liever een *glaasje fris*? Nou, als u toch thee *zet* ... graag! De gastvrouw verdwijnt naar het *keukentje*, en we
20 *kijken rond* in de kamer.

Eén hoek is voor de kinderen, de *vloer* ligt vol: *autootjes*, *poppen*, een bal, *stripboeken*, *tekeningen* en *schriften*. Tegen één van de *wanden (muren)* staat een *piano*, en daarnaast ligt, in een *koffer*, nog een *muziekinstrument*: een *muzikaal* gezin? Op de piano staan *foto's*: *portretten* van de kinderen met hun
25 *grootouders*. Naast de piano een *zelfgemaakte boekenkast*, met *romans* en boeken over de natuur. Op een lage *glazen* tafel bij het raam liggen wat kranten. We zien een half *ingevuld cryptogram*, en proberen: 12 *horizontaal*, vier *letters*, begint met een r, 'als je het *omdraait*, is het nog steeds vreemd'.

De thee is *getrokken*. Het is vier uur geweest, de kinderen komen uit
30 school. Ze *duwen* elkaar de kamer in, komen zich *netjes* voorstellen, en doen dan een *aanval* op de *koekjestrommel*. 'Eerst *tassen* naar je kamer! En kijk meteen even wat je *huiswerk* is voor morgen!' Ze *rennen* de trap op: *moeders wil* is *wet*. De kat *glimlacht*.

2205	smalle	narrow	étroit	schmalen	sempit	dar
2206	nauwe	narrow	étroit	engen	sempit	ensiz
2207	gangetje	little corridor	(petit) couloir	schmaler Gang	gang kecil	koridor(cuk)
2208	gaat ... voor	leads the way	précède	geht voraus	mendahului	önümüzden gidiyor
2209	kat	cat	chat	Katze	kucing	kedi
2210	uitgestrekt	stretched out	allongé	ausgestreckt	membujur	uzanmış
2211	bank	sofa	canapé	Sofa	bangku	kanepe, divan
2212	staart ... aan	stares at	fixe	starrt an	menatap	bakıyor
2213	springt	jumps	bondit	springt	melompati	atlıyor
2214	tegen ... op	up against	vers	hoch an	pada	üzerimize
2215	straf	punishment	punition	Strafe	ganjaran	ceza
2216	mand	basket	panier	Korb	keranjang	sepet
2217	glaasje	little glass	petit verre	Gläschen	segelas	bardak(cık)
2218	fris	cold drink	rafraîchissement	Erfrischungsgetränk	minuman yang menyegarkan	meşrubat
2219	zet	are making	faites	kochen	(thee -) membuat air teh	yaparsanız
2220	keukentje	kitchenette	petite cuisine	kleine Küche	dapur kecil	mutfak(cık)
2221	kijken ... rond	look around	promenons notre regard	sehen (uns) um	melihat-lihat	göz gezdiriyoruz
2222	vloer	floor	sol	Boden	lantai	yer
2223	autootjes	small cars	petites autos	Spielautos	mobil-mobil kecil	araba(cık)lar
2224	poppen	dolls	poupées	Puppen	boneka-boneka	bebekler

2225	stripboeken	comics	bandes dessinées	Comic strips	buku-buku ceritera bergambar	çizgi romanlar
2226	tekeningen	drawings	dessins	Zeichnungen	lukisan-lukisan	resimler
2227	schriften	exercise books	cahiers	Schreibhefte	buku-buku tulis	defterler
2228	wanden	walls	parois	Wände	dinding-dinding	duvarlar
2229	muren	walls	murs	Wände	tembok-tembok	duvarlar
2230	piano	piano	piano	Klavier	piano	piyano
2231	koffer	case	étui	Koffer	koper	valiz
2232	nog een	another	encore un	noch ein	sebuah lagi	bir tane daha
2233	muziekinstru-ment	musical instrument	instrument de musique	Musikinstrument	alat musik	müzik aleti
2234	muzikaal	musical	de mélomanes	musikalische	musikal	müzisyen
2235	foto's	photos	photos	Photos	foto-foto	fotoğraflar
2236	portretten	portraits	portraits	Portraits	potret-potret	portreler
2237	grootouders	grandparents	grands-parents	Großeltern	orang tua ayah dan ibu	büyük anne ve babalar
2238	zelfgemaakte	home-made	faite soi-même	selbstgemach-tes	yang dibuat sendiri	kendi mamulatı
2239	boekenkast	bookcase	bibliothèque	Bücherregal	lemari buku	kitap dolabı
2240	romans	novels	romans	Romanen	roman-roman	romanlar
2241	glazen	glass	de verre	gläsernen	kaca	cam
2242	ingevuld	completed	rempli	ausgefülltes	diisi	doldurulmuş
2243	cryptogram	crossword	cryptogramme	Kryptogramm	teka-teki kata-kata	bilmece
2244	horizontaal	across	horizontal	horizontal	horizontal	sağdan sola
2245	letters	letters	lettres	Buchstaben	huruf-huruf	harf(ler)
2246	omdraait	turn round	retourne	umkehrt	membalikkan	çevirirsen
2247	getrokken	brewed	infusé	gezogen	cukup keras	demlendi
2248	duwen	push	bouscoulent	schubsen	mendorong	itiyorlar
2249	netjes	correctly	poliment	anständig	dengan sopan	terbiyelice
2250	aanval	attack	descente	Angriff	penyerbuan	saldırı
2251	koekjestrommel	biscuit tin	boîte à biscuits	Keksdose	tempat kue-kue	kurabiye kutusu
2252	tassen	bags	cartables	Taschen	tas-tas	çantalar
2253	huiswerk	homework	devoirs	Hausaufgaben	pekerjaan rumah	ev ödevi
2254	rennen	run	courent	rennen	berlari	koşuyorlar
2255	moeders	mother's	de la mère	Mutters	ibu	annenin
2256	wil	wish	volonté	Wille	kehendak	isteği, arzusu
2257	wet	law	loi	Gesetz	hukum	emir, kanun
2258	glimlacht	smiles	sourit	schmunzelt	tersenyum	gülümsüyor

De doorzonwoning

Een karakteristiek produkt van de Nederlandse _____ is de doorzonwoning. Je treft dit type _____ aan in buitenwijken: lage rijtjes huizen onder _____ dak, vaak van baksteen. Het eigen karakter _____ de doorzonwoning zit hem hierin, dat de _____ er dwars doorheen schijnt. De woonkamer loopt _____ voren naar achteren door, en heeft aan _____- en achterzijde grote ramen. Vanaf de straat _____ we alles zien wat zich binnen afspeelt: _____ van de potten met planten voor het _____ is er niets wat de bewoners beschermt _____ onze nieuwsgierigheid. Om 11 uur zien we ____ koffie op tafel staan, om vier uur ____ men thee. Maar voordat we op bezoek ____, moeten we wel eerst even opbellen.

We ____ door het hekje het keurige tuintje in, ____ altijd wel wat bloeit. Er staat een ____ met wat tuinstoelen. Als we aanbellen, horen ____ een hond opgewonden blaffen. Vaag is zijn ____ zichtbaar door het raampje in de deur. ____ wordt op strenge toon toegesproken: Hector, af!

____ bieden de gastvrouw ons bosje bloemen aan, ____ hangen onze jas in het smalle (nauwe) ____. Ze gaat ons voor, de woonkamer in. ____ kat, heerlijk uitgestrekt op de bank, staart ____ aan. De hond springt tegen ons op, ____ moet voor straf in zijn mand. Of____ thee willen? Of liever een glaasje fris? ____, als u toch thee zet ... graag! De ____ verdwijnt naar het keukentje, en we kijken ____ in de kamer.

Eén hoek is voor ____ kinderen, de vloer ligt vol: autootjes, poppen, ____ bal, stripboeken, tekeningen en schriften. Tegen één ____ de wanden (muren) staat een piano, en ____ ligt, in een koffer, nog een muziekinstrument: ____ muzikaal gezin? Op de piano staan ____: portretten van de kinderen met hun grootouders. ____ de piano een zelfgemaakte boekenkast, met romans ____ boeken over de natuur. Op een lage ____ tafel bij het raam liggen wat kranten. ____ zien een half ingevuld cryptogram, en proberen: ____ horizontaal, vier letters, begint met een r, '____ je het omdraait, is het nog steeds ____ '.

De thee is getrokken. Het is vier ____ geweest, de kinderen komen uit school. Ze ____ elkaar de kamer in, komen zich netjes ____, en doen dan een aanval op de ____. 'Eerst tassen naar je kamer! En kijk ____ even wat je huiswerk is voor morgen!' ____ rennen de trap op: moeders wil is ____. De kat glimlacht.

Geef antwoord:

a. Wie wonen er allemaal in deze doorzonwoning?

b. Kunt u het begrip 'doorzonwoning' uitleggen? En het begrip 'driekamerflat'? En het begrip 'tweezitsbank'?

c. Los nr. 12 van het cryptogram op.

d. Is het in uw land gewoon om huisdieren te houden?

e. Wat voor speelgoed hebben kinderen in uw land?

f. Is bij u thuis moeders wil wet?

Grammatica §2 'de, het'

het hek*je*   het rij*tje*   het gang*etje*   het raam*pje*   het wo,nin*kje*
het koek*je* het tuin*tje*   het mann*etje*   het boom*pje*
het glaas*je* het auto*otje*

Vul in of aan:

■ Een karakteristiek produkt _____ de Nederlandse taal is het 'verkleinwoord'. Het eigen karakter van het verkleinwoord _____ hem hierin, dat het eindigt op -je, _____, -etje, -pje of -kje. Als we een vreemd _____ op -etje zien, dat niet in het woordenboek _____, dan laten we die laatste vier _____ gewoon weg. Is het nu nog _____ vreemd?

■ Nederland is een klein land. Maar dat is nog geen reden om álles kleiner te maken! Een _____ thee, met een beetje suiker, en een _____ erbij: wacht u eventjes, één momentje, ik _____ zo terug! Kennelijk gebruikt de Nederlander deze verkleinwoorden vooral _____ het erg gezellig is!

■ elkaar – zich

Ze duwen elkaar de kamer _____: het ene kind duwt het andere, het andere _____ duwt ook. Dan komen ze zich netjes _____: ze zeggen hun eigen naam. Ze herinneren _____ niet meer wat het huiswerk is voor _____, en vragen het aan elkaar.

Schrijfopdracht

Beschrijf uw eigen huis (in uw land of in Nederland).

6

Slimme huizen

1   Het is vroeg in de ochtend. Langzaam wordt het licht. *Automatisch schuiven*
de *gordijnen* open, zodat ik *wakker word*. Het is al lekker warm in de
slaapkamer, en *vanuit* de keuken beneden *stijgt* de *geur* van *verse* koffie *op*.
Mmm, tijd om *op* te *staan*. Via de *huistelefoon* geef ik het *bad opdracht vol* te
5   *lopen*. De *post* is er *intussen* ook al: geen *brieven*, maar de krant en wat
elektronische post die via mijn computer zijn *binnengekomen*. Na het ontbijt
bestel ik nog even boodschappen, ook weer per computer. Daarna *doe* ik
met één *druk* op de *knop* alle *lichten* in huis *uit*, ik *schakel* het *alarmsysteem in*,
en *stap* in mijn auto. Mijn *werkdag* is *begonnen:* via de *autotelefoon* heb ik mijn
10   eerste *vergadering*.

    Heb ik liggen *dromen?* Of zijn er werkelijk mensen die in dit type
intelligente (slimme) huizen wonen? Als je een bedrijf als Philips mag
geloven, wordt 'het slimme huis' het huis van de toekomst. Ze verwachten
dat in 1995 al zestigduizend (60.000) *huishoudens* behoefte zullen hebben
15   aan een slim huis. Belangstelling voor zo'n huis hebben vooral yuppies,
dinks[1], of gezinnen met *hooguit* (hoogstens) twee kinderen waarin beide
partners hard werken, veel verdienen, en weinig vrije tijd hebben. Door
een dergelijk *elektronisch* systeem in hun huis te *installeren*, kopen ze als het
ware wat extra vrije tijd.
20   Alles kan, zeggen ze bij Philips. Het huis van de toekomst kent geen
grenzen. Maar als ik dat *hoor*, denk ik: laten ze eerst maar eens de
woningnood oplossen en een gewoon huis voor me bouwen. Mijn koffie zet ik
bovendien liever zelf, en boodschappen doen in een winkel vind ik veel
gezelliger. En *stel je voor* dat ik nooit meer een op papier geschreven brief
25   zou ontvangen. Wat mij betreft mag het slimme huis nog wel een tijdje
fantasie (*verbeelding*, een *droom*) blijven!

1. Het woord 'yuppy' is een afkorting van Young Urban Professional, het woord 'dink' van Double
Income No Kids.

2259	slimme	clever	ingénieuses	schlaue	cerdik	akıllı
2260	automatisch	automatically	automatique-ment	automatisch	dengan otomatis	otomatik
2261	schuiven	slide	glissent	schieben	disingkapkan	açılıyor
2262	gordijnen	curtains	rideaux	Gardinen	tirai	perdeler
2263	wakker	awake (wake up)	me réveille	wach	(word) bangun	uyanıyorum
2264	word	become	(deviens)	werde	-----	---
2265	slaapkamer	bedroom	chambre (à coucher)	Schlafzimmer	kamar tidur	yatak odası
2266	vanuit	from	de la	von	dari	-den/-dan
2267	stijgt ... op	rises up	monte	steigt nach oben	tercium	yükseliyor, geliyor
2268	geur	smell	odeur	Geruch	bau	koku
2269	verse	fresh	frais	frischem	baru	taze
2270	op ... staan	get up	se lever	aufstehen	bangkit	kalkmak
2271	huistelefoon	house telephone	tél. intérieur	Haustelephon	telepon intrarumah	ev içi telefonu
2272	bad	bath	bain	Bad	tempat mandi	banyo
2273	opdracht	instruction	ordre	Auftrag	pesan	görev, vazife
2274	vol ... lopen	fill up	se remplir	voll laufen	mengisi	dolmak
2275	post	post	courrier	Post	pos	posta
2276	intussen	meanwhile	entre-temps	inzwischen	sementara itu	bu arada
2277	brieven	letters	lettres	Briefe	surat	mektuplar
2278	elektronische	electronic	électronique	elektronische	elektronik	elektronik
2279	binnengekomen	come in	arrivés	angekommen	sudah masuk	gelmiş
2280	bestel	order	commande	bestelle	memesan	ısmarlıyorum
2281	doe ... uit	switch off	éteins	lösche	memadamkan	kapatıyorum
2282	druk	press	pression (sur)	Druck	tekan	basma
2283	knop	button	bouton	Knopf	tombol	düğme
2284	lichten	lights	lumière	Lichter	penerangan	ışıklar
2285	schakel ... in	switch on	branche	schalte ein	memasang	devreye sokuyorum
2286	alarmsysteem	alarm system	système d'alarme	Alarmsystem	sistem alarm	alarm sistemi
2287	stap	step	monte	steige	naik	biniyorum
2288	werkdag	working day	journée de travail	Arbeitstag	hari kerja	iş günü
2289	begonnen	begun	commencée	angefangen	telah mulai	başladı
2290	autotelefoon	car telephone	auto-téléphone	Autotelefon	telepon mobil	otomobil telefonu
2291	vergadering	meeting	réunion	Sitzung	rapat	toplantı
2292	dromen	dreaming	rêver	träumen	bermimpi	rüya (mı) gördüm
2293	intelligente	intelligent	intelligentes	intelligente	cerdas	akıllı
2294	geloven	believe	croire	glauben	mempercayai	inanırsan
2295	huishoudens	households	familles	Haushalte	rumah tangga	aileler
2296	hooguit	at most	au plus	höchstens	sebanyak-banyaknya	en fazla
2297	partners	partners	partenaires	Partner	partner	hayat arkadaşları
2298	elektronisch	electronic	électronique	elektronisch	elektronik	elektroni k
2299	installeren	installing	installer	installieren	memasang	kurmakla
2300	grenzen	boundaries	frontières	Grenzen	hingga	sınırlar
2301	hoor	hear	entends	höre	mendengar	duyunca
2302	woningnood	housing shortage	crise du logement	Wohnungsnot	kekurangan rumah	konut gereksinimi
2303	oplossen	solve	résoudre	lösen	memecahkan	çözümlesinler
2304	gezelliger	cosier	plus agréable	gemütlicher	lebih ramah	daha hoş, daha zevkli
2305	stel je voor	imagine	imagine-toi	stell dich vor	coba bayangkan	düşün ki
2306	fantasie	imagination	fantaisie	Phantasie	angan-angan	hayal
2307	verbeelding	imagination	imagination	Einbildung	khayalan	imge
2308	droom	dream	rêve	Traum	impian	rüya

Slimme huizen

Het is vroeg in _____ ochtend. Langzaam wordt het licht. Automatisch schuiven _____ gordijnen open, zodat ik wakker word. Het _____ al lekker warm in de slaapkamer, en _____ de keuken beneden stijgt de geur van _____ koffie op. Mmm, tijd om op te _____. Via de huistelefoon geef ik het bad _____ vol te lopen. De post is er _____ ook al: geen brieven, maar de krant _____ wat elektronische post die via mijn computer _____ binnengekomen. Na het ontbijt bestel ik nog _____ boodschappen, ook weer per computer. Daarna doe _____ met één druk op de knop alle _____ in huis uit, ik schakel het alarmsysteem _____, en stap in mijn auto. Mijn werkdag _____ begonnen: via de autotelefoon heb ik mijn _____ vergadering.

Heb ik liggen dromen? Of zijn _____ werkelijk mensen die in dit type intelligente (_____) huizen wonen? Als je een bedrijf als _____ mag geloven, wordt 'het slimme huis' het _____ van de toekomst. Ze verwachten dat in 1995 _____ zestigduizend (60.000) huishoudens behoefte zullen _____ aan een slim huis. Belangstelling voor _____ huis hebben vooral yuppies, dinks, of gezinnen _____ hooguit (hoogstens) twee kinderen waarin beide partners _____ werken, veel verdienen, en weinig vrije tijd _____. Door een dergelijk elektronisch systeem in hun _____ te installeren, kopen ze als het ware _____ extra vrije tijd.

Alles kan, zeggen ze _____ Philips. Het huis van de toekomst kent _____ grenzen. Maar als ik dat hoor, denk _____: laten ze eerst maar eens de woningnood _____ en een gewoon huis voor me bouwen. _____ koffie zet ik bovendien liever zelf, en _____ doen in een winkel vind ik veel _____. En stel je voor dat ik nooit _____ een op papier geschreven brief zou ontvangen. _____ mij betreft mag het slimme huis nog _____ een tijdje fantasie (verbeelding, een droom) blijven!

Geef antwoord:

a. Voor wie is een slim huis vooral geschikt?

b. Zou u in een slim huis willen wonen? Hoe ziet uw ideale slimme huis eruit?

c. Heerst er in uw land woningnood?

d. Hoe is vanochtend uw dag begonnen?

e. Hebt u vannacht gedroomd? Waarover?

Vul in of aan:

■ Bij Philips zeggen ze dat het huis van de toekomst geen _____ kent. Alles goed en wel, maar kunnen ze niet eerst de _____ oplossen? Ik woon liever nù in een _____ huis, hoewel ik dan zelf_____ moet zetten en _____ moet doen! En stel je _____, in de auto vergaderen! Nee, vergaderen op kantoor vind ik veel _____, met die heerlijke _____ van _____ koffie!

■ Grammatica §8 'leren, werken', §12 'onregelmatige werkwoorden'

Het *was* vroeg in de ochtend. Langzaam *werd* het licht.

Automatisch _____ de gordijnen open, zodat ik wakker _____.

enzovoort, tot: via de autotelefoon *had* ik mijn eerste vergadering.

Maak zinnen:

3 zinnen met: schuiven/de gordijnen/open/iedere ochtend/automatisch.

3 zinnen met: hebben/belangstelling/vooral kleine gezinnen/voor zo'n huis.

3 zinnen met: 60.000 huishoudens/behoefte/aan een slim huis/in 1995/ hebben.

---

dat – wat

Dat vind ik veel gezelliger.

Zou je in *dat huis* willen wonen?

Stel je voor *dat ik nooit meer een brief krijg!*

Wat zeggen ze bij Philips?

Zo kopen ze *wat vrije tijd.*

Ik zou niet weten *wat ik in zo'n slim huis zou moeten doen.*

7

De fiets

1   *Wist* u dat er in Nederland bijna *evenveel* fietsen als inwoners zijn? Volgens
de laatste *cijfers* zijn het er veertien miljoen! *Vergeleken* met de landen *om*
ons *heen* is de *fietsdichtheid* dan ook *bijzonder* hoog. Zoals u wel gemerkt zult
hebben, zijn er allerlei *voorzieningen* voor *fietsers* in het verkeer: *fietspaden*,
5   speciale *stoplichten* en *fietsenstallingen*. En in het centrum van de wat grotere
steden kun je *je fietsend*, en soms zelfs *te voet*, vaak sneller *verplaatsen* dan per
auto. Men heeft het verkeer daar zo *geregeld* dat *auto's* niet in het centrum
kunnen komen. In de *jaren zestig* is er in Amsterdam een *experiment* geweest
(een *proef* genomen) met de zogenaamde witte fietsen, een soort *openbare*
10   fietsen. Dit *revolutionaire* plan *hield in*, dat overal in de stad witte fietsen
stonden; iedereen mocht ze een tijdje *lenen* en ze na gebruik *elders* (ergens
anders) weer laten staan. In de praktijk bleek dit *initiatief* niet zo goed te
werken. De fietsen *gingen* snel *stuk* (*kapot*) en werden dan door niemand
gemaakt (*gerepareerd*). Eigenlijk wel jammer (*teleurstellend*, een
15   *teleurstelling*) dat dit plan *mislukt* (*misgelopen*) is.
         Dat Nederland evenveel fietsen als mensen telt, betekent overigens niet
dat ook iedereen een fiets bezit. *Sommigen* hebben er geen, anderen twee.
Ik heb zelf bijvoorbeeld één oude fiets om door de week mee naar mijn
werk te gaan, en een andere, *sportieve* fiets om *erop uit* te *trekken* in het
20   weekend. De reden dat ik liever niet met een dure fiets door de stad *rijd*, is
dat ik bang ben dat hij *gestolen* wordt. En een gestolen fiets *zie* je *haast*
(bijna) nooit meer *terug*. Vooral als je hem *achterlaat* in het centrum van de
stad of bij het station, of als je hem *'s avonds* in het donker voor je huis laat
staan, *loop* je grote *kans* je fiets *kwijt* te *raken*. Zelfs *zware ijzeren sloten* helpen
25   *daar* lang niet altijd *tegen*.

2309	wist	did (you) know	saviez	wußten	sudah tahu	biliyor muydunuz
2310	evenveel	as many	autant	ebensoviel	sebanyak	aynı sayıda çok
2311	cijfers	figures	chiffres	Zahlen	angka-angka	sayılar (istatistikler)
2312	vergeleken	compared (to)	comparée (à)	im Vergleich (zu)	dibandingkan	kıyaslanırsa
2313	om (ons) heen	around (us)	autour de (nous)	um (uns) herum	disekitar negeri ini	etrafımızdaki
2314	fietsdichtheid	bicycle density	densité de bicyclettes	Fahrraddichte	kepadatan sepeda	bisiklet yoğunluğu
2315	bijzonder	remarkably	particulièrement	besonders	luar biasa	oldukça
2316	voorzieningen	provisions	équipements	Einrichtungen	prasarana	kolaylık, tedbir
2317	fietsers	cyclists	cyclistes	Fahrradfahrer	penaik sepeda	bisiklet sürücüleri
2318	fietspaden	cycle paths	pistes cyclables	Fahrradwege	jalan-jalan sepeda	bisiklet yolları
2319	stoplichten	traffic lights	feux rouges	Verkehrsampeln	lampu lalulintas	trafik lambaları
2320	fietsenstallingen	bicycle store place	garages de cycles	Fahrradaufbe-wahrungen	tempat penitipan sepeda	bisiklet garajı
2321	fietsend	by bicycle	à bicyclette	radelnd	naik sepeda	bisikletle
2322	te voet	on foot	à pied	zu Fuß	berjalan kaki	yürüyerek
2323	je ... verplaatsen	get around	te déplacer	dich bewegen	pindah tempat	gidersin
2324	geregeld	regulated	réglé	geregelt	diatur	düzenlenmiş
2325	auto's	cars	autos (voitures)	Autos	mobil	arabalar
2326	jaren zestig	sixties	années soixante	sechziger Jahren	tahun enampuluhan	altmışlı yıllar
2327	experiment	experiment	expérience	Experiment	eksperimen	deney
2328	proef	trial	essai	Versuch	percobaan	tecrübe
2329	openbare	public	en commun	öffentlicher	umum	halka açık, kamusal
2330	revolutionaire	revolutionary	révolutionnaire	revolutionäre	revolusioner	devrimci
2331	hield ... in	comprised	comprenait	beinhaltete	berarti	içeriyordu
2332	stonden	stood	se trouvaient	standen	terdapat	bulunurdu
2333	lenen	borrow	emprunter	leihen	meminjam	ödünç alabilirdi
2334	elders	elsewhere	ailleurs	irgendwo anders	di tempat lain	başka bir yerde
2335	initiatief	initiative	initiative	Initiative	prakarsa	atılım
2336	gingen ... stuk	broke	étaient cassés	gingen entzwei	menjadi rusak	bozuldu
2337	kapot	broken	détériorés	kaputt	rusak	bozuk
2338	gerepareerd	repaired	réparés	repariert	deperbaiki	tamir edildi
2339	teleurstellend	disappointing	décevant	enttäuschend	mengecewakan	hayal kırıcı
2340	teleurstelling	disappointment	déception	Enttäuschung	kekecewaan	hayal kırıklığı
2341	mislukt	failed	(a) échoué	mißglückt	gagal	başarısız sonuçlandı
2342	misgelopen	gone wrong	(a) mal tourné	fehlgegangen	tidak berhasil	başarısızlığa uğradı
2343	sommigen	some (people)	quelques uns	manche	beberapa orang	bazıları
2344	sportieve	sports	(de) sport	sportliches	sport	sportif
2345	erop uittrekken	venture forth	partir	losziehen	pesiar	gezinti yapmak
2346	rijd	travel	circule	fahre	mengendarai	kullanmamamın
2347	gestolen	stolen	volé	gestohlen	dicuri	çalınmasından
2348	zie ... terug	see again	revois	siehst wieder	melihat kembali	bulamazsın
2349	haast	almost	presque	fast	hampir	hemen hemen
2350	achterlaat	leave behind	laisses	zurücklässt	meninggalkan	bırakırsan
2351	's avonds	in the evening	le soir	abends	malam hari	akşamları
2352	loop ... kans	run the risk	cours le risque	läuft das Risiko	mungkin	ihtimali vardır
2353	kwijt ... raken	lose	perdre	los werden	kehilangan	kaybetme
2354	zware	heavy	solides	schwere	berat	ağır
2355	ijzeren	iron	en fer	eiserne	dari besi	demir
2356	sloten	locks	antivols	Schlößer	kunci	kilitler
2357	daar ... tegen	against that	contre ça	dagegen	(helpen -) dapat mencegah	karşı

Er worden in Nederland *jaarlijks* 700.000 fietsen gestolen, zoveel dat de politie niet veel kan *ondernemen* (doen) tegen deze vorm van *criminaliteit*. In een *rapport* dat onlangs *verscheen* (In een *nota* die onlangs werd *uitgegeven/ uitgebracht)*, *kwam* men *tot de conclusie (concludeerde* men) dat Nederland het
30 meest *criminele* land in Europa zou zijn. *Bij nader inzien* bleek dat onder andere (o.a.) te komen doordat er hier zo *verschrikkelijk* veel fietsen worden gestolen. Als ik dat *lees, vraag* ik *me af* of *fietsendiefstal* wel tot de criminaliteit moet worden gerekend. Misschien moeten we het verliezen *(kwijtraken)* van een fiets maar aanvaarden (*accepteren*) als één van de
35 *risico's* van de moderne maatschappij.

2358	jaarlijks	annually	chaque année	jährlich	tiap tahun	her sene
2359	ondernemen	undertake	entreprendre	unternehmen	bertindak	yapmak
2360	criminaliteit	criminality	criminalité	Kriminalität	kejahatan	cürüm, suç
2361	rapport	report	rapport	Rapport	laporan	rapor
2362	verscheen	appeared	est paru	erschien	terbit	yayınlanan
2363	nota	account	note	Bericht	nota	nota
2364	uitgegeven	published	publiée	herausgegeben	yang diterbitkan	yayınlanan
2365	uitgebracht	brought out	sortie	erstattet	yang dikeluarkan	açıklanan
2366	kwam tot de conclusie	came to the conclusion	concluait	kam zu der Schlußfolgerung	disimpulkan	sonuca varıldı
2367	concludeerde	concluded	concluait	folgerte	tersimpulkan	sonuç çıkarıldı
2368	criminele	criminal	criminel	kriminelle	jahat	suça eğilimli (kriminel)
2369	bij nader inzien	on reflection	réflexion faite	bei näherem Hinsehen	bila diteliti lebih lanjut	üzerinde bir daha düşünüldüğünde
2370	verschrikkelijk	terribly	effroyablement	schrecklich	kelewat	aşırı derecede
2371	lees	read	lis	lese	baca	okuyunca
2372	vraag ... me ... af	wonder	me demande	frage mich	mempertanyakan	kendi kendime soruyorum
2373	fietsendiefstal	bicycle theft	vol de bicyclettes	Fahrraddiebstahl	pencurian sepeda	bisiklet hırsızlığı
2374	kwijtraken	loss	perdre	verlieren	kehilangan	kaybetmeyi
2375	accepteren	accept	accepter	hinnehmen	menerima	kabullenmeliyiz
2376	risico's	risks	risques	Risiken	risiko	riziko

De fiets

_____ u dat er in Nederland bijna evenveel _____ als inwoners zijn?
Volgens de laatste cijfers _____ het er veertien miljoen! Vergeleken met
de _____ om ons heen is de fietsdichtheid dan _____ bijzonder hoog. Zoals
u wel gemerkt zult _____, zijn er allerlei voorzieningen voor fietsers
in _____ verkeer: fietspaden, speciale stoplichten en fietsenstallingen.
En _____ het centrum van de wat grotere steden _____ je je fietsend, en
soms zelfs te _____, vaak sneller verplaatsen dan per auto. Men _____ het
verkeer daar zo geregeld dat _____ niet in het centrum kunnen komen.
In _____ jaren zestig is er in Amsterdam een _____ geweest (een proef
genomen) met de zogenaamde _____ fietsen, een soort openbare fietsen.
Dit revolutionaire _____ hield in, dat overal in de stad _____ fietsen
stonden; iedereen mocht ze een tijdje _____ en ze na gebruik elders
(ergens anders) _____ laten staan. In de praktijk bleek dit _____ niet zo
goed te werken. De fietsen _____ snel stuk (kapot) en werden dan
door _____ gemaakt (gerepareerd). Eigenlijk wel jammer (teleurstellend,
een _____) dat dit plan mislukt (misgelopen) is.

Dat ____ evenveel fietsen als mensen telt, betekent overigens ____ dat ook iedereen een fiets bezit. Sommigen ____ er geen, anderen twee. Ik heb zelf ____ één oude fiets om door de week ____ naar mijn werk te gaan, en een ____, sportieve fiets om erop uit te trekken ____ het weekend. De reden dat ik liever ____ met een dure fiets door de stad ____, is dat ik bang ben dat hij ____ wordt. En een gestolen fiets zie je ____ (bijna) nooit meer terug. Vooral als je ____ achterlaat in het centrum van de stad ____ bij het station, of als je hem ____ in het donker voor je huis ____ staan, loop je grote kans je fiets ____ te raken. Zelfs zware ijzeren sloten helpen ____ lang niet altijd tegen.

Er worden in ____ jaarlijks 700.000 fietsen gestolen, zoveel dat ____ politie niet veel kan ondernemen (doen) tegen ____ vorm van criminaliteit. In een rapport dat ____ verscheen (In een nota die onlangs werd uitgebracht/____), kwam men tot de conclusie (concludeerde men) ____ Nederland het meest criminele land in Europa ____ zijn. Bij nader inzien bleek dat onder ____ (o.a.) te komen doordat er hier ____ verschrikkelijk veel fietsen worden gestolen. Als ik ____ lees, vraag ik me af of fietsendiefstal ____ tot de criminaliteit moet worden gerekend. Misschien ____ we het verliezen (kwijtraken) van een fiets ____ aanvaarden (accepteren) als één van de ____ van de moderne maatschappij.

Geef antwoord:

a. Waaraan kun je merken dat Nederland een fietsland is?
b. Wat hield het witte-fietsenplan in? Waarom is het mislukt?
c. Moeten we het kwijtraken van een fiets maar accepteren als een risico in onze samenleving?
d. Fietsen uw landgenoten veel? Waarvoor gebruiken ze de fiets vooral?

Vul in of aan:

Let op: vergelijken (met), beschikken (over)

_____ u dat het grootste deel van _____ fietsen op aarde zich in Azië bevindt? Ver_____ met een land als China telt Nederland _____ weinig fietsen: volgens de laatste _____ rijden er in China ongeveer 300 miljoen fietsen rond! Hoe zou _____ komen? In de eerste plaats beschikt maar één op de 75.000 _____ van China over een auto: de autodichtheid _____ bijzonder laag. En in de tweede plaats _____ de Chinese overheid het gebruik van de _____ krachtig gestimuleerd. De meeste Chinezen verplaatsen _____ dan ook liever op de fiets _____ met het openbaar vervoer!

Grammatica §18 'ná-denken'

mislúkken		_míslopen_	
het plan	_mislúkt_	het plan	_loopt mís_
het plan kan	_mislúkken_	het plan kan	_míslopen_
als het maar niet	_mislúkt!_	als het maar niet	_mísloopt!_
het plan is helaas	_mislúkt_	het plan is helaas	_mísgelopen_
het plan dreigt te	_mislúkken_	het plan dreigt	_mís_ te _lopen_

áchterlaten, terúgzien, ondernémen, aanváárden

's Nachts _____ ik mijn fiets nooit achter in de _____, want dan zie ik hem nooit meer _____, dat weet ik zeker. De politie onderneemt _____ veel tegen deze vorm van criminaliteit. Daarom _____ ik dit risico maar.

8

De auto

1   *Met z'n allen leggen* we in Nederland heel wat *kilometers af.* Boodschappen
doen, naar het werk of naar school, een *dagje uit*, op bezoek bij familie: per
persoon komt dat *neer* op *circa* (ca) 35 kilometer per dag. Dat reizen doen we
met de fiets, met het *openbaar vervoer* (per trein, bus of tram), maar vooral
5   per auto.

    De auto *is* niet meer *weg te denken* uit onze samenleving. Bijna (haast)
elke *jongere haalt* een *rijbewijs* zodra hij of zij achttien is. En veel mensen
weten zich geen raad als zij hun auto een paar dagen moeten *missen*. Hij *staat*
op elk uur van de dag voor ons *klaar* en brengt ons (meestal) snel van de
10   ene *plek* naar de andere. De auto is een *symbool* voor vrijheid geworden.

    Voor die vrijheid moet echter wel betaald worden. De auto is een
geliefd, maar ook erg *kostbaar bezit*. Om de *trotse eigenaar* te worden van het
laatste *model* BMW of Peugeot lenen veel mensen geld van de *bank*. Nog
voordat ze ook maar één kilometer hebben gereden, hebben ze *zich* al flink
15   (*stevig*) in de *schulden gestoken*.

    Zijn er eigenlijk niet teveel auto's in Nederland? Wie regelmatig de
krant leest, *beantwoordt* deze vraag waarschijnlijk *bevestigend.* Je leest
immers *wekelijks* wel iets over de *gevolgen* die het *milieu ondervindt* van de
auto, of over de problemen die de *dagelijkse files veroorzaken.* Toch bezitten
20   de Nederlanders per *inwoner* minder auto's dan bij voorbeeld de
Amerikanen, de *Duitsers*, de *Italianen* of de *Fransen.* In Nederland waren er in
1988 381 auto's per 1000 inwoners; in de *Verenigde Staten* (V.S.) was dat

2377	met z'n allen	altogether	à nous tous	alle zusammen	bersama-sama	hep beraber
2378	leggen ... af	cover	parcourons	legen zurück	menempuh	katediyoruz
2379	kilometers	kilometres	kilomètres	Kilometer	kilometer	kilometreler
2380	dagje uit	day out	jour de sortie	Tagesausflug	sehari pesiar	günlük gezinti
2381	persoon	person	personne	Person	orang	kişi (başına)
2382	komt neer (op)	amounts to	équivaut (à)	macht (das)	sama dengan	tutar
2383	circa	around	environ	ungefähr	kira-kira	yaklaşık olarak
2384	openbaar	public	en commun	öffentlichem	umum	kamusal
2385	vervoer	transport	transports	Verkehr	pengangkutan	ulaşım
2386	is te	can be	on peut	kann man	dapat	-dir / -dır
2387	weg ... denken	eliminate(d)	écarter	fortdenken	dikhayalkan tidak ada	düşünülemez
2388	jongere	youngster	jeune	Jugendliche	pemuda	genç
2389	haalt	gets	passe	macht	mendapat	alıyor
2390	rijbewijs	driving licence	permis de conduire	Führerschein	surat izin mengemudi	ehliyet
2391	weten zich geen raad	are at their wit's end	sont désemparés	wissen s. keinen Rat	kehabisan akal	ne yapacaklarını bilemiyorlar
2392	missen	do without	se passer (de)	fehlt (ihnen)	kehilangan	mahrum olurlarsa
2393	staat klaar	stands ready	est prête	steht zur Verfügung	tersedia	hizmetimize hazır
2394	plek	place	endroit	Ort	tempat	yer
2395	symbool	symbol	symbole	Symbol	lambang	sembol, simge
2396	geliefd	loved	chère	geliebter	yang disukai	sevilen
2397	kostbaar	costly	couteuse	kostbarer	yang mahal	değerli
2398	bezit	possession	possession	Besitz	kepunyaan	mal
2399	trotse	proud	heureux	stolze	bangga	gururlu
2400	eigenaar	owner	propriétaire	Besitzer	pemilik	sahip
2401	model	model	modèle	Modells	model	model
2402	bank	bank	banque	Bank	bank	banka
2403	stevig	heavily	important	tüchtig	banyak	iyice
2404	schulden	debts	dettes	Schulden	utang	borçlar
2405	zich ... gestoken	run into	couverts	sich gestürzt	membuat	kendilerini soktular
2406	beantwoordt	answers	répond (à)	beantwortet	menjawab	cevap verir
2407	bevestigend	affirmatively	affirmativement	bejahend	mengiakan	doğrulayarak
2408	wekelijks	weekly	chaque semaine	wöchentlich	tiap minggu	her hafta
2409	gevolgen	effects	conséquences	Folgen	akibat-akibat	tesir
2410	milieu	environment	environnement	Umwelt	lingkungan	çevre
2411	ondervindt	experiences	éprouve	zu spüren bekommt	mengalami	karşılaştığı
2412	dagelijkse	daily	quotidiens	täglichen	harian	her günkü
2413	files	traffic jams	bouchons	Staus	kemacetan mobil-2	konvoylar
2414	veroorzaken	cause	causent	verursachen	menyebabkan	yarattığı
2415	inwoner	inhabitant	habitant	Einwohner	penduduk	mukim
2416	Amerikanen	Americans	Américains	Amerikaner	orang Amerika	Amerikalılar
2417	Duitsers	Germans	Allemands	Deutschen	orang Jerman	Almanlar
2418	Italianen	Italians	Italiens	Italiener	orang Italia	İtalyanlar
2419	Fransen	French	Français	Franzosen	orang Perancis	Fransalılar
2420	Verenigde Staten	United States	Etats-Unis	Vereinigten Staaten	Amerika Serikat	Birleşik Devletler

maar liefst het *dubbele:* 740. Als je echter kijkt naar het aantal auto's per km² (*vierkante* kilometer), dan ligt de zaak anders. Dan blijkt dat

25 Nederland in 1988 de meeste auto's per km² had: 136; *tegen* slechts 19 in de V.S. In de volgende tekst zullen we *ingaan* op één van de gevolgen (*consequenties*) van die grote *autodichtheid*.

2421	maar liefst	no less than	bien	wohlgemerkt	bahkan	hatta
2422	dubbele	double	double	Doppelte	yang lipat dua	iki misli
2423	vierkante	square	carré	Quadrat-	persegi	kare
2424	tegen	against	contre	gegen	banding	karşı
2425	ingaan (op)	go into	aborder	sich beschäftigen	membicarakan lebih lanjut	üzerinde duracağız
2426	consequenties	consequences	conséquences	Konsequenzen	dampak	sonuçlar
2427	autodichtheid	density of cars	densité des autos	Autodichte	kepadatan mobil	araba yoğunluğu

De auto

Met z'n _____ leggen we in Nederland heel wat kilometers _____.
Boodschappen doen, naar het werk of naar _____, een dagje uit, op
bezoek bij familie: _____ persoon komt dat neer op circa (ca) _____
kilometer per dag. Dat reizen doen we _____ de fiets, met het openbaar
vervoer (per _____, bus of tram), maar vooral per auto.

_____ auto is niet meer weg te denken _____ onze samenleving. Bijna
(haast) elke jongere haalt _____ rijbewijs zodra hij of zij achttien is. _____
veel mensen weten zich geen raad als _____ hun auto een paar dagen
moeten missen. _____ staat op elk uur van de dag _____ ons klaar en
brengt ons (meestal) snel _____ de ene plek naar de andere. De _____ is
een symbool voor vrijheid geworden.

Voor _____ vrijheid moet echter wel betaald worden. De _____ is een
geliefd, maar ook erg kostbaar _____. Om de trotse eigenaar te worden
van _____ laatste model BMW of Peugeot lenen veel _____ geld van de
bank. Nog voordat ze _____ maar één kilometer hebben gereden, hebben
ze _____ al flink (stevig) in de schulden gestoken.

_____ er eigenlijk niet teveel auto's in _____? Wie regelmatig de krant
leest, beantwoordt deze _____ waarschijnlijk bevestigend. Je leest
immers wekelijks wel _____ over de gevolgen die het milieu
ondervindt _____ de auto, of over de problemen die _____ dagelijkse files
veroorzaken. Toch bezitten de Nederlanders _____ inwoner minder
auto's dan bij voorbeeld _____ Amerikanen, de Duitsers, de Italianen of
de _____. In Nederland waren er in 1988 381 _____ per 1000 inwoners; in

de Verenigde _____ (V.S.) was dat maar liefst het dubbele: 740. _____ je echter kijkt naar het aantal _____ per km^2 (vierkante kilometer), dan ligt de _____ anders. Dan blijkt dat Nederland in 1988 _____ meeste auto's per km^2 had: 136; _____ slechts 19 in de _____. In de volgende tekst zullen we ingaan _____ één van de gevolgen (consequenties) van die _____ autodichtheid.

Geef antwoord:

a. Op welke manieren kun je autodichtheid meten?
b. Veel mensen kopen een auto, terwijl ze die eigenlijk niet kunnen betalen. Hoe doen ze dat? Wat vindt u daarvan?
c. Hoeveel kilometer legt u per dag af? Met welke vervoermiddelen?
d. Is het moeilijk om een rijbewijs te halen in uw land? Is het duur?
e. Wat is het belangrijkste vervoermiddel in uw land?

Vul in of aan:

740 op de 1000 Amerikanen zijn de _____ bezitter van een auto. Op elke 1000 _____ daarentegen, hebben er slechts 381 een auto. _____ valt mee! Maar als je naar het _____ auto's per km^2 kijkt, dan ligt de _____ anders.

Let op: **áfleggen, wégdenken, zich vóórstellen, kláárstaan, néérkomen (op), íngaan (op)**:
Hoeveel kilometers leg ik per dag _____ op mijn fiets? Ik zou het niet _____. Ik kan me het leven zonder fiets _____ meer voorstellen. Ik kan mijn fiets niet meer _____ uit mijn leven. Stel je voor dat mijn _____ niet meer op elk moment van de _____ voor me klaarstaat!

Laatst gingen we een dagje uit.
We (*afleggen/heel wat kilometers*:) ....
(*Het/neerkomen op/150 km*:) ....
Over de gevolgen van ons benzinegebruik praat ik nu niet.
Daarop (*we/later/ingaan*:) ....

68

erg – te

erg kostbaar   →   je moet *veel* geld betalen

te kostbaar   →   je kunt het *niet* betalen

Discussie-opdracht

Bedenk argumenten voor of tegen de volgende stelling: Om het
fileprobleem aan te pakken moet de leeftijd waarop je een rijbewijs kunt
halen verhoogd worden tot 25 jaar.

9

In de *file*

1   Wie regelmatig naar de radio luistert, zal het volgende *bericht* (de volgende *mededeling*) vast wel eens *gehoord* hebben: 'Op de A16 richting Rotterdam staat *ter hoogte van* Dordrecht een file van 5 km.' In totaal staat er iedere ochtend *zo'n* 60 km file en iedere avond zo'n 70 km file op de

5   Nederlandse wegen. Toch zijn de files voor veel mensen geen *argument* om de auto te laten staan: de gemiddelde *lengte* en *duur* ervan *nemen* nog steeds *toe*. De kosten van al dat wachten worden *geschat* op 1 miljard gulden per jaar. Om nog maar te zwijgen van de *schade* aan het milieu die al die auto's veroorzaken!

10   Als je *bedenkt* dat in veel auto's maar één persoon zit, lijkt de oplossing *simpel*. Als al die mensen nu eens *met z'n vieren* in de auto *stapten*, was het probleem snel verleden tijd (opgelost). Maar zo gemakkelijk gaat dat niet. Al eerder *probeerde* de overheid '*pooling*' *aan* te *bevelen* (te *adviseren*). Met weinig succes. In *theorie* vond men het wel een goed idee, maar in de

15   praktijk *volgden* slechts *weinigen* het *advies op*. Men was nauwelijks bereid rekening te houden met elkaars *werktijden*. Ook heeft de overheid *overwogen* het rijden in de *spits* duurder te maken dan op andere *tijden* van de dag. Weer een ander plan (voorstel) was bepaalde *rijstroken* alleen *open* te *stellen* voor auto's met meer dan één persoon *erin*. Het is echter de vraag of de

20   politieke wil er wel is om zulke *impopulaire maatregelen door* te *voeren*. Niet voor niks wordt de auto ook wel de *heilige koe* van de samenleving genoemd.

    Een andere manier om de mensen *ertoe* te *bewegen* de auto te laten staan, is het *bevorderen* van het reizen per trein. Maar daarvoor is een *forse*

25   *verbetering* en *uitbreiding* van de *spoorwegen vereist*. Het verschil in *reistijd* tussen auto en trein is nu vaak erg groot. Bovendien is er een flink gebrek aan *zitplaatsen* in de trein. En zolang dit niet verandert, kiezen velen voorlopig toch maar voor het lange wachten in de file.

2428	file	traffic jam	(dans les) bouchons	Stau	kemacetan mobil-2	konvoy
2429	bericht	message	annonce	Bericht	berita	haber
2430	mededeling	announcement	communication	Mitteilung	pemberitahuan	duyuru, mesaj
2431	gehoord	heard	entendu	gehört	telah mendengar	duymuştur
2432	ter hoogte van	at	à la hauteur de	bei	dekat	civarında
2433	zo'n	around	à peu près	ungefähr	kira-kira	hemen hemen
2434	argument	argument, reason	argument	Grund	alasan	kanıt, argümen
2435	lengte	length	longueur	Länge	panjangnya	uzunluk
2436	duur	duration	durée	Dauer	lamanya	süre
2437	nemen ... toe	are increasing	augmentent	nehmen zu	bertambah-tambah	artıyor
2438	geschat	estimated	estimées	geschätzt	dikirakan	tahmin ediliyor
2439	schade	damage	dégâts	Schaden	kerugian	zarar
2440	bedenkt	bear in mind	réfléchis	bedenkt	menyadari	düşünürsen
2441	simpel	simple	simple	einfach	sederhana	kolay
2442	met z'n vieren	as a foursome	à quatre	zu viert	berempat	dörder dörder
2443	stapten	stepped	montent	steigen würden	naik	binerlerse
2444	probeerde	tried	essaya (de)	versuchte	mencoba	denedi
2445	pooling	pooling	carpooling	'car-pooling'	pengelompokan	ortak araba kullanımı
2446	aan ... bevelen	recommend	recommander	empfehlen	menganjurkan	önermeyi
2447	adviseren	advise	conseiller	zuraten	menasihatkan	tavsiye etmeyi
2448	theorie	theory	théorie	Theorie	teori	teori, kuram
2449	volgden ... op	followed up	ont suivi	befolgten	menuruti	uydular, dinlediler
2450	weinigen	few (people)	peu	wenige	sedikit orang	çok az kişi
2451	advies	advice	conseil	Rat	nasihat	tavsiye
2452	werktijden	working-hours	horaires de travail	Arbeitszeiten	jam kerja	çalışma saatleri
2453	overwogen	considered	envisagé	erwogen	menimbangkan	üzerinde düşündü
2454	spits	rush hour	heures de pointe	Verkehrsspitze	waktu yang paling ramai	trafiğin en yoğun saatleri
2455	tijden	times	heures	Zeiten	waktu-waktu	zamanlar
2456	rijstroken	lanes	voies	Fahrbahnen	jalur jalan	şerit
2457	open ... stellen	open up	ouvrir	freigeben	membukakan	hizmetine sunmayı
2458	erin	in them	dedans	drinnen	didalamnya	içinde
2459	impopulaire	unpopular	impopulaires	unpopuläre	yang tidak disukai	sevilmeyen
2460	maatregelen	measures	mesures	Maßnahmen	tindakan-tindakan	tedbir, önlem
2461	door ... voeren	push through	appliquer	durchführen	melangsungkan	almak
2462	heilige koe	holy cow	vache sacrée	heilige Kuh	sapi keramat	kutsal inek
2463	ertoe	to it	y	dazu	-----	-e / -a
2464	bewegen	move	amener (à)	bewegen	(ertoe-) mendorong	ikna etmek
2465	bevorderen	promote	stimuler	Förderung	menggalakkan	desteklemek
2466	forse	vigorous	considérable	stattliche	yang besar	büyük
2467	verbetering	improvement	amélioration	Verbesserung	kemajuan	düzeltme
2468	uitbreiding	extension	extension	Erweiterung	pengembangan	geliştirme
2469	spoorwegen	railways	chemins de fer	Eisenbahn	sarana kereta-api	demir yolları
2470	vereist	demanded	indispensable	erforderlich	dituntut	gereklidir
2471	reistijd	journey time	durée du voyage	Reisezeit	waktu perjalanan	seyahat müddeti
2472	zitplaatsen	seats	places assises	Sitzplätze	tempat duduk	oturma yerleri

In de file

Wie regelmatig naar de radio luistert, _____ het volgende bericht (de volgende mededeling) vast _____ eens gehoord hebben: 'Op de A16 richting _____ staat ter hoogte van Dordrecht een file _____ 5 km.' In totaal staat er iedere _____ zo'n 60 km file en iedere _____ zo'n 70 km file op de _____ wegen. Toch zijn de files voor veel _____ geen argument om de auto te laten _____: de gemiddelde lengte en duur ervan nemen _____ steeds toe. De kosten van al dat _____ worden geschat op 1 miljard gulden per _____. Om nog maar te zwijgen van de _____ aan het milieu die al die _____ veroorzaken!

Als je bedenkt dat in veel auto's _____ één persoon zit, lijkt de _____ simpel. Als al die mensen nu eens _____ z'n vieren in de auto stapten, _____ het probleem snel verleden tijd (opgelost). Maar _____ gemakkelijk gaat dat niet. Al eerder probeerde _____ overheid 'pooling' aan te bevelen (te adviseren). _____ weinig succes. In theorie vond men het _____ een goed idee, maar in de praktijk _____ slechts weinigen het advies op. Men was _____ bereid rekening te houden met elkaars werktijden. _____ heeft de overheid overwogen het rijden in _____ spits duurder te maken dan op andere _____ van de dag. Weer een ander plan (_____) was bepaalde rijstroken alleen open te stellen _____ auto's met meer dan één persoon _____. Het is echter de vraag of de _____ wil er wel is om zulke impopulaire _____ door te voeren. Niet voor niks wordt _____ auto ook wel de heilige koe van _____ samenleving genoemd.

Een andere manier om de _____ ertoe te bewegen de auto te laten _____, is het bevorderen van het reizen per _____. Maar daarvoor is een forse verbetering en _____ van de spoorwegen vereist. Het verschil in _____ tussen auto en trein is nu vaak _____ groot. Bovendien is er een flink gebrek _____ zitplaatsen in de trein. En zolang dit _____ verandert, kiezen velen voorlopig toch maar voor _____ lange wachten in de file.

hahahaha voor de van brienenoordbrug alweer géén file!

Geef antwoord:

a. Waarom zijn files een probleem?
b. Welke oplossingen voor het fileprobleem noemt de tekst?
c. Hoe zou u het fileprobleem oplossen?
d. Wat betekent: 'De auto is de heilige koe van de samenleving'?
e. Hoe reist u zelf het liefst: per auto of per trein?
f. Hoe zouden de Spoorwegen in een advertentie de mensen ertoe kunnen bewegen de auto te laten staan?

Vul in of aan:

▢ Let op: tóenemen, nágaan, óplossen, ópenstellen, aanváárden, overwégen

De gemiddelde lengte van de files _____ nog steeds toe. De overheid gaat na _____ het fileprobleem kan worden opgelost. Zo overweegt _____ om sommige rijstroken alleen open te stellen voor auto's met _____ dan één persoon erin. Maar of dergelijke _____ maatregelen door de bevolking worden aanvaard?

▢ Elke ochtend (*erbij/komen/files:*) ...., en bovendien (*de lengte/ toenemen:*) .... Natuurlijk zoekt de overheid naar mogelijkheden om (*te/oplossen/dit probleem:*) .... Men (*overwegen/allerlei maatregelen:*) .... Maar de vraag is: (*de burgers/aanvaarden:*) .... deze maatregelen?

▢ Let op: ertoe bewegen ... te, proberen ... te, bereid ... te

De overheid wil de mensen ertoe bewegen (*te/de auto/laten staan:*) .... Zo probeerde de overheid (*te/carpooling/aanbevelen:*) ...., maar men was nauwelijks bereid (*te/rekening houden/met elkaar:*) ....

Schrijfopdracht

Schrijf een tekst van ongeveer 150 woorden waarin u twee voordelen en twee nadelen behandelt van het reizen per trein.

10

1 april

1   – *Vanmorgen* kwam er op straat een *jongetje naar* mij *toe* (op mij af). Net voor
we elkaar *passeerden*, zei hij: 'Meneer, uw *veter zit los*'. 'Dank je (*bedankt*)',
antwoordde ik. Maar toen ik door de *knieën* wilde *zakken, gilde* (*riep*) hij: '1
april!' Op *kantoor* vond ik een *briefje* op mijn *bureau:* 'U bent *ontslagen*'. 'Ha
5   ha', *lachten* mijn *collega's*, toen ik *geschrokken* om me heen *keek*, '1 april!' Zo
heb ik dus *kennisgemaakt* met enige (enkele) *uitingen* (vormen) van *typisch*
Nederlandse *humor*.
– En, *beviel* het?
– Nee, niet echt. Ik was kwaad (*boos*). Wist ik veel wat 1 april in
10   Nederland betekent. En dat kinderen zoiets doen, oké. Maar
volwassenen!
– Zelfs de pers *doet mee*! Dan staat er bijvoorbeeld iets in de krant dat
iedereen *gelooft*, maar dat *pure* fantasie blijkt.
– Nou, ik laat me vandaag niet meer *bij de neus nemen*, hoor.
15   – Maar Nederland is toch niet het enige land met een 1-april-*traditie?*
Amerika en Engeland kennen iets *soortgelijks*, dacht ik (*meen* ik)? Met
Sinterklaas halen de Nederlanders trouwens ook *grapjes uit* met elkaar.
– Sinterklaas? De *kerstman*, bedoel je? Met Kerstmis liggen er *cadeautjes*
onder de *boom* en *zingen* we *kerstliederen*, maar grapjes...?
20   – Nee, Sinterklaas, op 5 december. Ze geven elkaar ook *cadeaus*, maar er
zit een *gedichtje* bij, waarin ze elkaar een beetje *plagen*, of *lichte kritiek leveren*
op elkaar.

2473	vanmorgen	this morning	ce matin	heute morgen	tadi pagi	bu sabah
2474	jongetje	small boy	petit garçon	kleiner Junge	anak laki-laki kecil	küçük erkek çocuk
2475	naar ... toe	towards	vers	auf ... zu	kepada	(bana) doğru
2476	passeerden	passed	dépassions	vorbeiliefen (an)	melalui	geçerken
2477	veter	shoelace	lacet	Schnürsenkel	tali sepatu	ayakkabı bağı
2478	zit ... los	is undone	est défait	ist losgegangen	lepas	çözülmüş
2479	bedankt	thanks	merci	Danke	terima kasih	teşekkür ederim
2480	knieën	knees	genoux	Knie	lutut	diz(ler)
2481	zakken	sink	plier	sinken	bertekuk	çökmek
2482	gilde	yelled	a crié	schrie	berteriak	haykırdı
2483	riep	called	a appelé	rief	menyerukan	bağırdı
2484	kantoor	office	bureau	Bureau	kantor	ofis
2485	briefje	note	petit mot	Briefchen	surat kecil	mektup(cuk), not
2486	bureau	desk	bureau	Bureautisch	meja tulis	yazı masası
2487	ontslagen	fired	congédié	entlassen	dipecat	işten kovuldunuz
2488	lachten	laughed	ont ri	lachten	terbahak-bahak	güldüler
2489	collega's	colleagues	collègues	Kollegen	rekan-rekan	iş arkadaşları(m)
2490	geschrokken	startled	alarmé	erschrocken	terkejut	korkmuş
2491	keek	looked	ai regardé	guckte	memandang	baktığımda
2492	kennisgemaakt (met)	become acquainted	fait connais-sance (avec)	Bekanntschaft gemacht	berkenalan (dengan)	öğrendim
2493	uitingen	expressions	expressions	Äußerungen	ungkapan-ungkapan	şekil
2494	typisch	typical	typiquement	typisch	yang khas	tipik
2495	humor	humour	humour	Humor	humor	mizah, nükte
2496	beviel	did you like	(t') a plu	gefiel	merasa senang	hoşuna gitti mi
2497	boos	angry	en colère	böse	geram	kızgın
2498	doet ... mee	joins in	prend part	macht mit	turut serta	katılıyor
2499	gelooft	believes	croit	glaubt	mempercayai	inandığı
2500	pure	pure	pure	reine	belaka	tamamiyle
2501	bij de neus nemen	have my leg pulled	mener en bateau	an der Nase herumführen	mengakali	kandırmak
2502	traditie	tradition	tradition	Tradition	tradisi	gelenek
2503	soortgelijks	similar	semblable	dergleichen	yang semacam	bu tür bir şey
2504	meen	gather	pense	meine	sangka	zannediyorum
2505	Sinterklaas	St. Nicholas	Saint-Nicolas	Sankt Nikolaus	pesta Sinterklas	Sen Nikolas
2506	halen ... uit	play	font	spielen	berlawak-lawak	yapıyorlar
2507	grapjes	tricks	plaisanteries	Streiche	-----	şaka(cık)lar
2508	kerstman	Father Christmas	Père Noël	Weihnachts-mann	Santa Klaus	Noel baba
2509	cadeautjes	small gifts	petits cadeaux	Mitbringsel	hadiah-hadiah kecil	hediye(cik)ler
2510	boom	tree	arbre	Baum	pohon	Noel ağacı
2511	zingen	sing	chantons	singen	menyanyikan	(şarkı) sölüyoruz
2512	kerstliederen	carols	chants de Noël	Weihnachtslie-der	nyanyian hari Natal	Noel şarkıları
2513	cadeaus	gifts	cadeaux	Geschenke	hadiah-hadiah	hediyeler
2514	gedichtje	rhyme	petit poème	Gedichtchen	sanjak singkat	şiir(cik)
2515	plagen	tease	taquinent	aufziehen	menggoda dengan lembut	takılırlar
2516	lichte	light	légères	leichte	halus	hafif
2517	kritiek (op)	criticism (of)	critiques	Kritik (an)	kritikan	tenkit
2518	leveren	deliver	s'adressent	liefern	memberikan	ederler

– Hebben ze hier eigenlijk ook gewone feestdagen? Vieren ze 1 mei?

– Officieel niet. Wel 5 mei, *bevrijdingsdag*. En *vlak ervoor* koninginnedag: op
25 30 april *steekt* men overal de *vlag uit* voor koningin Beatrix. Ze is eigenlijk
op 31 januari jarig. Maar omdat koninginnedag *gepaard gaat* met allerlei
activiteiten op straat, en je in april eerder op redelijk weer kunt *vertrouwen*,
vinden de *feestelijkheden* plaats op de verjaardag van haar moeder.

– Wat gebeurt er dan allemaal?

30 – De koningin *pleegt bezoekjes af* te *leggen* in het land, *in gezelschap van* haar
man (echtgenoot), *prins* Claus, en andere leden van het *koninklijk huis*.
Alles is *versierd* met *oranje*, en het *gezelschap* wordt *welkom geheten* door de
enthousiaste bevolking, met de *burgemeester* en *wethouders voorop*. Overal in
het land zijn er *kermissen* en *optochten*, en je mag *van alles verkopen* op straat.

35 – Als de *kroonprins* z'n (zijn) moeder *opvolgt*, zou-ie (hij) z'n verjaardag dan
ook op 30 april willen vieren?

– Wie weet. We zijn dat nu zó *gewend*. Maar of *er* dan nog *sprake is van*
koningínnedag?... Hé, da's (dat is) nou ook *toevallig*, daar heb je d'r
(haar), de koningin!!!

40 – Hè, waar??

– 1 april!!

2519	bevrijdingsdag	liberation day	jour de la Libération	Befreiungstag	hari kemerdekaan	kurtuluş günü
2520	vlak	directly	juste	direkt	dekat	az önce
2521	ervoor	before that	avant	davor	sebelum	-den/-dan
2522	steekt ... uit	puts out	met	hisst	mencuar	asılır
2523	vlag	flag	drapeau	Flagge	bendera	bayrak
2524	gepaard gaat (met)	goes hand in hand with	s'accompagne (de)	einhergeht (mit)	bersamaan dengan	yapıldığı
2525	activiteiten	activities	activités	Aktivitäten	kegiatan-kegiatan	faaliyetler
2526	vertrouwen (op)	rely (on)	compter (sur)	rechnen kann (mit)	mengharapkan	beklenebilir
2527	feestelijkheden	festivities	festivités	Festlichkeiten	perayaan-2	şenlikler
2528	pleegt	is in the habit of	a l'habitude	pflegt	biasa	adeti vardır
2529	bezoekjes	short visits	visites	Stipvisiten	(- afleggen) berkunjung	ziyaret(cik)ler
2530	af ... leggen	making	rendre	abstatten	-----	yapmak
2531	in gezelschap van	in the company of	en compagnie de	in Begleitung (+2e)	diiringi	eşliğinde
2532	prins	prince	prince	Prinz	pangeran	prens
2533	koninklijk huis	royal household	Maison royale	Königshaus	keluarga kerajaan	kraliyet ailesi
2534	versierd	decorated	décoré	geschmückt	dihiasi	süslemiştir

2535	oranje	orange	orange	orange	jingga	turuncu
2536	gezelschap	party	compagnie	Gesellschaft	rombongan	kafile
2537	welkom geheten	welcomed	accueillie	willkommen geheißen	disongsong	karşılanır
2538	enthousiaste	enthusiastic	enthousiaste	begeisterte	yang bergairah	coşkun
2539	burgemeester	mayor	maire	Bürgermeister	wali kota	belediye başkanı
2540	wethouders	councillors	adjoints	Beigeordneten	pembantu-pembantu wali kota	meclis üyesi
2541	voorop	in front	en tête	voran	di muka	en önde
2542	kermissen	fairs	fêtes foraines	Kirmessen	pasar dng berma-cam atraksi	panayırlar
2543	optochten	processions	cortèges	Aufzüge	arak-arakan	kortejler
2544	van alles	all kinds of things	de tout	alles Mögliche	pelbagai barang-barang	ne istersen
2545	verkopen	sell	vendre	verkaufen	menjual	satabilirsin
2546	kroonprins	crown prince	prince héritier	Kronprinz	putera mahkota	veliaht
2547	opvolgt	succeeds	succède (à)	nachfolgt	menggantikan	yerini alırsa
2548	gewend	accustomed	habitués	gewöhnt	sudah biasa	alıştık
2549	er sprake is van	there is (talk of)	il est question de	es gibt	dapat dikatakan	söz konusu olur (mu)
2550	toevallig	coincidental	par hasard	zufällig	kebetulan sekali	tesadüf

1 april

– Vanmorgen kwam _____ op straat een jongetje naar mij toe (_____ mij af). Net voor we elkaar passeerden, _____ hij: 'Meneer, uw veter zit los'. 'Dank _____ (bedankt)', antwoordde ik. Maar toen ik door _____ knieën wilde zakken, gilde (riep) hij: '1 _____!'. Op kantoor vond ik een briefje op _____ bureau: 'U bent ontslagen'. 'Ha ha', lachten _____ collega's, toen ik geschrokken om me _____ keek, '1 april!' Zo heb ik dus _____ met enige (enkele) uitingen (vormen) van typisch Nederlandse _____.

– En, beviel het?

– Nee, niet echt. _____ was kwaad (boos). Wist ik veel wat _____ april in Nederland betekent. En dat kinderen _____ doen, oké. Maar volwassenen!

– Zelfs de pers _____ mee! Dan staat er bijvoorbeeld iets in _____ krant dat iedereen gelooft, maar dat pure _____ blijkt.

– Nou, ik laat me vandaag niet _____ bij de neus nemen, hoor.

– Maar Nederland _____ toch niet het enige land met een 1-april-_____? Amerika en Engeland kennen iets _____, dacht ik (meen ik)? Met Sinterklaas halen _____ Nederlanders trouwens ook grapjes uit met elkaar.

– _____? De kerstman, bedoel je? Met Kerstmis liggen _____ cadeautjes onder de boom en zingen we _____, maar grapjes...?

– Nee, Sinterklaas, op 5 december. _____ geven elkaar ook cadeaus, maar er zit _____ gedichtje bij, waarin ze elkaar een beetje _____, of lichte kritiek leveren op elkaar.

– Hebben _____ hier eigenlijk ook gewone feestdagen? Vieren _____ 1 mei?

– Officieel niet. Wel 5 mei, bevrijdingsdag. _____ vlak ervoor koninginnedag: op 30 april steekt _____ overal de vlag uit voor koningin Beatrix. _____ is eigenlijk op 31 januari jarig. Maar _____ koninginnedag gepaard gaat met allerlei activiteiten op _____, en je in april eerder op redelijk _____ kunt vertrouwen, vinden de feestelijkheden plaats op _____ verjaardag van haar moeder.

– Wat gebeurt er _____ allemaal?

– De koningin pleegt bezoekjes af te _____ in het land, in gezelschap van haar _____ (echtgenoot), prins Claus, en andere leden van _____ koninklijk huis. Alles is versierd met oranje, _____ het gezelschap wordt welkom geheten door de _____ bevolking, met de burgemeester en wethouders voorop. _____ in het land zijn er kermissen en _____, en je mag van alles verkopen op _____.

– Als de kroonprins z'n (zijn) moeder _____, zou-ie (hij) z'n verjaardag dan _____ op 30 april willen vieren?

– Wie weet. _____ zijn dat nu zó gewend. Maar of _____ dan nog sprake is van koningínnedag?... Hé, da's (_____ is) nou ook toevallig, daar _____ je d'r (haar), de koningin!!!

– Hè, _____??

– 1 april!!

Geef antwoord:

a. Welke van de feesten die de tekst noemt worden alleen in Nederland gevierd?

b. Waarom viert de koningin haar verjaardag niet op haar geboortedag?

c. Kent uw land ook zoiets als een 1-apriltraditie?

d. Welke andere tradities kent uw land?

e. Wanneer steken uw landgenoten de vlag uit, en hoe ziet die eruit?

f. De straatverkoop is in Nederland een beperkt verschijnsel. Hoe zit dat in uw land?

Vul in of aan:

▪ 1 April is geen g_____ feestdag. Het is een dag waarop mensen _____ met elkaar uithalen (elkaar bij de neus _____). Niet iedereen vindt dat leuk. Sommigen worden _____. Maar de meesten zijn er wel aan _____.

> **als/wanneer/indien = 't kan/kon gebeuren; toen = 't is vroeger gebeurd**
>
> Vroeger moest ik altijd lachen, *als* de mensen een grapje *maakten*, maar *toen* ik gisteren mijn ontslagbrief op mijn bureau *vond*, *werd* ik kwaad. Blijkbaar vind ik het niet altijd leuk, *als* de mensen me bij de neus *nemen*.

▪ Als je in het voorjaar een cursus _____ in Nederland, heb je vaak vrij: bijna _____ maand is er een feest. _____ ik mijn eerste cursus Nederlands ging volgen, _____ het helaas zomer. Jammer: geen één dag _____! Maar toen mijn vrienden mij vertelden _____ hun eerste cursus Nederlands in de Ramadan viel, _____ ik blij met mijn zomercursus. _____ het Ramadan is, kun je geen Nederlands _____! Indien u de zomercursus wenst te _____, dient u een toelatingstoets af te leggen; _____ u een vrijstelling bezit, gelieve u uw diploma's _____ te brengen.

11

Den Haag

1   Den Haag is de stad *van waaruit* Nederland wordt *geregeerd*. Je vindt er de
regeringsgebouwen en *ministeries*, en vrijwel alle *ambassades*. Den Haag is ook
de *residentie:* de koningin woont er. In *beginsel* (principe) *maakt* de koningin
deel uit van de regering, die verder bestaat uit de *minister-president* (*premier*)
5   en zijn ministers. Ze heeft echter slechts een *adviserende* rol, en geen
beslissende stem in de *besluiten* (*beslissingen*) van het *kabinet. Niettemin* kunnen
we haar zonder *twijfel* zien als het symbool van de Nederlandse staat.

Zoals *gebruikelijk* in een *democratie* (*democratische* samenleving), worden
de *kiezers vertegenwoordigd* door een parlement, in Nederland de Eerste en
10   Tweede Kamer. Elke vier jaar *bepalen rechtstreekse verkiezingen* welke
partijen *vertegenwoordigers* krijgen in de Tweede Kamer. De *socialistische,
confessionele* (*christelijke*) en *liberale politici* die er *zitting hebben*, voeren
(houden) er *debatten* (*besprekingen*) over de *landspolitiek. Regeringspartijen* en
oppositie bespreken er *voorstellen* en *ontwerpen* voor nieuwe *wetten* en
15   *wetswijzigingen.* Die worden bij *stemming al dan niet* aangenomen. Voor de
uitvoering van haar beleid is de regering *afhankelijk* van lagere *overheden,*

2551	van waaruit	from whence	d'où	von wo aus	dari mana	oradan
2552	geregeerd	governed	gouvernée	regiert	diperintahkan	yönetilir
2553	regerings-gebouwen	government buildings	sièges du gou-vernement	Regierungsge-bäude	bangunan-2 pemerintahan	hükümet binaları
2554	ministeries	ministries	ministères	Ministerien	kementerian-kementerian	bakanlıklar
2555	ambassades	embassies	ambassades	Ambassaden	kedutaan-kedutaan besar	elçilikler
2556	residentie	court capital	résidence	Residenz	persemayaman	saray

2557	beginsel	principle	principe	Prinzip	asas	temel, prensip
2558	maakt deel uit (van)	is a part (of)	fait partie (du)	gehört (zu)	masuk	bir parçasıdır
2559	minister-president	prime minister	président du conseil	Ministerpräsident	ketua dewan menteri	başbakan
2560	premier	premier	premier	Premierminister	perdana menteri	başbakan
2561	adviserende	advisory	consultatif	Rat gebende	menasihati	tavsiye verici
2562	beslissende	determinant	décisive	entscheidende	yang memutuskan	karar alan
2563	stem	vote	voix	Stimme	suara	oy
2564	besluiten	resolutions	résolutions	Entscheidungen	keputusan-keputusan	kararlar
2565	beslissingen	decisions	décisions	Beschlüßen	keputusan-keputusan	kararlar
2566	kabinet	cabinet	cabinet	Kabinett	dewan menteri	bakanlar kurulu
2567	niettemin	nevertheless	néanmoins	trotzdem	namun demikian	yinede
2568	twijfel	doubt	doute	Zweifel	sangsi	tereddüt
2569	gebruikelijk	customary	(il est) d'usage	gebräuchlich	lazim	alışıldığı üzere
2570	democratie	democracy	démocratie	Demokratie	demokrasi	demokrasi
2571	democratische	democratic	démocratique	demokratische	demokratis	demokratik
2572	kiezers	electors	électeurs	Wähler	para pemilih	seçmenler
2573	vertegenwoordigd	represented	représentés	vertreten	diwakili	temsil edilirler
2574	bepalen	determine	déterminent	bestimmen	menentukan	tespit eder
2575	rechtstreekse	direct	direct	direkte	langsung	dolaysız, doğrudan doğruya
2576	verkiezingen	elections	suffrages	Wahlen	pemilihan	seçimler
2577	vertegenwoordigers	representatives	représentants	Vertreter	wakil-wakil	temsilciler
2578	socialistische	socialist	socialistes	sozialistische	sosialis	sosyalist
2579	confessionele	denominational	confessionnels	konfessionelle	agamawi	dini
2580	christelijke	christian	chrétiens	christliche	kristiani	hıristiyan
2581	liberale	liberal	libéraux	liberale	liberal	liberal
2582	politici	politicians	hommes/femmes politiques	Politiker	politisi	politikacılar
2583	zitting hebben	have seats	siègent	Mitglied sein (+2e)	termasuk didalamnya	üyesi olan
2584	debatten	debates	débats	Debatten	debat-debat	tartışma
2585	besprekingen	discussions	discussions	Besprechungen	perundingan-perundingan	müzakere
2586	landspolitiek	national politics	politique nationale	Landespolitik	politik negara	ülke politikası
2587	regeringspartijen	ruling parties	partis de gouvernement	Regierungsparteien	partai pemerintah	hükümet partileri
2588	oppositie	opposition	opposition	Opposition	oposisi	muhalefet
2589	bespreken	discuss	discutent	besprechen	memperundingkan	(hakkında) konuşurlar
2590	voorstellen	proposals	propositions	Vorschläge	usul-usul	teklifler
2591	ontwerpen	bills	projets	Entwürfe	rencana-rencana	taslaklar
2592	wetten	laws	lois	Gesetze	undang-undang	kanunlar
2593	wetswijzigingen	changes in the law	amendements	Gesetzesänderungen	perubahan undang-undang	kanun değişiklikleri
2594	stemming	voting	vote	Abstimmung	pemungutan suara	oylama
2595	al dan niet	either or not	oui ou non	entweder wohl oder nicht	diterima atau tidak	duruma göre
2596	uitvoering	execution	réalisation	Ausführung	pelaksanaan	icra
2597	afhankelijk (van)	dependent on	dépendant (de)	abhängig (von)	bergantung (pada)	bağlıdır
2598	overheden	authorities	autorités	Behörden	pemerintah-2	devlet organları

zoals *Provinciale Staten* en *gemeentebesturen* (*gemeenteraad,* burgemeester en wethouders), en *honderdduizenden ambtenaren.*

20 Over de grens *geniet* Den Haag *bekendheid* als *zetel* van het *Internationaal Gerechtshof.* Dat *bevindt zich* in het zogenaamde *Vredespaleis. In geval van ruzie* (een *conflict*) tussen twee landen kan deze *rechtbank* om een *uitspraak* worden gevraagd. Maar niet elk land is bereid *daar* ook *naar* te luisteren (daaraan te *gehoorzamen*).

Tegen Den Haag *aan* ligt Scheveningen: de *bekendste badplaats* van 25 Nederland. Daar gaan bij mooi weer *tienduizenden* mensen *naartoe* (heen) om op het *strand* in de zon te liggen, bruin te worden en in de zee te zwemmen.

'Den Haag, Den Haag, de *weduwe* van Indië ben jij'. Deze *regel* uit een *liedje slaat* op het *feit* dat in Den Haag veel mensen wonen uit Indonesië, 30 een *vroegere* Nederlandse *kolonie.* Zoals veel *voormalige zeemachten* heeft ook Nederland een *koloniaal* verleden. De Nederlandse *belangen lagen* in vorige *eeuwen* voornamelijk in Azië en Zuid-Amerika. Andere Nederlandse *koloniën,* die ondertussen allemaal *min of meer onafhankelijk* zijn geworden, zijn Suriname en de Nederlandse Antillen. Veel Nederlanders *staan* hier 35 liever niet te lang bij *stil.* Misschien *schamen* ze *zich?* Er is per slot van rekening (tenslotte) weinig reden om *trots* te zijn op de *enorme winsten* die Nederlandse *ondernemingen maakten* in de koloniën.

2599	Provinciale Staten	Provincial States	Etats Provinciaux	Provinzialstände	dewan perwakilan rakyat propinsi	il idaresi
2600	gemeentebesturen	municipalities	municipalités	Gemeindeverwaltungen	pemerintah kotapraja	belediye heyetleri
2601	gemeenteraad	municipal council	conseil municipal	Gemeinderat	dewan kotapraja	belediye meclisleri
2602	honderdduizenden	hundreds of thousands	centaines de milliers	hunderttausende	ratusribuan	yüzbinlerce
2603	ambtenaren	public servants	fonctionnaires	Beamten	pegawai negeri	memurlar
2604	geniet	enjoys	jouit	genießt	-----	sahiptir
2605	bekendheid	fame	prestige	Bekanntheit	(geniet -) terkenal	ün
2606	zetel	seat	siège	Sitz	tempat kedudukan	makam
2607	Internationaal	International	internationale	Internationalen	internasional	Uluslararası
2608	Gerechtshof	Court of Justice	Cour de Justice	Gerichtshofes	Pengadilan	Yüksek Mahkeme
2609	bevindt ... zich	is established	se trouve	befindet sich	berada	bulunmaktadır

82

2610	Vredespaleis	Peace Palace	Palais de la Paix	Friedenspalast	Istana Perdamaian	Sulh Sarayı
2611	in geval van	in the case of	en cas de	für den Fall, daß	apabila terjadi	halinde
2612	ruzie	quarrelling	querelle	Streit	perselisihan	anlaşmazlık
2613	conflict	conflict	conflit	Konflikt	pertentangan	itilaf
2614	rechtbank	lawcourt	tribunal	Gericht	pengadilan	mahkeme
2615	uitspraak	judgment	jugement	Urteil	putusan	yargı
2616	daar ... naar	to that	l' (écouter)	danach	(- te luisteren) menuruti	-e / -a
2617	gehoorzamen	obey	s'(y) soumettre	gehorchen	mematuhi	itaat etmeye
2618	tegen ... aan	next to	tout à côté	direkt bei	berdampingan dengan	yakınında
2619	bekendste	best-known	la plus connue	bekannteste	yang paling terkenal	en tanınmış
2620	badplaats	seaside resort	station balnéaire	Badeort	kota dng pantai tempat berenang	sahil şehri
2621	tienduizenden	tens of thousands	dizaines de milliers	zehntausende	puluhribuan	onbinlerce
2622	naartoe	to	y	hin	ke	oraya
2623	strand	beach	plage	Strand	pantai	kumsal
2624	weduwe	widow	veuve	Witwe	janda	dul
2625	regel	line	ligne	Zeile	kalimat	satır
2626	liedje	ditty	chanson	Liedchen	nyanyian singkat	şarkı(cık)
2627	slaat (op)	refers to	se rapporte (au)	bezieht sich (auf)	berhubungan (dengan)	dile getirir
2628	feit	fact	fait	Tatsache	peristiwa	gerçek
2629	vroegere	former	ex-	frühere	bekas	eski
2630	kolonie	colony	colonie	Kolonie	koloni	sömürge
2631	voormalige	former	anciennes	ehemalige	bekas	eski
2632	zeemachten	naval forces	puissances maritimes	Seemächte	negara penguasa laut	deniz güçleri
2633	koloniaal	colonial	colonial	koloniale	penjajahan	sömürgelerle ilgili
2634	belangen	interests	intérêts	Interessen	kepentingan-kepentingan	menfaatlar
2635	lagen	lay	se trouvaient	lagen	terletak	-dı / -di
2 636	eeuwen	centuries	siècles	Jahrhunderten	abad-abad	yüzyıllar
2637	koloniën	colonies	colonies	Kolonien	koloni-koloni	sömürgeler
2638	min of meer	more or less	plus ou moins	mehr oder weniger	lebih kurang	az çok
2639	onafhankelijk	independent	indépendantes	unabhängig	mandiri	bağımsız
2640	staan ... stil (bij)	dwell (on)	s'(y) attarder	beschäftigen sich	mengheningkan	üzerinde durmazlar
2641	schamen ... zich	are ashamed	ont honte	schämen sich	malu	utanıyorlar
2642	trots (op)	proud (about)	fier (de)	stolz (auf)	membanggakan	gurur duymak
2643	enorme	enormous	énormes	enormen	raksasa	müthiş
2644	winsten	gains	gains	Gewinne	keuntungan-keuntungan	kazançlar
2645	ondernemingen	business concerns	entreprises	Unternehmen	perusahaan-perusahaan	müesseseler
2646	maakten	made	ont fait	gemacht haben	memperoleh	yaptıkları

Den Haag

Den Haag is de stad _____ waaruit Nederland wordt geregeerd. Je vindt er _____ regeringsgebouwen en ministeries, en vrijwel alle ambassades. Den _____ is ook de residentie: de koningin woont _____. In beginsel (principe) maakt de koningin deel _____ van de regering, die verder bestaat uit _____ minister- president (premier) en zijn ministers. Ze _____ echter slechts een adviserende rol, en geen _____ stem in de besluiten (beslissingen) van het _____. Niettemin kunnen we haar zonder twijfel zien _____ het symbool van de Nederlandse staat.

Zoals _____ in een democratie (democratische samenleving), worden de _____ vertegenwoordigd door een parlement, in Nederland de _____ en Tweede Kamer. Elke vier jaar bepalen _____ verkiezingen welke partijen vertegenwoordigers krijgen in de _____ Kamer. De socialistische, confessionele (christelijke) en liberale _____ die er zitting hebben, voeren (houden) er _____ (besprekingen) over de landspolitiek. Regeringspartijen en oppositie _____ er voorstellen en ontwerpen voor nieuwe wetten _____ wetswijzigingen. Die worden bij stemming al dan _____ aangenomen. Voor de uitvoering van haar beleid _____ de regering afhankelijk van lagere overheden, zoals _____ Staten en gemeentebesturen (gemeenteraad, burgemeester en wethouders), _____ honderdduizenden ambtenaren.

Over de grens geniet Den Haag _____ als zetel van het Internationaal Gerechtshof. _____ bevindt zich in het zogenaamde Vredespaleis. In _____ van ruzie (een conflict) tussen twee landen _____ deze rechtbank om een uitspraak worden gevraagd. _____ niet elk land is bereid daar ook _____ te luisteren (daaraan te gehoorzamen).

Tegen Den Haag _____ ligt Scheveningen: de bekendste badplaats van Nederland. _____ gaan bij mooi weer tienduizenden mensen _____ (heen) om op het strand in de _____ te liggen, bruin te worden en in _____ zee te zwemmen.

'Den Haag, Den Haag, _____ weduwe van Indië ben jij'. Deze regel _____ een liedje slaat op het feit dat _____ Den Haag veel mensen wonen uit Indonesië, _____ vroegere Nederlandse kolonie. Zoals veel voormalige zeemachten _____ ook Nederland een koloniaal verleden. De Nederlandse _____ lagen in vorige eeuwen voornamelijk in Azië _____ Zuid-Amerika. Andere Nederlandse koloniën, die ondertussen _____ min

of meer onafhankelijk zijn geworden, zijn _____ en de Nederlandse
Antillen. Veel Nederlanders staan _____ liever niet te lang bij stil.
Misschien _____ ze zich? Er is per slot van _____ (tenslotte) weinig reden
om trots te zijn _____ de enorme winsten die Nederlandse
ondernemingen maakten _____ de koloniën.

Geef antwoord:

a. Noem enkele redenen waarom Den Haag bekend is.
b. Wat is de rol van de koning(in) of de president in uw land?
c. Heeft het parlement in Nederland dezelfde taak als in uw land?
d. Mag iedereen in uw land meedoen aan de verkiezingen? Wie wel/niet?
e. Leg uit waarom Den Haag de weduwe van Indië wordt genoemd.
f. Is uw land een vroegere kolonie? Zo ja, waaraan kun je dat nog
   merken?

Vul in of aan:

■ Nederlanders zijn vaak trots op het koloniale _____ van hun land. Ze
denken dan aan de ontdekkingsreizen _____ de Nederlanders toen
maakten. Maar schamen ze _____ niet voor de winsten die
Nederlandse _____ gemaakt hebben in de voormalige Nederlandse _____?

■ Den Haag is een echte regeringsstad. Je vindt er[1] de
regeringsgebouwen en de ministeries. Het is ook de residentie: de
koningin woont er[2]. Rechtstreekse verkiezingen bepalen welke partijen
vertegenwoordigers krijgen in de Tweede Kamer. De politici die daar[3]
zitting hebben, voeren er[4] debatten over de politiek. Het Vredespaleis
is de zetel van het Internationaal Gerechtshof, waar[5] landen om een
uitspraak komen vragen over hun conflicten.
1. *er* = in Den Haag,   2. *er* = ... enz.

Grammatica §1 '1 stoel, 2 stoelen'				
gebouw	gebouwen	maar:	over*heid*	over*heden*
partij	partijen		politi*cus*	politi*ci*
minister	ministers		mus*eum*	mus*ea*
industr*ie*	industr*ieën*	maar:	kol*ó*nie	kol*ó*niën

85

12

Het 8-uur *journaal*

1   Goeienavond, het nieuws van vrijdag 25 maart.

Als het *overleg* tussen de *directie* van de Amsterdamse *vervoerbedrijven* en de
vakbond (*vakbeweging*) morgen niets *oplevert*, zullen *stakingen onvermijdelijk*
5   zijn, *aldus* een van de *vakbondsleiders*. Na de *moord* op een *trambestuurder eist*
de vakbond *namens* de leden o.a. (onder andere) dat *voortaan* op elke tram
twee *conducteurs meereizen*. Indien (als) niet aan deze en andere eisen wordt
voldaan, zal a.s. (*aanstaande*) maandag het openbaar vervoer in
Amsterdam in staking gaan. Alle 800 leden van de vakbond hebben
10   *beloofd deel* te *nemen* aan de staking.
    De *staatssecretaris* van *Justitie* heeft gisteren in een *interview* in de
Volkskrant *aangekondigd* dat het per (*met ingang van*) 1 mei niet langer
toegestaan zal zijn om te roken in openbare *ruimten*. In *bedrijfskantines* zal
men vanaf dan alleen in speciale *afdelingen* een *sigaret* mogen *opsteken*.

2647	journaal	news	journal parlé	Nachrichten	siaran warta-berita	haberler
2648	overleg	consultation	concertation	Verhandlungen	perundingan	görüşme
2649	directie	management	direction	Direktion	direksi	müdürlük
2650	vervoerbedrij-ven	transport companies	entreprise de transports	Transportunter-nehmen	perusahaan angkutan umum	ulaşım işletmeleri
2651	vakbond	trade union	syndicat	Gewerkschaft	serikat sekerja	sendika
2652	vakbeweging	trade union movement	mouvement syndical	Gewerkschafts-bewegung	perserikatan sekerja	sendikalar birliği
2653	oplevert	yields	apporte	bringt	berhasil	sonuç vermezse
2654	stakingen	strikes	grèves	Streiks	pemogokan	grevler
2655	onvermijdelijk	unavoidable	inévitables	unvermeidlich	tak terelakkan	kaçınılmaz
2656	aldus	according to	a déclaré	so	demikianlah	bu şekilde (konuştu)
2657	vakbondsleiders	trade union leaders	leaders syndicaux	Gewerkschafts-führer	pemimpin serikat sekerja	sendika yöneticileri
2658	moord	murder	meurtre	Mord	pembunuhan	cinayet
2659	trambestuurder	tram driver	conducteur de tramway	Straßenbahn-fahrer	pengemudi trem	tramvay sürücüsü
2660	eist	is demanding	exige	fordert	menuntut	talep ediyor
2661	namens	on behalf of	au nom des	im Namen	atas nama	adına
2662	voortaan	from now on	à l'avenir	in Zukunft	mulai dari saat ini	bundan böyle
2663	conducteurs	conductors	contrôleurs	Schaffner	kondektur	kondüktörler
2664	meereizen	travel with them	se joindre	mitfahren	menumpangi	ile yolculuk etmelerini
2665	voldaan (aan)	satisfied	satisfaites	eingewilligt (+3e)	dipenuhi	getirilmediği
2666	aanstaande	this coming	prochain	nächsten	mendatang	önümüzdeki
2667	beloofd	promised	promis	versprochen	berjanji	söz verdiler
2668	deel ... nemen (aan)	take part (in)	participer (à)	teilnehmen (an)	ikut serta	katılmaya
2669	staatssecretaris	minister of state	secrétaire d'Etat	Staatssekretär	menteri muda	bakan vekili
2670	Justitie	justice	Justice	Justiz	kehakiman	adliye
2671	interview	interview	interview	Interview	wawancara	röportaj
2 672	aangekondigd	announced	annoncé	angekündigt	mengumumkan	bildirdi
2673	met ingang van	beginning on	à partir du	ab	mulai tanggal	-den/-dan itibaren
2674	ruimten	spaces	lieux	Räumen	ruangan-ruangan	mekanlar
2675	bedrijfskantines	company canteens	cantines d'entreprise	Betriebskanti-nen	kantin perusahaan	işletme kantinleri
2676	afdelingen	sections	emplacements	Abteilen	bagian	bölümler
2677	sigaret	cigarette	cigarette	Zigarette	rokok	sigara
2678	opsteken	light up	allumer	anzünden	menyalakan	yakılabilecek

15   De *voorzitter* van de *vaste kamercommissie* voor *milieuzaken* heeft een *spoeddebat aangevraagd* met de minister van Milieu. De commissie wil *nadere* informatie over de rol van de gemeente Alphen aan den Rijn bij de *illegale vuilstort*. Het *college* van B&W (Burgemeester en Wethouders) zou al vroeg *op de hoogte* zijn geweest, maar zou hebben *nagelaten in* te *grijpen*,
20   aldus de voorzitter.

En dan *tot slot* het weer. 's Ochtends vroeg kans op *plotseling opkomende mist*. Overigens *zonnig* en droog. *Zwakke zuidelijke* wind, in de loop van de dag *draaiend* naar het westen.

25   Tot zover het nieuws. Nog een *prettige* avond.

88

2679	voorzitter	chairman	président	Vorsitzende	ketua	başkan
2680	vaste	permanent	permanente	festen	yang tetap	sabit
2681	kamercommissie	select committee	commission parlementaire	Parlamentausschußes	panitia parlemen	meclis komisyonu
2682	milieuzaken	environmental matters	environnement	Umweltangelegenheiten	urusan lingkungan	çevre işleri
2683	spoeddebat	emergency debate	débat d'urgence	Dringlichkeitsdebatte	debat yang lekas dilangsungkan	acil müzakere
2684	aangevraagd	requested	demandé	beantragt	memajukan permohonan	isteğinde bulundu
2685	nadere	further	plus détaillés	eingehendere	lebih banyak	daha detaylı
2686	illegale	illegal	illégale	illegalen	yang tak syah	kanunsuz
2687	vuilstort	waste disposal	décharge	Müllkippe	pembuangan sampah	çöp boşaltma
2688	college	council	conseil	Kollegium	majelis	kurul, idari heyet
2689	op de hoogte	aware of	au courant	unterrichtet	telah mengetahui	bilgisi vardı
2690	nagelaten	omitted	abstenu	versäumt	mengabaikan	ihmal etti
2691	in ... grijpen	take action	prendre des mesures	eingreifen	bertindak	müdahale etmeyi
2692	tot slot	to conclude	pour finir	zum Schluß	akhirnya	son olarak
2693	plotseling	suddenly	soudain	plötzlich	mendadak	aniden
2694	opkomende	rising	montant	aufkommender	timbul	oluşan
2695	mist	mist	brouillard	Nebel	kabut	sis
2696	zonnig	sunny	ensoleillé	sonnig	ada sinar matahari	güneşli
2697	zwakke	light	faible	schwacher	sepoi-sepoi	zayıf
2698	zuidelijke	southerly	du sud	südlicher	dari selatan	güneyden
2699	draaiend	turning	tournant	drehend	yang berputar	dönecek
2700	prettige	pleasant	bonne	angenehmen	selamat	hoş, iyi

Het 8-uur journaal

Goeienavond, het nieuws van vrijdag 25 _____ .

Als het overleg tussen de directie _____ de Amsterdamse
vervoerbedrijven en de vakbond (vakbeweging) _____ niets oplevert,
zullen stakingen onvermijdelijk zijn, aldus _____ van de vakbondsleiders.
Na de moord op _____ trambestuurder eist de vakbond namens de leden
o.a. (_____ andere) dat voortaan op elke _____ twee conducteurs
meereizen. Indien (als) niet aan _____ en andere eisen wordt voldaan, zal
a.s. (_____) maandag het openbaar vervoer in Amsterdam _____ staking
gaan. Alle 800 leden van de _____ hebben beloofd deel te nemen aan
de _____.

De staatssecretaris van Justitie heeft gisteren in _____ interview in de
Volkskrant aangekondigd dat het _____ (met ingang van) 1 mei niet
langer _____ zal zijn om te roken in openbare _____. In bedrijfskantines

zal men vanaf dan alleen _____ speciale afdelingen een sigaret mogen opsteken.

De _____ van de vaste kamercommissie voor milieuzaken heeft _____ spoeddebat aangevraagd met de minister van Milieu. _____ commissie wil nadere informatie over de rol _____ de gemeente Alphen aan den Rijn bij _____ illegale vuilstort. Het college van B&W (Burgemeester _____ Wethouders) zou al vroeg op de hoogte _____ geweest, maar zou hebben nagelaten in te _____, aldus de voorzitter.

En dan tot slot _____ weer. 's Ochtends vroeg kans op plotseling _____ mist. Overigens zonnig en droog. Zwakke zuidelijke _____, in de loop van de dag draaiend _____ het westen.

Tot zover het nieuws. Nog _____ prettige avond.

Geef antwoord:

a. Wat is er gebeurd in Alphen aan den Rijn? En wat gaat er nu gebeuren?

b. Velen vinden dat het openbaar vervoer niet mag staken. Wat vindt u?

c. Moet roken overal verboden worden? Of is die eis onredelijk?

d. Wat was het belangrijkste nieuws van gisteren? Wat was de weersvoorspelling voor vandaag?

e. Kunt u in Nederland het nieuws uit uw land ontvangen? Zo ja, wat was gisteren het belangrijkste nieuws? Wat was de weersvoorspelling?

Vul in of aan:

▪ Er is tussen _____ middag in onze kantine grote kans op _____ opkomende mist, omdat zoveel mensen dan een sigaret _____. De leden van onze vakbond vinden dat _____ in openbare ruimten niet langer moet worden _____. Ze hebben aangekondigd dat ze vrijdag in _____ gaan, als niet aan hun eisen wordt _____.

▪ Grammatica §17 'woordvolgorde: omdat – daarom'

Dan (= *Als de vaste kamercommissie een spoeddebat aanvraagt,*) moet de minister antwoorden.

Toen (= *Toen er een trambestuurder vermoord was,*) eisten de bonden extra personeel.

Dan (= *Als* ....,) moet je in een speciale afdeling gaan zitten.

Toen (= *Toen* ....,) ging het openbaar vervoer in staking.

zullen – kunnen – willen			
ik/jij/hij	zal	kan	wil
	zal/zul je	kan/kun je	wil je
jij/u	zult	kunt	wilt
wij/jullie/zij	zullen	kunnen	willen
ik/jij/u/hij	zou	kon	wou/wilde
	zou(dt) u		
wij/jullie/zij	zouden	konden	wilden

13

De bevolking van Nederland

1   Het *Centraal Bureau* voor de *Statistiek* (CBS) *voorspelt* dat het aantal
inwoners van Nederland niet verder zal stijgen dan tot 15,5 miljoen, en in
het begin van de 21ste eeuw *vermoedelijk* zelfs zal gaan *dalen* (*afnemen*).
Bovendien zal de bevolking tegen die tijd (dan) heel anders *samengesteld*
5   zijn.
　　In de eerste plaats zal er een proces van *vergrijzing plaatsvinden*. De
mensen worden tegenwoordig ouder: in 1980 werd de Nederlander
gemiddeld 75,8 jaar oud; slechts tien jaar later was dat al 76,9 jaar.
Tegelijkertijd worden er minder kinderen geboren (gemiddeld nog maar
10   *anderhalf* (1,5) kind per vrouw), nu men veel *gemakkelijker* zelf kan
beslissen of men kinderen wil en wanneer. Het gevolg is dat er in het begin
van de 21ste eeuw meer *ouderen* in Nederland zullen wonen en minder
jongeren.
　　Ook de *immigratie* is van invloed op de *samenstelling* van de bevolking,
15   vooral in de *naoorlogse periode*. De *motieven* om *zich* in Nederland te *vestigen*
lopen zeer *uiteen*. *Ten eerste* zijn er de Indische Nederlanders en de
Molukkers. Deze *verlieten* Indonesië om politieke *redenen* toen dit land
onafhankelijk werd van Nederland. Een tweede groep uit een voormalige
Nederlandse kolonie vormen de *Surinamers*. Tot 1981 *konden* zij kiezen voor
20   de Nederlandse of de *Surinaamse nationaliteit*. Ongeveer 100.000
Surinamers *verkregen* toen een Nederlands *paspoort*. Een derde *categorie*
betreft de *buitenlandse* werknemers (*gastarbeiders*) die begin jaren 60 door
Nederlandse bedrijven werden *uitgenodigd* om hier te komen werken.
Aanvankelijk was het de bedoeling dat deze arbeiders slechts *tijdelijk*
25   kwamen, maar na een *jarenlang verblijf* in Nederland *lieten* de meesten hun
gezin *overkomen*. Daarnaast is er sprake van een *constante immigratiestroom*
uit allerlei landen met *economische* en/of politieke problemen. Eind jaren

2701	Centraal	Central	Central	Zentrale	Pusat	Merkez
2702	Bureau	Office	Bureau	Bureau	Biro	Büro
2703	Statistiek	Statistics	des Statistiques	Statistik	Statistik	Istatistik
2704	voorspelt	predicts	prévoit	sagt voraus	meramalkan	tahmin ediyor
2 705	vermoedelijk	probably	probablement	vermutlich	agaknya	muhtemelen
2706	dalen	fall	décroître	sinken	menyurut	azalacak
2707	afnemen	decrease	diminuer	abnehmen	berkurang	eksilecek
2708	samengesteld	composed	composée	zusammenge-stellt	disusun	oluşmus
2709	vergrijzing	greying	vieillissement	überalterung	menguban	ihtiyarlama
2710	plaatsvinden	take place	se produire	stattfinden	terjadi	meydana gelecek
2711	tegelijkertijd	at the same time	en même temps	gleichzeitig	pada waktu yang sama	aynı zamanda
2712	anderhalf	one and a half	un et demi	eineinhalb	satusetengah	bir buçuk
2713	gemakkelijker	more easily	plus facilement	leichter	lebih gampang	daha kolayca
2714	ouderen	elderly people	personnes âgées	Ältere	orang lanjut usia	yaşlılar
2715	immigratie	immigration	immigration	Zuwanderung	imigrasi	göç
2716	samenstelling	composition	composition	Zusammenstel-lung	susunan	tertip, teşekkül
2717	naoorlogse	post-war	d'après guerre	Nachkriegs-Zeit	sesudah perang	savaş sonrası
2718	periode	period	période		zaman	süre
2719	motieven	motives	motifs	Motive	alasan-alasan	nedenler
2720	zich ... vestigen	settle oneself	s'établir	sich ansiedeln	menetap	yerleşmek
2721	lopen ... uiteen	are diverse	diffèrent	sind unter-schiedlich	beraneka ragam	çeşitlidir
2722	ten eerste	firstly	premièrement	erstens	pertama	ilk olarak
2723	Molukkers	Moluccans	Moluquois	Molukker	orang Maluku	Moluklar
2724	verlieten	deserted	quitté	verließen	meninggalkan	terk ettiler
2725	redenen	reasons	raisons	Gründen	alasan	sebepler
2726	Surinamers	Surinamese	Surinamiens	Surinamer	orang Suriname	Surinamlılar
2727	konden	could	pouvaient	konnten	dapat	-bilirlerdi
2728	Surinaamse	Surinamese	surinamienne	surinamische	Suriname	Surinam
2729	nationaliteit	nationality	nationalité	Nationalität	kewarganegaraan	vatandaşlık, uyruk
2730	verkregen	acquired	obtenu	bekamen	memperoleh	aldılar
2731	paspoort	passport	passeport	Paß	paspor	pasaport
2732	categorie	category	catégorie	Kategorie	golongan	sınıf
2733	betreft	concerns	concerne	betrifft	berkaitan dengan	kapsar
2734	buitenlandse	foreign	étrangers	ausländischen	dari luar negeri	yabancı
2735	gastarbeiders	guest workers	travailleurs immigrés	Gastarbeiter	pekerja asing	işçiler
2736	uitgenodigd	invited	invités	eingeladen	diundang	davet edildiler
2737	tijdelijk	temporarily	temporairement	zeitweilig	untuk sementara	geçici
2738	jarenlang	of many years	(de) plusieurs années	jahrelangem	bertahun-tahun lamanya	senelerce
2739	verblijf	stay	séjour	Aufenthalt	tinggal	ikamet
2740	lieten	had	faisaient	liessen	menyuruh	---
2741	overkomen	come over	venir	kommen	pindah kesini	getirttiler
2742	constante	constant	constant	ununterbroche-nen	yang terus-menerus	sabit
2743	immigratie-stroom	immigration stream	mouvement migratoire	Zuwanderungs-strom	arus imigran	göç akını
2 744	economische	economic	économiques	ökonomische	keuangan	ekonomik

80 *bestond* de Nederlandse bevolking voor ongeveer 5% uit *immigranten.*

Het is van belang om zo *nauwkeurig* mogelijk te bepalen hoe de
30 bevolking *er* in de toekomst *uit* zal *zien,* omdat de overheid haar beleid op dergelijke *analyses baseert.* Als er meer ouderen en minder jongeren zijn, moeten *tal van (talrijke)* voorzieningen op het gebied van onderwijs, *volksgezondheid, werkgelegenheid,* en *sociale zekerheid* aangepast worden. Er zullen minder scholen nodig zijn, en *juist* meer ziekenhuizen; ook zullen er
35 minder mensen *beschikbaar* zijn op de *arbeidsmarkt,* terwijl *anderzijds* meer mensen *recht* hebben op een *pensioen.*

Inzake de immigranten moet ook een nieuw beleid *ontwikkeld* worden. Tegenwoordig spreekt men overigens liever van '*etnische minderheden*' of '*allochtonen*'. Met de naam is ook de houding ten opzichte van deze
40 '*permanente gasten*' veranderd. Men *streeft ernaar* hun *achterstand* op de arbeidsmarkt *op* te *heffen.* Ook moet de *onderwijssituatie verbeteren.* Een groot probleem is namelijk dat veel allochtonen *zich* zowel *schriftelijk* als *mondeling* slecht in het Nederlands kunnen *redden.* De toekomst moet leren *in hoeverre* het echt zal *lukken* tot *volledige integratie* van Nederlanders en
45 'medelanders' te komen.

2745	bestond (uit)	consisted of	se composait (de)	bestand (aus)	terdiri dari	oluşmaktaydı
2746	immigranten	immigrants	immigrés	Zuwanderern	imigran-imigran	göçmenler
2747	nauwkeurig	accurately	précisément	genau	teliti	itinalıca, özenle
2748	er ... uitzien	look like	se présenter	aussehen	disusun	olacağını
2749	analyses	analyses	analyses	Analysen	pengamatan-pengamatan	analizler
2750	baseert (op)	bases upon	base (sur)	gründet (auf)	mendasarkan (atas)	dayandırmaktadır
2751	tal van	a number of	grand nombre de	eine Menge von	sejumlah besar	birçok
2752	talrijke	numerous	nombreuses	zahlreiche	amat banyak	çok sayıda
2753	volksgezond-heid	public health	santé publique	Volksgesundheit	kesehatan rakyat	halk sağlığı
2754	werkgelegen-heid	work opportunity	emploi	Arbeitsmöglich-keit	kesempatan kerja	iş olanağı
2755	sociale zekerheid	social security	sécurité sociale	sozialen Sicherheit	jaminan sosial	sosyal güvenlik
2756	juist	yet	justement	gerade	justru	aksine
2757	beschikbaar	available	disponibles	vorhanden	tersedia	hizmete hazır
2758	arbeidsmarkt	labour market	marché du travail	Arbeitsmarkt	pasar kerja	iş piyasası
2759	anderzijds	on the other hand	d'autre part	ander(er)seits	sebaliknya	öte yandan
2760	recht (op)	right (to)	droit (à)	Recht (auf)	berhak (akan)	hak kazanacaklar
2761	pensioen	pension	retraite	Rente	pensiun	emeklilik
2762	inzake	concerning	concernant	hinsichtlich	mengenai	konusunda

2763	ontwikkeld	developed	développée	entwickelt	diperkembangkan	geliştirilmelidir
2764	etnische	ethnic	ethniques	etnischen	etnik	etnik
2765	minderheden	minorities	minorités	Minderheiten	minoritas	azınlıklar
2766	allochtonen	immigrants	allochtones	Allochtone(n)	nonpribumi	yabancılar
2767	permanente	permanent	permanents	Dauer-	yang tetap	sürekli
2768	gasten	guests	invités	Gäste	tamu	misafirler
2769	streeft (naar)	strives (for)	s'efforce (de)	ist bestrebt (um zu)	(ernaar -) berusaha	amaçlanıyor
2770	ernaar	towards it	de	danach	-----	-e / -a
2771	achterstand	inferior position	retard	Rückstand	keterbelakangan	geri kalmışlık
2772	op ... heffen	abolish	supprimer	aufheben	menghapuskan	ortadan kaldırmaya
2773	onderwijssitua- tie	educational situation	situation de l'enseigne- ment	Unterrichtssitua- tion	keadaan pengajaran	eğitim durumu
2774	verbeteren	improve	améliorer	verbessert werden	dimajukan	düzeltilmelidir
2775	schriftelijk	in writing	à l'écrit	schriftlich	dengan tulisan	yazılı
2776	mondeling	orally	à l'oral	mündlich	dengan lisan	sözlü
2777	zich ... redden	manage	se débrouiller	helfen sich	menguasai	-bilmek
2778	in hoeverre	to what extent	dans quelle mesure	in wieweit	sejauh mana	ne dereceye kadar
2779	lukken	succeed	réussir	gelingen	ada keberhasilan	gerçekleştirilebilecek
2780	volledige	full	complète	vollständige	yang utuh	tam
2781	integratie	integration	intégration	Integration	integrasi	uyum, entegrasyon

De bevolking van Nederland

Het Centraal Bureau voor de _____ (CBS) voorspelt dat het aantal
inwoners van Nederland _____ verder zal stijgen dan tot 15,5 _____, en in
het begin van de _____ eeuw vermoedelijk zelfs zal gaan dalen
(afnemen). _____ zal de bevolking tegen die tijd (dan) _____ anders
samengesteld zijn.

In de eerste plaats _____ er een proces van vergrijzing plaatsvinden.
De _____ worden tegenwoordig ouder: in 1980 werd de _____ gemiddeld
75,8 jaar oud; slechts tien _____ later was dat al 76,9 jaar. _____ worden
er minder kinderen geboren (gemiddeld nog _____ anderhalf (1,5) kind
per vrouw), nu _____ veel gemakkelijker zelf kan beslissen of men _____
wil en wanneer. Het gevolg is dat _____ in het begin van de 21ste
eeuw _____ ouderen in Nederland zullen wonen en minder _____.

Ook de immigratie is van invloed op _____ samenstelling van de
bevolking, vooral in de _____ periode. De motieven om zich in
Nederland _____ vestigen lopen zeer uiteen. Ten eerste zijn _____ de
Indische Nederlanders en de Molukkers. Deze _____ Indonesië om

politieke redenen toen dit land _____ werd van Nederland. Een tweede groep uit _____ voormalige Nederlandse kolonie vormen de Surinamers. Tot 1981 _____ zij kiezen voor de Nederlandse of _____ Surinaamse nationaliteit. Ongeveer 100.000 Surinamers verkregen _____ een Nederlands paspoort. Een derde categorie betreft _____ buitenlandse werknemers (gastarbeiders) die begin jaren 60 _____ Nederlandse bedrijven werden uitgenodigd om hier te _____ werken. Aanvankelijk was het de bedoeling dat _____ arbeiders slechts tijdelijk kwamen, maar na een _____ verblijf in Nederland lieten de meesten hun _____ overkomen. Daarnaast is er sprake van een _____ immigratiestroom uit allerlei landen met economische en/of _____ problemen. Eind jaren 80 bestond de Nederlandse _____ voor ongeveer 5% uit immigranten.

Het is _____ belang om zo nauwkeurig mogelijk te bepalen _____ de bevolking er in de toekomst uit _____ zien, omdat de overheid haar beleid op _____ analyses baseert. Als er meer ouderen en _____ jongeren zijn, moeten tal van (talrijke) voorzieningen _____ het gebied van onderwijs, volksgezondheid, werkgelegenheid, en _____ zekerheid aangepast worden. Er zullen minder scholen _____ zijn, en juist meer ziekenhuizen; ook zullen _____ minder mensen beschikbaar zijn op de arbeidsmarkt, _____ anderzijds meer mensen recht hebben op een _____.

Inzake de immigranten moet ook een nieuw _____ ontwikkeld worden. Tegenwoordig spreekt men overigens liever _____ 'etnische minderheden' of 'allochtonen'. Met de naam _____ ook de houding ten opzichte van deze '_____ gasten' veranderd. Men streeft ernaar hun _____ op de arbeidsmarkt op te heffen. Ook moet _____ onderwijssituatie verbeteren. Een groot probleem is namelijk _____ veel allochtonen zich zowel schriftelijk als mondeling _____ in het Nederlands kunnen redden. De toekomst _____ leren in hoeverre het echt zal lukken _____ volledige integratie van Nederlanders en 'medelanders' te _____.

Geef antwoord:
a. Welke veranderingen vonden plaats na de Tweede Wereldoorlog? Welke worden in de toekomst verwacht?

b. Waarom wil de overheid weten hoe de bevolking samengesteld is?
c. Hoe probeert de overheid de integratie van de allochtonen te bevorderen? En hoe zou men dat volgens ú het beste kunnen doen?
d. Uit welk land komen de (meeste) buitenlanders in uw land? Waarvoor kwamen/komen ze naar uw land?

Vul in of aan:

In het begin van de 21e _____ zal de bevolking van Nederland heel anders _____ zijn dan nu. Er zullen veel meer _____ zijn, en ook meer allochtonen. Er vindt namelijk een _____ van vergrijzing plaats, en verder is er _____ van een constante stroom immigranten. De Nederlandse _____ moet haar beleid aan die veranderingen _____ .

Grammatica §23 'er'

Er (zullen:) *zal* een proces van vergrijzing plaatsvinden in Nederland. Maar omdat er ook minder kinderen (worden:) _____ geboren, (zullen:) _____ er in de 21e eeuw minder jongeren in Nederland wonen. Er (zijn:) _____ dus ook sprake van een proces van 'ontgroening'. Hierdoor (moeten:) _____ er op veel punten een nieuw beleid ontwikkeld worden door de overheid. Er (zijn:) _____ op allerlei gebieden aanpassingen nodig.

Let op: van belang om ... te, motieven om ... te, uitnodigen om ... te

Het is van _____ om te weten waarom de immigranten naar _____ gekomen zijn. De motieven om zich hier _____ vestigen lopen zeer uiteen. Velen zijn _____ de Nederlandse overheid uitgenodigd _____ hier te komen werken.

heel – veel	
heel gemakkelijk	veel gemakkelijk*er*
heel veel ouderen	veel *meer* ouderen
heel weinig kinderen	veel *minder* kinderen

14

Een stukje uit de krant

Turkse Jongeren zeer *te spreken* over Nederland

Van onze *verslaggever*

1 NIJMEGEN – Turkse jongeren *voelen zich uitstekend op hun gemak* in Nederland. Bijna 90 procent zegt zich goed thuis te voelen in de Nederlandse samenleving.
5 De jongeren hebben zich aangepast, maar willen ook *vasthouden* aan hun Turkse *identiteit*. De *islam neemt daarbij* een belangrijke plaats *in*.

De jongeren vinden vrijheid tot *zelfont-*
10 *plooiing* het *grootste goed*. Ze zijn verder *optimistisch* over hun *toekomstkansen*. Dit zijn de eerste *resultaten* van een onderzoek dat (een *studie* die) de *vakgroep* Cultuur- en *Godsdienstpsychologie* van de
15 Universiteit van Nijmegen heeft *verricht* (gedaan) onder Turkse jongeren van 17 tot 25 jaar.

De vakgroep *verricht* (doet) een *langlopend* onderzoek naar de *godsdienstige* houding van de tweede *generatie islamitische migranten*. Naast het onderzoek onder Turkse jongeren loopt er onderzoek onder *Marokkaanse* jongeren. De vakgroep *onderzoekt* verder de *religieuze beleving* van de eerste generatie migranten in Nederland.

Volgens *onderzoekster drs* M. Rooijackers zegt slechts één op de tien (één van de tien) Turkse jongeren dat de islam geen rol in hun leven speelt. Turkse jongeren blijken zonder veel problemen in twee *culturen* te kunnen leven. Meisjes en jonge vrouwen *wijzen traditionele* Turkse *normen* veel sterker *af* dan jongens. 'Dat komt doordat jongens de *vruchten* van de traditionele opvattingen *plukken* (van de traditionele opvattingen *profiteren)*. De *emancipatie* onder Turkse jongeren komt

	Turkse	Turkish	turcs	türkische	Turki	Türk
2782						
2783	te spreken (over)	speak highly of	contents (de)	zu sprechen (auf)	menghargai	memnunlar
2784	verslaggever	reporter	reporter	Korrespondent	wartawan	muhabir
2785	voelen ... zich	feel (themselves)	se sentent	fühlen sich	merasa	hissediyorlar
2786	uitstekend	very much	parfaitement	ausgezeichnet	sekali	fevkalade

2787	op hun gemak	at ease	à leur aise	wohl	senang	huzur içinde
2788	vasthouden (aan)	hold (onto)	maintenir	bewahren	berpegang (pada)	sadık kalmak
2789	identiteit	identity	identité	Identität	jati diri	kimlik
2790	islam	Islam	islam	Islam	agama Islam	islam dini
2791	neemt ... in	occupies	tient	nimmt ein	(een plaats) berperanan	alıyor
2792	daarbij	in that respect	y	dabei	dalam hal ini	bu konuda
2793	zelfontplooiing	self-development	épanouissement individuel	Selbstentfaltung	perkembangan kepribadian	kendini geliştirme
2794	grootste goed	best thing	bien le plus important	höchste Gut	nilai utama	en büyük nimet
2795	optimistisch	optimistic	optimistes	optimistisch	optimistis	iyimser
2796	toekomstkansen	future prospects	chances d'avenir	Zukunftsaus-sichten	kemungkinan pada masa depan	gelecekteki olanaklar
2797	resultaten	results	résultats	Ergebnisse	hasil	sonuçlar
2798	studie	study	étude	Studie	penelitian	araştırma
2799	vakgroep	department	unité de recherche	Fachgruppe	jurusan	bölüm
2800	godsdienstpsy-chologie	psychology of religion	psychologie de la religion	Gottesdienst-psychologie	psikologi agama	din psikolojisi
2801	verricht	performed	effectuée	verrichtet	yang diadakan	yaptığı
2802	verricht	performs	effectue	verrichtet	melaksanakan	yapıyor
2803	langlopend	long term	à long terme	langfristig	mengambil waktu yang lama	uzun süreli
2804	godsdienstige	religious	religieux	religiösen	keagamaan	dinle ilgili
2805	generatie	generation	génération	Generation	generasi	nesil, kuşak
2806	islamitische	islamic	islamiques	islamitischer	islam	müslüman
2807	migranten	migrants	migrants	Zuwanderer	migran-migran	göçmenler
2808	Marokkaanse	Moroccan	marocains	marokkanisch (en)	Maroko	Faslı
2809	onderzoekt	researches	enquête	untersucht	meneliti	araştırıyor
2810	religieuze	religious	religieuse	religiöse	agama	dini
2811	beleving	experience	expérience	Erleben	penghayatan	yaşayış
2812	onderzoekster	researcher (female)	enquêteuse	Forscherin	peneliti wanita	araştırmacı (bayan)
2813	drs=doctoran-dus	Master of Arts	possesseur d'une maîtrise	Magister	sarjana	(üniversite mezunu)
2814	culturen	cultures	cultures	Kulturen	kebudayaan	kültürler
2815	wijzen ... af	reject	rejettent	weisen ab	menolak	reddediyorlar
2816	traditionele	traditional	traditionnelles	traditionellen	tradisional	geleneksel
2817	normen	norms	normes	Normen	norma-norma	adetler
2818	vruchten plukken	reap the fruits (of)	recueillent les fruits	Früchte ernten	mendapat untung	meyvalarını topluyorlar
2819	profiteren	profit	profitent	profitieren	diuntungi	faydalanıyorlar
2820	emancipatie	emancipation	émancipation	Emanzipation	emansipasi	eşithaklariçin mücadele
2821	op gang	in motion	lancée	in Gang	(komt-) dimulakan	haraketleniyor
2822	merken	notice	s'aperçoivent	merken	menyadari	farkediyorlar
2823	instemmen (met)	agree with	sont d'accord (avec)	beipflichten (+3e)	menyetujui	rıza gösteriyorlar

20 *op gang* door deze meisjes en jonge vrouwen. Ze zijn naar school geweest en *merken* daar wat ze missen. Het zijn juist de
jongens die *instemmen* met het *dragen* van
hoofddoekjes en die sterk *hechten* aan tra-
25 ditionele opvattingen over *eer*, *schande* en
familierelaties', aldus Rooijackers.

De Nijmeegse vakgroep *stelde* vragen
aan Turkse jongeren die *tenminste* vijf
jaar in Nederland onderwijs hebben *ge-*
30 *volgd*. Hoewel slechts 10 procent van de
ondervraagde jongens en meisjes zegt dat
de islam in hun leven geen rol speelt, zijn
ze in praktisch opzicht niet erg *religieus*.

Rooijackers: 'Nog geen (minder dan) 5
procent van de jongeren *bidt* vijf keer per
dag, zoals de islam *voorschrijft*. De helft
bidt helemaal nooit. Wel zeggen deze jongeren dat ze nu geen tijd hebben voor
(niet *toekomen* aan) hun *religie*, maar ze
verwachten later aan hun religieuze *ver-*
plichtingen te kunnen *voldoen*'.

De onderzoekster noemt het opvallend
dat de jongeren zo optimistisch (*positief*)
zijn over hun toekomstkansen. 'Vooral de
jongeren die op school zitten zijn haast
(bijna) te optimistisch over hun kansen op
werk na school', aldus Rooijackers.
(De Volkskrant, 26 februari 1991)

100

2824	dragen	wearing	port	tragen	pemakaian	kullanma
2825	hoofddoekjes	veils	foulards (islamiques)	Kopftücher	cadar	başörtüsü
2826	hechten (aan)	adhere (to)	s'attachent (à)	hängen (an)	menilai tinggi	değer veriyorlar
2827	eer	honour	honneur	Ehre	kehormatan	şeref
2828	schande	disgrace	déshonneur	Schande	keaiban	rezalet, namussuzluk
2829	familierelaties	family relations	relations familiales	Verwandt-schaftsbezie-hungen	pertalian kekerabatan	aile ilişkileri
2830	stelde (vragen)	put	posait	stellte	(-vragen (aan)) menanyai	sordu
2831	tenminste	at least	au moins	mindestens	sekurang-kurangnya	en azından
2832	gevolgd	followed	suivi	genossen	mengikuti	takip eden
2833	ondervraagde	interrogated	interrogés	Befragten	yang ditanyai	soru sorulan
2834	religieus	religious	religieux	religiös	agamawan	dindar
2835	bidt	prays	prie	betet	bersembayang	namaz kılıyor
2836	voorschrijft	prescribes	prescrit	vorschreibt	mewajibkan	öngördüğü
2837	toekomen (aan)	get round (to)	(y) arriver	dazu kommen	ada peluang (untuk)	vakit bulamadıklarını
2838	religie	religion	religion	Religion	mejalankan agama	din
2839	verplichtingen	obligations	obligations	Verpflichtungen	ibadat	yükümler
2840	voldoen (aan)	fulfil	satisfaire (à)	erfüllen	menunaikan	yerine getirmeyi
2841	positief	positive	positifs	positiv	penuh harapan	müspet

Een stukje uit de krant

Turkse Jongeren zeer te spreken over Nederland

_____ onze verslaggever

NIJMEGEN – Turkse jongeren voelen zich _____ op hun gemak in
Nederland. Bijna 90 _____ zegt zich goed thuis te voelen in _____
Nederlandse samenleving. De jongeren hebben zich aangepast, _____
willen ook vasthouden aan hun Turkse identiteit. _____ islam neemt
daarbij een belangrijke plaats in.

_____ jongeren vinden vrijheid tot zelfontplooiing het grootste _____.
Ze zijn verder optimistisch over hun toekomstkansen. _____ zijn de eerste
resultaten van een onderzoek _____ (een studie die) de vakgroep Cultuur-
en _____ van de Universiteit van Nijmegen heeft verricht (_____) onder
Turkse jongeren van 17 tot 25 _____.

De vakgroep verricht (doet) een langlopend onderzoek _____ de
godsdienstige houding van de tweede generatie _____ migranten. Naast
het onderzoek onder Turkse jongeren _____ er onderzoek onder
Marokkaanse jongeren. De vakgroep _____ verder de religieuze beleving

van de eerste ____ migranten in Nederland.

Volgens onderzoekster drs M. Rooijackers ____ slechts één op de tien (één ____ de tien) Turkse jongeren dat de islam ____ rol in hun leven speelt. Turkse jongeren ____ zonder veel problemen in twee culturen te ____ leven. Meisjes en jonge vrouwen wijzen traditionele ____ normen veel sterker af dan jongens. 'Dat ____ doordat jongens de vruchten van de traditionele ____ plukken (van de traditionele opvattingen profiteren). De ____ onder Turkse jongeren komt op gang door ____ meisjes en jonge vrouwen. Ze zijn naar ____ geweest en merken daar wat ze missen. ____ zijn juist de jongens die instemmen met ____ dragen van hoofddoekjes en die sterk hechten ____ traditionele opvattingen over eer, schande en familierelaties', ____ Rooijackers.

De Nijmeegse vakgroep stelde vragen aan ____ jongeren die tenminste vijf jaar in Nederland ____ hebben gevolgd. Hoewel slechts 10 procent van ____ ondervraagde jongens en meisjes zegt dat de ____ in hun leven geen rol speelt, zijn ____ in praktisch opzicht niet erg religieus. Rooijackers: '____ geen (minder dan) 5 procent van de ____ bidt vijf keer per dag, zoals de ____ voorschrijft. De helft bidt helemaal nooit. Wel ____ deze jongeren dat ze nu geen tijd ____ voor (niet toekomen aan) hun religie, maar ____ verwachten later aan hun religieuze verplichtingen te ____ voldoen.'

De onderzoekster noemt het opvallend dat ____ jongeren zo optimistisch (positief) zijn over hun ____. 'Vooral de jongeren die op school zitten ____ haast (bijna) te optimistisch over hun kansen ____ werk na school', aldus Rooijackers.

Geef antwoord:

a. Welke onderzoeken worden er door de Nijmeegse vakgroep verricht?
b. Wat zijn de verschillen in opvatting tussen Turkse jongens en meisjes?
c. Wat zou de uitkomst van een dergelijk onderzoek onder uw landgenoten in Nederland zijn, denkt u?
d. Wat vindt Rooijackers van de toekomstverwachtingen van de Turkse jongeren? Bent u het met haar eens?

Vul in of aan:

■ Let op: hechten (aan), onderzoek (naar)

Turkse jongens in Nederland _____ veel sterker aan traditionele
opvattingen over bijvoorbeeld _____ dan meisjes. Dat is een van
de _____ van een Nijmeegs onderzoek naar de religieuze _____ van
Turkse jongeren. Van de ondervraagde jongeren _____ de helft
helemaal nooit; slechts vijf _____ bidt vijf maal per dag, zoals de
islam _____.

■ Grammatica §22 'die – dat – waar – wie'

Veel Turkse jongeren *in Nederland* (= die in Nederland wonen) voelen
zich daar uitstekend op hun gemak. Dit bleek uit een onderzoek *onder
Turkse jongeren* (= dat .... verricht wordt). Uit een studie *door de
universiteit* (= die ....,) bleek, dat juist de Turkse jongens
hechten aan de traditionele opvattingen. Een Turks meisje *op een
Nederlandse school* (= dat ....,) merkt daar wat ze mist, en komt
in verzet. Aldus drs Rooijackers, *de uitvoerder van het onderzoek* (= die
.......................).

■ Grammatica §20 'zich herinneren'

'Voelt u zich thuis in Nederland?' _____ drs Rooijackers gevraagd aan
een groot aantal _____ jongeren. 'Ja, hoor,' antwoordden velen, 'ik
voel _____ al een echte Nederlander, en ik bereid _____ voor op mijn
toekomst in dit land'. '_____', voegen velen daar aan toe, 'wij
voelen _____ vooral moslim'. Je kunt je afvragen, aldus _____, of de
jongeren niet al te optimistisch _____ over hun kansen op werk.
'Realiseren jullie _____ wel dat de werkeloosheid onder de
tweede _____ migranten erg hoog is?', heeft ze hun gevraagd.

15

Zwartkijker

1 – Ik heb *er* lang *over* nagedacht, maar ik kan geen enkele reden *bedenken* waarom iemand in Nederland zou willen wonen.

– Hoe *bedoelt* u?

– *Ach*, als je de *keus* (keuze) hebt tussen Nederland en een *willekeurig* ander

5 land, dan *doe* je *jezelf* dit toch niet *aan*? Neem bijvoorbeeld het weer. Als het niet regent, dan *waait* of *stormt* het wel, en is het niet *gemeen* koud, dan is het *op zijn minst fris*.

– Nou, de zon schijnt toch ook wel eens.

– Ja, tussen de *buien* door, maar dan is het meteen weer zo *benauwd*.

10 – U lijkt wel een Nederlander, zoals u over het weer *klaagt*.

– Vindt u het vreemd? Hoe kun je *je* nu *instellen* op zo'n klimaat? Ik weet ook nooit wat ik moet *aantrekken* (*aandoen*). Ik ben altijd óf te dik óf te *dun gekleed*.

– *Serieus* (Echt waar)? *Daar* heb ik nou nooit last *van*.

15 – En de *aanblik* van het land vind ik ook maar niks. Nederland is zo verschrikkelijk *plat*.

– Maar wel prachtig groen. Bij ons thuis *keken* we *uit* over kilometers *zand* met *hier en daar* een boom, da's ook niet alles (niet *ideaal*).

– Dat kan *wezen* (zijn), maar hier hebben ze het gebrek aan *heuvels* willen

20 *compenseren* door *flatgebouwen neer* te *zetten* waarin je je *ergste vijand* nog niet zou laten wonen.

– Ik woon in zo'n *flat*. En met plezier. De woning is ruim en ik heb een *schitterend uitzicht*.

– En waarop? Op een *onafzienbare grijze wolkenhemel*!

25 – U *overdrijft*. Ik heb het *in jaren* niet zó *naar mijn zin* gehad. Nederland heeft zoveel *aantrekkelijke kanten*. Er zijn genoeg *aardige* Nederlanders om

2842	zwartkijker	pessimist	pessimiste	Schwarzseher	orang pesimis	kötümser
2843	er ... over	over it	y	darüber	perihal	üzerinde
2844	bedenken	think of	concevoir	(aus-)denken	memikirkan	düşünemiyorum
2845	bedoelt	do (you) mean	voulez dire	meint	maksud	kastediyorsunuz
2846	ach	och	ah	ach	aduh	yani
2847	keus	choice	choix	Wahl	pilihan	seçme hakkı
2848	willekeurig	random	au hazard	willkürlichen	sembarang	herhangi bir
2849	doe ... aan	inflict upon	fais cela (ça)	tust an	memperlakukan	etmezsin
2850	jezelf	yourself	toi-même	dir selbst	dirimu sendiri	kendine
2851	waait	blows	fait du vent	weht	angin bertiup	esiyor
2852	stormt	storms	fait de la tempête	stürmt	badai mengamuk	fırtına oluyor
2853	gemeen	beastly	terriblement	gemein	kelewat	kötü
2854	op zijn minst	at the least	pour le moins	mindestens	sekurang-kurangnya	en azından
2855	fris	fresh	frais	frisch	dingin	serin
2856	buien	showers	averses	Schauern	hujan lebat yang cepat habis	sağnaklar
2857	benauwd	close	étouffant	drückend	sesak nafas	sıkıcı
2858	klaagt	complain	vous plaignez	klagt	mengeluhkan	şikayet ediyorsunuz
2859	je ... instellen (op)	adapt (yourself)	te faire (à)	dich einstellen (auf)	mempersiapkan diri	kendini uyarlamak
2860	aantrekken	put on	mettre	anziehen	mengenakan	giymek
2861	aandoen	put on	mettre	antun	memakaikan	giyinmek
2862	dun	scantily	légèrement	dünn	tipis	ince
2863	gekleed	dressed	habillé	gekleidet	berpakaian	giyiniyorum
2864	serieus	seriously	sérieusement	ernst	benarkah	cidden
2865	daar ... van	from that	en	davon	oleh sebab itu	-den / -dan
2866	aanblik	aspect	aspect	Anblick	pemandangan	görünüşü
2867	plat	flat	plat	flach	datar	düz
2868	keken ... uit	looked out	pouvions voir	sehen	memandang	bakıyorduk
2869	zand	sand	sable	Sand	pasir	kum
2870	hier en daar	here and there	ici et là	hier und da	disana-sini	arada sırada
2871	ideaal	ideal	idéal	ideal	ideal	mükemmel
2872	wezen	be	être	sein	terjadi	olabilir
2873	heuvels	hills	collines	Hügeln	bukit	tepeler
2874	compenseren	compensate	compenser	kompensieren	mengimbangi	telafi etmek
2875	flatgebouwen	apartment blocks	immeubles	Appartement-häuser	bangunan flet	apartmanlar
2876	neer ... zetten	erecting	placer	niedersetzen	mendirikan	yapmak
2877	ergste	worst	pire	schlimmsten	yang paling dibenci	en kötü
2878	vijand	enemy	ennemi	Feind	seteru	düşman
2879	flat	flat	appartement	Appartement	flet	apartman katı
2880	schitterend	splendid	splendide	prächtige	amat indah	harika
2881	uitzicht	view	vue	Aussicht	pemandangan	manzara
2882	onafzienbare	endless	à perte de vue	endlosen	yang tak terhingga	uçsuz bucaksız
2883	grijze	grey	gris	grauen	abu-abu	gri
2884	wolkenhemel	clouded sky	ciel de nuages	Wolkenhimmel	langit penuh awan	bulutlar
2885	overdrijft	exaggerate	exagérez	übertreiben	melebih-lebihkan	abartıyorsunuz
2886	in jaren	in years	(depuis) des années	seit Jahren	bertahun-tahun lamanya	senelerdir
2887	naar mijn zin	to my liking	(me suis) plu	zufrieden	senang	memnun
2888	aantrekkelijke	attractive	attrayants	anziehende	yang menarik	çekici
2889	kanten	sides	cotés	Seiten	segi-segi	taraflar
2890	aardige	nice	sympathiques	nette	yang menarik hati	sevimli

vriendschap mee te *sluiten* (om mee *op* te *trekken*). En alles is hier *prima* georganiseerd. Neem bijvoorbeeld het openbaar vervoer, of het onderwijs. En de sociale voorzieningen, die zijn toch *voortreffelijk*
30 (uitstekend)?

– Ik had al zo'n vermoeden dat u daarover zou *beginnen*. Tegen het gevoel dat ik heb, *weegt* geen *voorziening op*, begrijpt u dat niet? Ik heb maar één *wens* (*verlangen*): *dadelijk* (direct) vertrekken naar het *zuiden* (in zuidelijke richting).

35 – Zou u niet liever wat gaan *rusten?* U lijkt me een beetje *overspannen*. Of ga *een eindje* wandelen. De *frisse* lucht zal u goed doen.

– Ja, en *nat* worden, *zeker*! Het regent dat het *giet* (het regent *keihard*)!

2891	vriendschap	friendship	amitié	Freundschaft	persahabatan	arkadaşlık
2892	sluiten	establish	se lier	schließen	mempertalikan	kurmak
2893	op ... trekken (met)	go out with	être ensemble	umgehen (mit)	berkawan	görüşmek
2894	prima	first class	très bien	prima	baik sekali	en iyi şekilde
2895	voortreffelijk	excellent	remarquable- ment	vortrefflich	unggul	harikulade
2896	beginnen	start	commencer	anfangen	menyinggung	bahsedeceğinizi
2897	weegt ... op (tegen)	is counter- balanced	contrebalance	wiegt auf (+4e)	menimbali	karşılamaz
2898	voorziening	(welfare) facility	prévision	Fürsorge	sarana	kolaylık, tedbir
2899	wens	wish	souhait	Wunsch	keinginan	istek
2900	verlangen	longing	désir	Verlangen	dambaan	arzu
2901	dadelijk	right away	tout de suite	sofort	dengan segera	hemen
2902	zuiden	south	sud	Süden	selatan	güney
2903	rusten	rest	se reposer	ausruhen	beristirahat	istirahat etmek
2904	overspannen	overwrought	surmené	überspannt	terlalu tegang saraf	siniriniz bozuk
2905	een eindje	a bit	un bout (de)	ein Stückchen	sebentar	biraz
2906	frisse	fresh	frais	frische	segar	açık
2907	nat	wet	mouillé	naß	basah	ıslak
2908	zeker	surely	bien sûr	sicher	coba	mutlaka
2909	giet	is pouring down	(dat het -) à verse	gießt	deras sekali	bardaktan boşalırcasına
2910	keihard	very hard	violemment	knallhart	sangat lebat	çok fazla

Zwartkijker

– Ik heb er lang over _____, maar ik kan geen enkele reden bedenken ____ iemand in Nederland zou willen wonen.

– Hoe _____ u?

– Ach, als je de keus (keuze) _____ tussen Nederland en een willekeurig ander land, _____ doe je jezelf dit toch niet aan? _____ bijvoorbeeld het weer. Als het niet regent, _____ waait of stormt het wel, en is _____ niet gemeen koud, dan is het op_____ minst fris.

– Nou, de zon schijnt toch _____ wel eens.

– Ja, tussen de buien door, _____ dan is het meteen weer zo benauwd.

– _____ lijkt wel een Nederlander, zoals u over _____ weer klaagt.

– Vindt u het vreemd? Hoe _____ je je nu instellen op zo'n _____? Ik weet ook nooit wat ik moet _____ (aandoen). Ik ben altijd óf te dik _____ te dun gekleed.

– Serieus (Echt waar)? Daar _____ ik nou nooit last van.

– En de _____ van het land vind ik ook maar _____. Nederland is zo verschrikkelijk plat.

– Maar wel _____ groen. Bij ons thuis keken we uit _____ kilometers zand met hier en daar een _____, da's ook niet alles (niet ideaal).

– _____ kan wezen (zijn), maar hier hebben ze _____ gebrek aan heuvels willen compenseren door flatgebouwen _____ te zetten waarin je je ergste vijand _____ niet zou laten wonen.

– Ik woon in _____ flat. En met plezier. De woning _____ ruim en ik heb een schitterend uitzicht.

– _____ waarop? Op een onafzienbare grijze wolkenhemel!

– U _____. Ik heb het in jaren niet zó _____ mijn zin gehad. Nederland heeft zoveel aantrekkelijke _____. Er zijn genoeg aardige Nederlanders om vriendschap _____ te sluiten (om mee op te trekken). _____ alles is hier prima georganiseerd. Neem bijvoorbeeld _____ openbaar vervoer, of het onderwijs. En de _____ voorzieningen, die zijn toch voortreffelijk (uitstekend)?

– Ik _____ al zo'n vermoeden dat u daarover _____ beginnen. Tegen het gevoel dat ik heb, _____ geen voorziening op, begrijpt u dat niet? _____ heb maar één wens (verlangen): dadelijk (direct) _____ naar het zuiden (in zuidelijke richting).

– Zou _____ niet liever wat gaan rusten? U lijkt _____ een beetje overspannen. Of ga een eindje _____. De frisse lucht zal u goed doen.

– _____, en nat worden, zeker! Het regent dat _____ giet (het regent keihard)!

Geef antwoord:

a. Wat is een zwartkijker?
b. Welke voordelen heeft Nederland volgens de tekst, en welke nadelen?
c. Welke voor- en nadelen kunt u daaraan toevoegen?
d. Waar zou een zwartkijker in uw land over kunnen klagen?
e. Beschrijf het uitzicht vanuit uw huis.

Vul in of aan:

▨ Woont u ook in zo'n _____? Op welke verdieping? Hoe vindt u
het _____? Schitterend! U heeft het dus naar uw _____? Ja, ik heb geen
reden om te _____, behalve over het weer misschien. Dat kon _____.

▨ *Is* het niet gemeen _____ (= *Als* het niet gemeen koud is), dan _____ het
weer zo benauwd. *Heb* ik net _____ regenjas uitgetrokken (= *Als* ik net
mijn regenjas uitgetrokken heb), dan begint het te regenen _____ het
giet!

▨ In Nederland staan flats waarin[1] je je ergste vijanden nog niet zou
willen laten wonen. Die grijze wolkenluchten waarop[2] je dan uitkijkt!
Nee, als ik erover[3] nadenk, kan ik geen enkele reden bedenken waarom
iemand in dit land zou willen wonen. Ondanks die sociale
voorzieningen, waarover[4] u steeds weer begint!
1. *waarin* = in die flats; 2. *waarop* = ..., enz.

---

zou

Kinderen die 'jij' zeggen tegen hun ouders,
dat *zou* bij ons absoluut niet kunnen.   *zou* = *fantasie*
Ik *zou* wel eens willen weten waarom iemand   *zou* = *wens*
in Nederland komt wonen!
B&W *zouden* vroeg op de hoogte zijn geweest.   *zou* = *men zegt*
Zou u niet liever wat gaan rusten?   *zou* = *voorzichtig advies*
Zoudt u het raam dicht willen doen?   *zou* = *beleefd verzoek*

Schrijfopdracht

In het land van mijn dromen zou/zouden .... (150 woorden)

16

Niet aardig

1 'Mijn *landgenoten* vinden mij niet aardig', zegt Chafia. Zij is nu zes jaar in
Nederland, en *werkzaam* bij een *stichting* voor *gezinsproblemen*. Ze is *speciaal
aangenomen* in verband met het grote aantal Marokkaanse *probleemgezinnen*.
Omdat ze de *noodzakelijke diploma's* niet bezit, volgt ze *op verzoek van* de
5 *directeur* een opleiding. *In het kader* daarvan moet ze een *toets* Nederlands
doen, en dat valt niet mee. 'Als ze mijn *spreekvaardigheid* zouden *toetsen*, was
ik *allang geslaagd*. Maar de grammatica-oefeningen die zo'n belangrijke
rol spelen in de meeste *examens*, vormen een probleem voor mij. Ze *sluiten*
niet *aan* bij wat ik dagelijks doe, en ik kan *me* er niet op *voorbereiden*', klaagt
10 Chafia.

De mensen komen bij de stichting met allerlei kwesties. *Moeilijkheden*
met geld, *echtelijke ruzies* (ruzies tussen *echtgenoten*), vragen over de
opvoeding van de kinderen. Als ze bij Chafia *terechtkomen*, kunnen ze haar
in hun eigen taal aanspreken. Chafia kan deze zaken vanuit haar eigen
15 *achtergrond beoordelen*, en *op grond* (basis) daarvan een voorstel doen. Maar
toch zijn ze vaak niet erg tevreden over haar. Ze vinden dat ze wel wat
aardiger kan zijn. Ook haar Nederlandse collega's vinden haar vaak *hard*.
Waar ligt dat aan?

De problemen *waar* de *Marokkanen mee* komen, zijn vaak het gevolg van
20 (*komen* vaak *voort* uit) een *cultuurverschil*. In het land van *herkomst* zijn de
gewoontes anders dan hier. De Nederlandse collega's hebben de *neiging daar*

2911	landgenoten	compatriots	compatriotes	Landsleute	orang senegeri	yurttaşlar
2912	werkzaam	employed	(is -) travaille	beschäftigt	bekerja	çalışıyor
2913	stichting	foundation	fondation	Stiftung	yayasan	vakıf
2914	gezinsproble-men	family problems	problèmes familiaux	Familienproble-me	kesukaran keluarga	aile sorunları
2915	speciaal	specially	spécialement	speziell	khususnya	özel olarak
2916	aangenomen	taken on	engagée	angestellt	diangkat	işe alındı
2917	probleemgezin-nen	problem families	familles à problèmes	Problemfamilien	keluarga yang kesusahan	problemli aileler
2918	noodzakelijke	necessary	nécessaires	notwendige	yang dituntut	gerekli
2 919	diploma's	certificates	diplômes	Diplome	ijazah-ijazah	diplomalar
2920	op verzoek van	at the request of	à la demande (du)	auf die Bitte des	atas permohonan dari	ricası üzerine
2921	directeur	manager	directeur	Direktors	direktur	müdür
2922	in het kader van	in connection with	dans le cadre de	im Zusammen-hang mit	dalam rangka	kapsamında
2923	toets	test	épreuve	Prüfung	uji	sınav
2924	spreekvaardig-heid	oral ability	élocution	Sprachfertigkeit	ketrampilan berbahasa	konuşma yeteneği
2925	toetsen	test	contrôler	prüfen	menguji	sınarlarsa
2926	allang	long before now	depuis longtemps	längst	sudah lama	çoktan
2927	geslaagd	passed	réussi	bestanden	lulus	sınavı geçerdim
2928	examens	examinations	examens	Examen	ujian	imtihanlar
2929	sluiten ... aan (bij)	fit (with)	correspondent (à)	schließen an (an)	berhubungan (dengan)	ilgisi yoktur
2930	me voor-bereiden (op)	prepare (myself) (for)	m'(y) préparer	mich vorbereiten	mempersiapkan diri (untuk)	hazırlanamam
2931	moeilijkheden	difficulties	problèmes	Schwierigkeiten	kesulitan	zorluklar
2932	echtelijke	marital	conjugales	eheliche	antara suami dan isteri	evlilikle ilgili
2933	ruzies	squabbles	querelles	Streits	perselisihan	kavgalar
2934	echtgenoten	spouses	époux	Eheleute	suami-isteri	eşler
2935	terechtkomen	land	se retrouvent (chez)	landen	datang ke	gelirlerse
2936	achtergrond	background	passé	Hintergrund	latar-belakang	özgeçmiş
2937	beoordelen	judge	juger	beurteilen	mempertimbang-kan	değerlendirebilir
2938	op grond van	on the ground of	sur la base de	auf Grund von	berdasarkan	dayanarak
2939	hard	hard	dure	hart	keras	sert, haşin
2940	waar ... mee	about which	avec lesquels	womit	yang	ile
2941	Marokkanen	Moroccans	Marocains	Marokkaner	orang Maroko	Faslılar
2942	komen ... voort (uit)	arise from	résultent (de)	entstehen (aus)	disebabkan (oleh)	-den/-dan ileri geliyor
2943	cultuurverschil	cultural difference	différence de culture	Kulturunter-schied	perbedaan budaya	kültürel farklar
2944	herkomst	origin	origine	Herkunft	asal	köken
2945	gewoontes	customs	habitudes	Gewohnheiten	adat-adat	gelenekler
2946	neiging	tendency	tendance	Neigung	(hebben) cenderung	eğilim

rekening *mee* te houden. Ze *bellen* bijvoorbeeld de Marokkaanse ouders de avond voor de *afspraak* nog even *op:* 'Weet u het nog? Morgen om 10 uur hebben wij *afgesproken*!' En zij zijn altijd bereid financiële *steun* (hulp) te
25 geven aan ouders die een conflict met hun kinderen over het *zakgeld* hebben.

Chafia *weigert* deze vorm van *dienstverlening*. 'Ze hebben er meer aan (het is beter voor ze) als ze de Nederlandse *afsprakencultuur* leren kennen, dus ik *bel* ze niet. Laten ze een *agenda* kopen!' En ze is er van *overtuigd* dat
30 het beter is om ouders en kinderen de zakgeldproblemen onderling (met elkaar) te laten oplossen, dan om ze de zaak geheel (helemaal) *uit handen* te *nemen*. 'Wij kunnen beter proberen de ouders iets *uit* te *leggen* over de gewoontes in Nederland, om ze zo wat begrip *bij* te *brengen* voor de wensen van hun kinderen. Als we daar vroeg mee beginnen, kunnen we misschien
35 latere problemen, in de vorm van *jeugdcriminaliteit*, voorkomen. Als de ouders het geld hebben, laten ze dan zelf maar in de *beurs tasten* voor wat zakgeld!'

2947	daar ... mee	with that	en	damit	hal itu	ile
2948	bellen ... op	ring up	téléphonent (à)	anrufen	menelepon	telefonla arıyorlar
2949	afspraak	appointment	rendez-vous	Verabredung	janji	randevu
2950	afgesproken	arranged	pris rendez-vous	verabredet	berjanji	randevulaştık
2951	steun	support	appui	Unterstützung	sumbangan	destek, yardım
2952	zakgeld	pocket money	argent de poche	Taschengeld	uang saku	harçlık
2953	weigert	refuses	refuse	lehnt ab	menolak	reddediyor
2954	dienstverlening	service	service	Dienstleistung	jasa	yardım
2955	afsprakencul-tuur	appointments culture	culture des rendez-vous	Verabredungs-kultur	budaya perjanjian	randevu verme usülleri
2956	bel	phone	appelle	rufe an	menelepon	telefon etmiyorum
2957	agenda	diary	agenda	Notizbuch	agenda	andaç
2958	overtuigd	convinced	convaincue	überzeugt	yakin	kuşku duymuyor
2959	uit handen nemen	take out of their hands	décharger	abnehmen	membebaskan dari tanggung jawab	devralmak
2960	uit ... leggen	explain	expliquer	erklären	menjelaskan	izah etmeyi
2961	bij ... brengen	instil	apprendre	beibringen	(begrip-) menyatakan	öğretmek
2962	jeugdcriminali-teit	youth criminality	délinquance juvénile	Jugendkriminali-tät	kejahatan muda-mudi	gençliğin kriminelliği
2963	beurs	purse	porte-monnaie	Börse	dompet	cüzdan
2964	tasten	put one's hand into	puiser	greifen	mengeluarkan	uzanmak

Niet aardig

'Mijn landgenoten vinden _____ niet aardig', zegt Chafia. Zij is _____ zes jaar in Nederland, en werkzaam bij een _____ voor gezinsproblemen. Ze is speciaal aangenomen in _____ met het grote aantal Marokkaanse probleemgezinnen. Omdat _____ de noodzakelijke diploma's niet bezit, volgt _____ op verzoek van de directeur een opleiding. _____ het kader daarvan moet ze een toets _____ doen, en dat valt niet mee. 'Als _____ mijn spreekvaardigheid zouden toetsen, was ik _____ geslaagd. Maar de grammatica-oefeningen die _____ belangrijke rol spelen in de meeste examens, _____ een probleem voor mij. Ze sluiten niet _____ bij wat ik dagelijks doe, en ik _____ me er niet op voorbereiden', klaagt Chafia.

_____ mensen komen bij de stichting met allerlei _____. Moeilijkheden met geld, echtelijke ruzies (ruzies tussen _____), vragen over de opvoeding van de kinderen. _____ ze bij Chafia terechtkomen, kunnen ze haar _____ hun eigen taal aanspreken. Chafia kan deze _____ vanuit haar eigen achtergrond beoordelen, en op _____ (basis) daarvan een voorstel doen. Maar toch _____ ze vaak niet erg tevreden over haar. _____ vinden dat ze wel wat aardiger kan _____. Ook haar Nederlandse collega's vinden haar _·_ hard. Waar ligt dat aan?

De problemen _____ de Marokkanen mee komen, zijn vaak het _____ van (komen vaak voort uit) een cultuurverschil. _____ het land van herkomst zijn de gewoontes _____ dan hier. De Nederlandse collega's hebben _____ neiging daar rekening mee te houden. Ze _____ bijvoorbeeld de Marokkaanse ouders de avond voor _____ afspraak nog even op: 'Weet u het _____? Morgen om 10 uur hebben wij afgesproken!' _____ zij zijn altijd bereid financiële steun (hulp) _____ geven aan ouders die een conflict _____ hun kinderen over het zakgeld hebben.

Chafia _____ deze vorm van dienstverlening. 'Ze hebben er _____ aan (het is beter voor ze) als _____ de Nederlandse afsprakencultuur leren kennen, dus ik _____ ze niet. Laten ze een agenda kopen!' _____ ze is er van overtuigd dat het _____ is om ouders en kinderen de _____ onderling (met elkaar) te laten oplossen, dan _____ ze de zaak geheel (helemaal) uit handen _____ nemen. 'Wij kunnen beter proberen de ouders _____ uit te leggen over de gewoontes in _____, om ze zo wat begrip bij te _____ voor de wensen van hun kinderen. Als _____ daar vroeg mee beginnen, kunnen we misschien _____ problemen, in de vorm van jeugdcriminaliteit, voorkomen. _____ de ouders het geld hebben, laten ze _____ zelf maar in de beurs tasten voor _____ zakgeld!'

Geef antwoord:

a. Welke taal spreekt Chafia op haar werk?
b. Waarom moet zij een cursus Nederlands volgen?
c. Wat is het verschil in werkwijze tussen Chafia en haar collega's?
d. Vindt u Chafia hard?
e. 'Tijd is geld' zegt men wel. Vindt u dat ook?

Vul in of aan:

Let op: klagen (over), aansluiten (bij), zich voorbereiden (op)

In veel toetsen Nederlands _____ grammatica-oefeningen een
belangrijke rol. Chafia kl_____ erover dat die oefeningen niet
aansluiten bij haar _____ werk. Ze moet een opleiding _____, omdat ze
de noodzakelijke _____ mist. Dus heeft ze met de directeur af_____, dat
ze zich heel goed op de toets zal voor_____.

De problemen waar[1] de Marokkanen mee[1] komen, zijn vaak het gevolg
van een cultuurverschil. Mijn collega's willen daar[2] rekening mee[2]
houden, maar ik denk dat je de mensen hier[3] niet echt mee[3] helpt. Het
lijkt me beter om de ouders iets uit te leggen over de Nederlandse
gewoontes. Daar[4] hebben ze volgens mij op de lange duur meer aan[4].
1. *waar... mee* = ...; 2. *daar...mee* = ..., enz.

Grammatica §22 'die – dat – waar – wie'

Chafia werkt voor een stichting. De stichting waar ze _____ werkt,
helpt gezinnen met hun problemen. De _____ waar de gezinnen mee
komen, zijn vaak _____ gevolg van een cultuurverschil. In het
land _____ ze vandaan komen zijn de gewoontes vaak _____. Het
onderwerp van gesprek (dat wil zeggen: het _____ waar ze over
spreken) is vaak het _____ van de kinderen.

Grammatica §19 'ik – mij – mijn'

de collega's van *Chafia*	= *haar* collega's
op verzoek van *de directeur*	= op *zijn* verzoek
het zakgeld van *de kinderen*	= *hun* zakgeld

17

Brugwachter

1   Sadik Yemni is brugwachter bij de Nederlandse Spoorwegen. Hij doet
zijn werk in een glazen huisje midden in de *weilanden*, direct naast de
spoorbrug. De trein Amsterdam-Utrecht *rijdt* over de *brug*, het water van de
Loener*sloot stroomt* er *onderdoor*. Zijn taak is, de brug te openen voor *boten*
5   die te hoog zijn.

     Sadik Yemni komt uit Turkije, en is nu zes jaar brugwachter. Hij vindt
dit zijn *mooiste* brug. Het uitzicht is *uniek*. *Vrachtschepen* die *voorbijglijden*
over het *nabijgelegen* Amsterdam-Rijn*kanaal*, de Loenersloot *slingerend* tot
aan de *horizon*, en groen *gras* met *koeien* zover het *oog reikt*. In het huisje
10   staat alles wat hij nodig heeft: een tafel met wat *stoelen*, een *kast*, een
fauteuil, een bureau.

    's Zomers komen er veel *pleziervaarders langs* die van zijn *diensten gebruik
maken*. Omdat de spoorbrug in een zeer drukke *spoorlijn* ligt, mag de brug
alleen open als de *dienstregeling* hiervan geen last ondervindt. Dat betekent
15   dat de *bootjes* soms uren moeten wachten.

2965	brugwachter	bridge keeper	pontier	Brückenwärter	penjaga jembatan	köprü bekçisi
2966	weilanden	pastures	prairies	Wiesen	padang rumput	otlak, mera
2967	spoorbrug	railway bridge	pont de chemin de fer	Eisenbahn-brücke	jembatan kereta-api	demiryolu köprüsü
2968	rijdt	travels	roule	fährt	melalui	geçiyor
2969	brug	bridge	pont	Brücke	jembatan	köprü
2970	sloot	trench	petit canal	Graben	aliran	su hendeği
2971	stroomt	streams	coule	strömt	mengalir	akıyor
2972	onderdoor	underneath	par-dessous	untendurch	di bawah	altından
2973	boten	boats	bateaux	Boote	kapal-kapal	deniz taşıtları
2974	mooiste	finest	le plus beau	schönste	paling bagus	en güzel
2975	uniek	unique	unique	einzigartig	unik, tiada tara	eşsiz
2976	vrachtschepen	freighters	cargos	Lastkähne	kapal-kapal barang	yük gemileri
2977	voorbijglijden	glide by	passent en glissant	vorbeigleiten	lewat meluncur	süzülüp giden
2978	nabijgelegen	situated nearby	proche	nahen	terletak di dekat	yakındaki
2979	kanaal	canal	canal	Kanal	terusan	kanal
2980	slingerend	winding	serpentant	schlängelnd	beliku-liku	salınıp giden
2981	horizon	horizon	horizon	Horizont	kaki langit	ufuk
2982	gras	grass	herbe	Gras	rumput	ot
2983	koeien	cows	vaches	Kühe	sapi-sapi	inekler
2984	oog	eye	oeil	Auge	mata	göz
2985	reikt	can reach/see	porte	reicht	dapat memandang	alabildiğine
2986	stoelen	chairs	chaises	Stühle	kursi-kursi	iskemleler
2987	kast	cupboard	armoire	Schrank	lemari	dolap
2988	fauteuil	armchair	fauteuil	Sessel	kursi malas	koltuk
2989	's zomers	in the summer	l'été	im Sommer	pada musim panas	yazları
2990	komen ... langs	come along	passent	kommen vorbei	melewati	geçer
2991	pleziervaarders	pleasure boaters	plaisanciers	Vergnügungs-schiffer	kapal pesiar	gezintiye çıkanlar
2992	diensten	services	services	Dienste	jasa-jasa	hizmetler
2993	gebruik maken (van)	make use (of)	utilisent	in Anspruch nehmen	mempergunakan	istifade eden
2994	spoorlijn	railway line	ligne (de chemin de fer)	Eisenbahnlinie	jalur kereta api	demiryolu
2995	dienstregeling	timetable	horaire	Fahrplan	jadwal	seyir düzeni
2996	bootjes	small boats	petits bateaux	Bötchen	kapal-kapal kecil	deniz taşıtcıkları

In het voor- en najaar heeft hij vaak niet veel te doen. Er zijn dagen waarop hij nauwelijks iemand ziet. Veel *conversatie* heeft hij dan niet: hij heeft het eens geteld, en kwam tot vijfentwintig woorden in drie weken. Brugwachter zijn is een *eenzame* functie, die vaak *vervuld* wordt door
20 studenten, die *zich* zo *ongestoord bezig* kunnen *houden* met hun *studie*, of door buitenlanders. Sadik Yemni kent een andere Turkse brugwachter die half *gek* werd van de *stilte*, en *ten einde raad* besloot om, na twintig jaar wonen en werken in Nederland, *terug* te *keren* naar zijn familie in Turkije.

Je moet de tijd *zien door* te *komen*. Lezen is één manier. Sadik leest
25 Turkse boeken, die hem door zijn zuster vanuit Turkije worden *toegestuurd*, zodat hij op de hoogte blijft van de *recente* Turkse *literatuur*. Maar Sadik is niet alleen *lezer*. 'Je wordt hier of *krankzinnig* (gek) of je gaat schrijven', is zijn conclusie. Er liggen al twee *uitgaven van zijn hand* in de *boekwinkel*, *boekjes* met *verhalen*, in het Nederlands *vertaald*. Ze zijn
30 *geïnspireerd* op *avonturen* van zijn *legaal* of *illegaal* in Nederland *verblijvende* landgenoten. En onlangs heeft hij een *roman gepubliceerd* onder de *titel:* 'De geest van de brug'. Zo *houdt schrijver* Sadik Yemni de *vaart* er in.

hij houdt
de vaart
er wel in,
ja!

2997	conversatie	conversation	conversation	Unterhaltung	percakapan	sohbet
2998	eenzame	lonely	isolée	einzame	yang sunyi	yalnız
2999	vervuld	undertaken	remplie	erfüllt	ditempati	icra edilen
3000	ongestoord	undisturbed	sans être dérangé	ungestört	tanpa usikan	rahatsız edilmeden
3001	zich bezig- houden (met)	occupy themselves	s'occuper (de)	sich beschäftigen	menyibukan diri	meşgul olabilirler
3002	studie	studying	études	Studium	pengkajian	tahsil
3003	gek	mad	fou	verrückt	gila	deli
3004	stilte	silence	silence	Stille	kesunyian	sessizlik
3005	ten einde raad	at his wit's end	en désespoir de cause	völlig ratlos	putus asa	çaresizlik içinde
3006	terug ... keren	return	rentrer	zurück kehren	kembali	geri dönmeye
3007	zien (te)	try to	essayer (de)	dafür sorgen (daß)	mencoba	çalışmalısın
3008	door ... komen	pass	passer	herumkriegt	(de tijd -) mele- ngah-2 waktu	geçirmeye
3009	toegestuurd	sent to	envoyés	geschickt	dikirimi	yolladığı
3010	recente	recent	récente	neuen	mutakhir	son zamana ait
3011	literatuur	literature	littérature	Literatur	sastra	edebiyat
3012	lezer	reader	lecteur	Leser	pembaca	okuyucu
3013	krankzinnig	crazy	dément	verrückt	gila	deli
3014	uitgaven	publications	livres	Veröffentlichun- gen	terbitan	yayın, bası
3015	van zijn hand	from his pen	de ses mains	von ihm	yang dikarang olehnya	elinden
3016	boekwinkel	bookshop	librairie	Buchhandlung	toko buku	kitapçı
3017	boekjes	small books	petits livres	Büchlein	buku-buku kecil	kitap(cık)lar
3018	verhalen	stories	nouvelles	Erzählungen	ceritera-ceritera	hikayeler
3019	vertaald	translated	traduites	übersetzt	diterjemahkan	tercüme edilmiş
3020	geïnspireerd	inspired	inspirées	inspiriert	diilhamkan	ilhamlanmış
3021	avonturen	adventures	aventures	Erlebnisse	pertualangan- pertualangan	maceralar
3022	legaal	legally	légalement	legal	dengan izin	yasal
3023	illegaal	illegally	illégalement	illegal	tanpa izin	kanunsuz
3024	verblijvende	resident	séjournant	aufhaltend	tinggal	kalan
3025	roman	novel	roman	Roman	novel	roman
3026	gepubliceerd	published	publié	veröffentlicht	diterbitkan	yayınladı
3027	titel	title	titre	Titel	judul	başlık
3028	geest	spirit	esprit	Geist	roh	ruh
3029	houdt	maintains (keeps)	maintient	hält	melangsungkan	tutturuyor
3030	schrijver	writer	écrivain	Schriftsteller	pengarang	yazar
3031	vaart	headway (things going)	allure	Fahrt	kelajuan	hız

Brugwachter

Sadik Yemni is brugwachter bij de Nederlandse _____. Hij doet zijn werk in een _____ huisje midden in de weilanden, direct naast _____ spoorbrug. De trein Amsterdam-Utrecht rijdt over _____ brug, het water van de Loenersloot stroomt _____ onderdoor. Zijn taak is, de brug te _____ voor boten die te hoog zijn.

Sadik Yemni _____ uit Turkije, en is nu zes _____ brugwachter. Hij vindt dit zijn mooiste brug. _____ uitzicht is uniek. Vrachtschepen die voorbijglijden over _____ nabijgelegen Amsterdam-Rijnkanaal, de Loenersloot slingerend tot _____ de horizon, en groen gras met koeien _____ het oog reikt. In het huisje staat _____ wat hij nodig heeft: een tafel met _____ stoelen, een kast, een fauteuil, een bureau.

_____ komen er veel pleziervaarders langs die _____ zijn diensten gebruik maken. Omdat de spoorbrug _____ een zeer drukke spoorlijn ligt, mag de _____ alleen open als de dienstregeling hiervan geen _____ ondervindt. Dat betekent dat de bootjes soms _____ moeten wachten.

In het voor- en najaar _____ hij vaak niet veel te doen. Er _____ dagen waarop hij nauwelijks iemand ziet. Veel _____ heeft hij dan niet: hij heeft het _____ geteld, en kwam tot vijfentwintig woorden _____ drie weken. Brugwachter zijn is een eenzame functie, _____ vaak vervuld wordt door studenten, die zich _____ ongestoord bezig kunnen houden met hun studie, _____ door buitenlanders. Sadik Yemni kent een _____ Turkse brugwachter die half gek werd van de _____, en ten einde raad besloot om, _____ twintig jaar wonen en werken in Nederland, terug _____ keren naar zijn familie in Turkije.

Je _____ de tijd zien door te komen. Lezen _____ één manier. Sadik leest Turkse boeken, die _____ door zijn zuster vanuit Turkije worden toegestuurd, _____ hij op de hoogte blijft van de _____ Turkse literatuur. Maar Sadik is niet alleen _____. 'Je wordt hier óf krankzinnig (gek) óf _____ gaat schrijven', is zijn conclusie. Er liggen _____ twee uitgaven van zijn hand in de _____, boekjes met verhalen, in het Nederlands vertaald. _____ zijn geïnspireerd op avonturen van zijn legaal _____ illegaal in Nederland verblijvende landgenoten. En onlangs _____ hij een roman gepubliceerd onder de titel: '_____ geest van de brug'. Zo houdt _____ Sadik Yemni de vaart er in.

Geef antwoord:

a. Waarop moeten de plezierbootjes wachten?

b. Kunnen de vrachtschepen op het kanaal wél gewoon doorvaren?

c. Met wie sprak u gisteren meer dan 25 woorden Nederlands? Waarover?

d. Zoudt u wel een poosje brugwachter willen zijn?

e. Weet u nog andere middelen tegen de eenzaamheid?

Vul in of aan:

▪ In mijn studeerkamer staat alles wat ik ＿＿ heb: een bureau en een stoel. Ik ＿＿ nooit last van mijn buren, zodat ik ＿＿ ongestoord kan bezighouden met mijn studie. Soms maakt de ＿＿ me half gek, maar dan luister ik ＿＿ de muziekcassettes die mijn moeder mij ＿＿. Het kost mij geen moeite ＿＿ de dagen door te komen.

▪ Grammatica §22 'die – dat – waar – wie'

Omdat het huisje waarin hij ＿＿ van glas is, heeft hij een uniek ＿＿. Hij kan het Amsterdam-Rijnkanaal zien, waarover vrachtschepen ＿＿, en de Loenersloot, die slingert tot aan ＿＿ horizon. 's Zomers komen er veel pleziervaarders langs, ＿＿ van zijn diensten gebruik maken. Omdat de ＿＿ zeer druk is, moeten de bootjes soms ＿＿ wachten. Voor en na de zomer is ＿＿ vaak erg stil. Er zijn zelfs dagen ＿＿ hij niemand ziet. Dan praat hij ook ＿＿ veel. Er zijn weken waarin ＿＿ nog geen tien woorden zegt!

of – als – dan	
Je wordt hier krankzinnig	*óf schrijver.*
De pleziervaarders vragen	*of de brug gauw opengaat.*
Sadik Yemni werkt bij de NS	*als brugwachter.*
De brug gaat alleen open	*als er geen trein aankomt.*
Het is 's zomers drukker	*dan 's winters.*
Als hij niet schrijft,	*dan zou hij krankzinnig worden.*

18

Ongelukje aan tafel 13

1   *Gisteravond* Chinees gegeten. 'Eet u met *stokjes?*', *informeerde* de *ober*. Ik *aarzelde* even. Toen *knikte* ik. 'Ach, *vooruit*, wat *kan mij 't schelen*', zei ik met jeugdige *overmoed* en nog *onbewust* van het *naderend* ongeluk.

     Na verloop van tijd kwam het eten. '*Zet 'm op*, Har', sprak ik tot *mezelf*, en
5   ik *concentreerde me* op mijn *zojuist verworven* wapens. Maar hoe ik ook probeerde ze als een *eenheid* te laten *opereren*, de stokjes *schoten* onmiddellijk uit mijn vingers. In een poging ze te *vangen*, kwam ik in *botsing* met enkele *schalen* en daar *vloog* de *inhoud* links en *rechts* door de *zaal*.

     'Ongelukje aan tafel 13 (dertien)', *schreeuwde* de ober luid, *waarop* alle
10   *aanwezigen* in het restaurant in mijn richting keken. 'U *zet* de *maaltijd* zeker liever *voort* met *mes* en *vork?*', *vervolgde* hij, wat *zachter*. *Dankbaar ging* ik *in* op zijn *aanbod*.

     'Eet u zelf eigenlijk wel eens met stokjes?', vroeg ik de ober, die *juist* (net) *voorover boog* om een *ei op* te *rapen*. Hij *richtte zich op* en *zuchtte*. 'Dat
15   hangt ervan af wat je op je *bord* krijgt. Bij dat *Hollandse* eten *heb* je vaak nog 't meest *aan* een *lepel*, en ook soep eten met stokjes heeft *nadelen*. Iedereen heeft zo z'n eigen gewoontes, meneer. Ik ken genoeg mensen die *'t liefst(e)* met hun handen eten, tenminste, zolang er niets *te snijden valt*'. Tja, wat moest ik daar tegen *inbrengen?*

3032	ongelukje	mishap	petit malheur	kleines Unglück	kesialan enteng	kaza(cık), uğursuzluk
3033	gisteravond	last night	hier soir	gestern abend	semalam	dün akşam
3034	stokjes	chop sticks	baguettes	Stäbchen	supit-supit	çubuk(cuk)lar
3035	informeerde	enquired	a demandé	informierte	menanyakan	sordu
3036	ober	waiter	serveur	Ober	pelayan restoran	garson
3037	aarzelde	hesitated	ai hésité	zögerte	ragu	tereddüt ettim
3038	knikte	nodded	ai acquiescé	nickte	mengangguk	başımla onayladım
3039	vooruit	go to it	allons	vorwärts	ayo	haydi
3040	't kan mij schelen	(what)'s it to me	(ça peut me) faire	es macht mir aus	peduli	fark etmez
3041	overmoed	recklessness	témérité	übermut	gegabah	cüret
3042	onbewust	unconscious	inconscient	unwissentlich	tak sadar	bilincinde olmadan

3043	naderend	approaching	imminent	näherenden	yang menghampiri	yaklaşan
3044	na verloop van tijd	after a while	après un certain temps	nach einiger Zeit	setelah waktu tertentu	zaman geçtikten sonra
3045	zet 'm op	brace yourself	allez, vas-y	tu dein Bestes	ayo	haydi bakalım
3046	mezelf	myself	moi-même	mir selbst	diriku sendiri	kendi kendime
3047	concentreerde me (op)	concentrated (on)	me suis concentré (sur)	konzentrierte mich	memusatkan diri	dikkatimi topladım
3048	zojuist	newly	juste	soeben	tadi	az önce
3049	verworven	acquired	acquises	erworbenen	diperoleh	elde edilmiş
3050	eenheid	unit	unité	Einheit	kesatuan	birlik
3051	opereren	operate	agir	operieren	mengoperasikan	iş görmek
3052	schoten	shot	ont échappé	schoßen	tergelincir	kaydılar
3053	vangen	catch	attraper	fangen	menangkap	yakalamak
3054	botsing	collision	collision	Zusammenstoß	(kwam in -) terbentur	çarpışma
3055	schalen	dishes	plats	Schüsseln	pinggan	kaseler
3056	vloog	flew	a volé	flog	beterbangan	saçıldı
3057	inhoud	contents	contenu	Inhalt	isi	içindekiler
3058	rechts	right	à droite	rechts	ke kanan	sağ
3059	zaal	room	salle	Raum	ruangan	salon
3060	schreeuwde	bawled	cria	schrie	seru	bağırdı
3061	waarop	whereupon	sur quoi	woraufhin	setelah	üzerine
3062	aanwezigen	those present	assistance	Anwesenden	hadirin	bulunanlar
3063	zet ... voort	continue	continuez	setzen fort	meneruskan	sürdürürsünüz
3064	maaltijd	meal	repas	Mahlzeit	makanan	yemek
3065	mes	knife	couteau	Messer	pisau	bıçak
3066	vork	fork	fourchette	Gabel	garpu	çatal
3067	vervolgde	continued	a poursuivi	fuhr fort	lanjut	devam etti
3068	zachter	more softly	plus doucement	leiser	kurang lantang	yavaşça
3069	dankbaar	gratefully	avec reconnaissance	dankbar	penuh terimakasih	müteşekkir
3070	ging ... in (op)	took up	ai accepté	ging ein (auf)	menerima	kabulettim
3071	aanbod	offer	proposition	Angebot	tawaran	teklif
3072	juist	just then	à ce moment-là	gerade	saat itu	o anda
3073	voorover	forwards	en avant	vorüber	-----	öne doğru
3074	boog	bent	se penchait	bog	(voorover -) membungkuk	eğilen
3075	ei	egg	oeuf	Ei	telur	yumurta
3076	op ... rapen	pick up	ramasser	auflesen	memungut	kaldırmak
3077	richtte zich op	straightened himself up	s'est redressé	richtete sich auf	berdiri	doğruldu
3078	zuchtte	sighed	a soupiré	seufzte	mengeluh	iç çekti
3079	bord	plate	assiette	Teller	piring	tabak
3080	Hollandse	Dutch	hollandaise	holländisch	Belanda	Hollanda
3081	heb (iets) aan	make good use of	ça peut servir	nützt	berguna	faydalıdır
3082	lepel	spoon	cuiller	Löffel	sendok	kaşık
3083	nadelen	disadvantages	désavantages	Nachteile	kendala	sakıncalar
3084	't liefst(e)	would rather	de préférence	am liebsten	paling suka	tercihen
3085	snijden	cut	couper	schneiden	dipotong	kesmek
3086	valt ... te	is to, has to be	(il y) a à	zu ... gibt	harus	gerekli değilse
3087	inbrengen (tegen)	object (to)	objecter	einwenden (gegen)	membalas	söyleyebilirim

Ongelukje aan tafel 13

Gisteravond Chinees _____. 'Eet u met stokjes?', informeerde de ober. _____ aarzelde even. Toen knikte ik. 'Ach, vooruit, _____ kan mij 't schelen', zei ik met _____ overmoed en nog onbewust van het naderend _____.

Na verloop van tijd kwam het eten. '_____ 'm op, Har', sprak ik tot mezelf, _____ ik concentreerde me op mijn zojuist verworven _____. Maar hoe ik ook probeerde ze als _____ eenheid te laten opereren, de stokjes schoten _____ uit mijn vingers. In een poging ze _____ vangen, kwam ik in botsing met enkele _____ en daar vloog de inhoud links en _____ door de zaal.

'Ongelukje aan tafel 13', _____ de ober luid, waarop alle aanwezigen _____ het restaurant in mijn richting keken. 'U _____ de maaltijd zeker liever voort met mes _____ vork?' vervolgde hij, wat zachter. Dankbaar ging _____ in op zijn aanbod.

'Eet u zelf _____ wel eens met stokjes?', vroeg ik de _____, die juist (net) voorover boog om een _____ op te rapen. Hij richtte zich op _____ zuchtte. 'Dat hangt ervan af wat je _____ je bord krijgt. Bij dat Hollandse eten _____ je vaak nog 't meest aan een _____, en ook soep eten met stokjes heeft _____. Iedereen heeft zo z'n eigen gewoontes, _____. Ik ken genoeg mensen die 't _____ met hun handen eten, tenminste, zolang er _____ te snijden valt'. Tja, wat moest ik _____ tegen inbrengen?

gewoontes...

Geef antwoord:

a. Wat weet u over de 'ik' uit dit verhaal (man/vrouw, leeftijd, nationaliteit, karakter)?
b. Eet u wel eens buiten de deur? In wat voor restaurant het liefst?
c. Wat zijn typische eetgewoontes in uw land?
d. Welke dieren eet men in uw land?
e. Wat is het vreemdste dat u ooit gegeten hebt?

Vul in of aan:

■ Let op: zich concentreren (op), (iets) hebben (aan), íngaan (op), áfhangen (van), ínbrengen (tegen):

Hoe ik mij ook _____ op mijn zojuist verworven wapens, ik had er _____ veel aan. Daarom ging ik dankbaar in _____ het aanbod van de ober. Ieder land _____ z'n eigen gewoontes, het hangt er van af_____ je vandaan komt, of je met mes _____ vork eet of met stokjes, of met _____ handen. Daar valt weinig tegen in te _____, nietwaar?

Grammatica §8 'leren, werken'					
kni*k*te	sta*p*te	lach*te*	zuch*t*te	stra*f*te	wen*s*te
probee*r*de	haa*l*de	vervol*g*de	schu*dd*e	beloo*f*de	rei*s*de
				[belo*v*en]	[rei*z*en]

■ Toen ik het restaurant (binnenstappen:) _____, begroette de ober mij vriendelijk, en (leggen:) _____ twee houten stokjes bij mijn bord. Hij (informeren:) _____ niet eens of ik wel met stokjes wenste _____ eten! Ik zuchtte, en aarzelde. Maar gelukkig (raden) _____ hij mijn gedachten. Hij schudde het hoofd, (halen:) _____ mes en vork, en loste zo al _____ problemen op!

Schrijfopdracht

Beschrijf in ongeveer 150 woorden de vreemdste maaltijd die u ooit genoten hebt. Of: Vertel in uw eigen woorden de maaltijd van Har na.

19

De *tijden* veranderen

1   In Nederland is de afgelopen 30 jaar veel veranderd. Er zijn in deze
periode veel traditionele normen en regels *doorbroken*. Vooral *degenen* die
jong waren in de *zestiger* en *zeventiger* jaren hebben daartoe *bijgedragen*. Er
ontstond toen, natuurlijk niet alleen in Nederland, een *beweging* die *zich*
5   *keerde* tegen de *gevestigde autoriteiten:* muziek, *afwijkende kleding* en *haardracht*
waren daar onder andere een symbool van. Op de *universiteiten* werden
demonstraties voor *democratisering gehouden*. En vrouwen *kwamen op* voor
verbetering van hun positie. Ze *protesteerden (demonstreerden)* tegen hun
traditionele rol als *huisvrouw* en moeder. Eén van de *kreten* uit die tijd was:
10   '*baas* in eigen *buik*'. Hiermee *eisten* vrouwen dat het recht op *abortus* in de
wet erkend zou worden.

Als ik mijn leven met dat (het leven) van mijn moeder *vergelijk*, dan ben
ik in veel grotere vrijheid *opgegroeid*. Jonge vrouwen hadden vlak na de
oorlog minder keuze (keus) om hun leven *in te richten* zoals ze graag
15   wilden. Veel minder meisjes volgden toen na de *middelbare school* nog een
hogere opleiding. En ze *stopten* bijna altijd met werken als ze *trouwden* en
kinderen *kregen*. Mijn moeder vertelde me laatst dat ze zelfs *moést*
stoppen met werken toen ze trouwde, omdat haar *tijdelijke contract* niet
werd *verlengd*. Ze werkte op een *katholieke* school en daar *namen* ze eind
20   jaren vijftig ('50) geen getrouwde vrouwen *aan*. Ik kon mijn oren niet
geloven!

126

3088	tijden	times	temps	Zeiten	zaman	zamanlar
3089	doorbroken	broken down	rompues	durchbrochen	dihapuskan	ortadan kaldırıldı
3090	degenen	those (people)	ceux	diejenigen	(- die) orang yang	onlar
3091	jong	young	jeunes	jung	muda	genç
3092	zestiger	(- jaren) sixties	soixante	sechziger	enampuluhan	altmışlı (yıllar)
3093	zeventiger	(- jaren) seventies	soixante-dix	siebziger	tujuhpuluhan	yetmişli (yıllar)
3094	bijgedragen (tot)	contributed (to)	contribué (à)	beigetragen (zu)	menyumbangkan	katkıda bulundular
3095	ontstond	arose	naissait	entstand	dimulai	oluştu
3096	beweging	movement	mouvement	Bewegung	pergerakan	hareket
3097	zich keerde (tegen)	turned itself (against)	s'est tourné (contre)	kehrte sich	menentang	karşı çıkan
3098	gevestigde	established	établies	etablierten	yang mapan	yerleşmiş
3099	autoriteiten	authorities	autorités	Autoritäten	kewibawaan	otoriteler
3100	afwijkende	aberrant	différents	abweichende	yang berbeda	değişik
3101	kleding	clothing	vêtements	Kleidung	pakaian	kıyafet
3102	haardracht	hairdo	coiffure	Haartracht	tata rambut	saç modeli
3103	universiteiten	universities	universités	Universitäten	universitas-uni versitas	üniversiteler
3104	demonstraties	demonstrations	manifestations	Demonstratio-nen	demonstrasi - demonstrasi	gösteri
3105	democratisering	democratisation	démocratisation	Demokratisie-rung	pendemokrasian	demokratikleşme
3106	gehouden	held	(on) faisait	veranstaltet	dilangsungkan	yapıldı
3107	kwamen ... op (voor)	stood up (for)	se levaient (pour)	setzten sich ein	mencoba mewujudkan	savundular
3108	protesteerden	protested	protestaient	protestierten	memprotes	protesto ettiler
3109	demonstreerden	demonstrated	manifestaient	demonstrierten	mendemonstrasi	gösteri yaptılar
3110	huisvrouw	housewife	femme au foyer	Hausfrau	ibu rumah-tangga	ev kadını
3111	kreten	slogans	slogans	Schlagworte	semboyan-semboyan	sloganlar
3112	baas	boss	patron	Herr	penguasa	hakimi
3113	buik	belly	ventre	Bauch	perut	karın
3114	eisten	demanded	exigeaient	forderten	menuntut	talepte bulundular
3115	abortus	abortion	avortement	Abortus	pengguguran	kürtaj
3116	wet	law	loi	Gesetz	undang-undang	kanun
3117	erkend	recognised	reconnu	anerkannt	disahkan	tanınmasını
3118	vergelijk (met)	compare (with)	compare (à)	vergleiche (mit)	memperbanding-kan	karşılaştırırsam
3119	opgegroeid	grown up	grandi	aufgewachsen	dibesarkan	büyüdüm
3120	in ... richten	arrange	organiser	einrichten	mengatur	çeki düzen vermek
3121	middelbare school	secondary school	école secondaire	Oberschule	sekolah menengah	ortaokul
3122	hogere	higher	supérieures	höhere	yang lebih tinggi	yüksek
3123	stopten	stopped	arrêtaient	hörten auf	menghentikan	bıraktılar
3124	trouwden	married	se mariaient	heirateten	menikah	evlendikleri
3125	kregen	had	avaient	kriegten	(kinderen-) beranak	sahibi oldular
3126	tijdelijke	temporary	temporaire	befristeter	sementara	geçici
3127	contract	contract	contrat	Kontrakt	kontrak	kontrat
3128	verlengd	extended	prolongé	verlängert	diperpanjang	uzatılmadığı
3129	katholieke	catholic	catholique	katholische	katolik	katolik
3130	namen ... aan	took on	acceptaient	nahmen an	mengangkat	işe almıyorlardı

Sinds die tijd is er inderdaad erg veel veranderd. Zo vinden veel jongeren het nu *vanzelfsprekend* om al op jonge leeftijd met *seks (seksualiteit)* en relaties te *experimenteren*. Dat betekent lang niet altijd dat ze ook met

25 hun *partner* willen trouwen. Ze gaan vaak eerst samenwonen. Ook zijn er mensen die ervoor kiezen om alleen te blijven, of hun leven niet met één persoon maar met een groep te *delen*. Dat mensen kinderen krijgen zonder getrouwd te zijn is in veel *lagen* van de bevolking *langzamerhand* een min of meer *geaccepteerd* verschijnsel. Inmiddels is men ook zover dat wetten op

30 het gebied van *familierecht* aangepast worden aan de *veranderende* normen.

Toch (*Desondanks*) is lang niet iedereen in Nederland het eens met de veel grotere *vrijheden*. Er zijn nog steeds veel mensen die er op grond van hun godsdienstige (religieuze) *overtuigingen* niet over denken om kinderen te krijgen zonder eerst te trouwen. Opvallend is ook dat er in de jaren

35 tachtig weer meer *waardering* is gekomen voor *conservatieve* (traditionele) *ideeën*. Jongeren kiezen tegenwoordig weer vaker voor het huwelijk. Ook is *autoriteit (gezag)* geen *vies* woord meer (wordt er tegen autoriteit niet meer *negatief aangekeken*). Voor de jeugd van de jaren zestig lijkt het er daarom wel eens op dat hun *revolutie* voor niets is geweest.

128

3131	vanzelfsprekend	as a matter of course	naturel	selbstverständlich	sewajarnya	olağan
3132	seks	sex	sexe	Sex	seks	seks
3133	seksualiteit	sexuality	sexualité	Sexualität	seksualitas	cinsellik
3134	experimenteren	experiment	expérimenter	experimentieren	bereksperimen	deneme yapmayı
3135	partner	partner	partenaire	Partner	partner	hayat arkadaşı
3136	delen (met)	share (with)	partager (avec)	teilen (mit)	menjalankan bersama	paylaşmak
3137	lagen	layers	classes	Schichten	lapisan-lapisan	tabakalar
3138	langzamerhand	gradually	lentement	allmählich	lama-kelamaan	yavaş yavaş
3139	geaccepteerd	accepted	accepté	akzeptiert	diterima	kabullenilmiş
3140	familierecht	family law	droit de la famille	Familienrecht	hukum keluarga	aile hukuku
3141	veranderende	changing	en évolution	verändernde	yang berubah	değişen
3142	desondanks	nevertheless	cependant	trotzdem	namun	buna rağmen
3143	vrijheden	freedom	libertés	Freiheiten	kebebasan-2	özgürlükler
3144	overtuigingen	convictions	convictions	überzeugungen	keyakinan-2	kanaatler
3145	waardering	regard	considération	Anerkennung	penghargaan	takdir
3146	conservatieve	conservative	traditionalistes	konservative	konservatif	tutucu
3147	ideeën	ideas	idées	Ideen	gagasan-gagasan	fikirler
3148	autoriteit	authority	autorité	Autorität	otoritas	otorite
3149	gezag	authority	autorité	Autorität	wibawa	yetki
3150	vies	dirty	grossier	schmutziges	jijik, tabu	kötü, pis
3151	negatief	negatively	négativement	negativ	negatif	menfi
3152	aangekeken (tegen)	looked at	regardée	beurteilt	dianggap	bakılmıyor
3153	revolutie	revolution	révolution	Revolution	revolusi	devrim

De tijden veranderen

In Nederland is de afgelopen _____ jaar veel veranderd. Er zijn in
deze _____ veel traditionele normen en regels doorbroken. Vooral _____
die jong waren in de zestiger en _____ jaren hebben daartoe bijgedragen.
Er ontstond toen, _____ niet alleen in Nederland, een beweging die _____
keerde tegen de gevestigde autoriteiten: muziek, afwijkende _____ en
haardracht waren daar onder andere een _____ van. Op de universiteiten
werden demonstraties voor _____ gehouden. En vrouwen kwamen op
voor verbetering _____ hun positie. Ze protesteerden (demonstreerden)
tegen hun _____ rol als huisvrouw en moeder. Eén van _____ kreten uit
die tijd was: 'baas in _____ buik'. Hiermee eisten vrouwen dat het
recht _____ abortus in de wet erkend zou worden.

_____ ik mijn leven met dat (het leven) _____ mijn moeder vergelijk,
dan ben ik in _____ grotere vrijheid opgegroeid. Jonge vrouwen hadden
vlak _____ de oorlog minder keuze (keus) om hun leven _____ te richten
zoals ze graag wilden. Veel _____ meisjes volgden toen na de middelbare
school _____ een hogere opleiding. En ze stopten bijna _____ met werken

als ze trouwden en kinderen ____. Mijn moeder vertelde me laatst dat ze ____ moést stoppen met werken toen ze trouwde, ____ haar tijdelijke contract niet werd verlengd. Ze ____ op een katholieke school en daar namen ____ eind jaren vijftig (50) geen getrouwde vrouwen ____. Ik kon mijn oren niet geloven!

Sinds ____ tijd is er inderdaad erg veel veranderd. ____ vinden veel jongeren het nu vanzelfsprekend om ____ op jonge leeftijd met seks (seksualiteit) en ____ te experimenteren. Dat betekent lang niet altijd ____ ze ook met hun partner willen trouwen. ____ gaan vaak eerst samenwonen. Ook zijn er ____ die ervoor kiezen om alleen te blijven, ____ hun leven niet met één persoon maar ____ een groep te delen. Dat mensen kinderen ____ zonder getrouwd te zijn is in veel ____ van de bevolking langzamerhand een min of ____ geaccepteerd verschijnsel. Inmiddels is men ook zover ____ wetten op het gebied van familierecht aangepast ____ aan de veranderende normen.

Toch (Desondanks) is ____ niet iedereen in Nederland het eens met ____ veel grotere vrijheden. Er zijn nog steeds ____ mensen die er op grond van hun ____ (religieuze) overtuigingen niet over denken om kinderen te ____ zonder eerst te trouwen. Opvallend is ook ____ er in de jaren tachtig weer meer ____ is gekomen voor conservatieve (traditionele) ideeën. Jongeren ____ tegenwoordig weer vaker voor het huwelijk. Ook ____ autoriteit (gezag) geen vies woord meer (wordt ____ tegen autoriteit niet meer negatief aangekeken). Voor ____ jeugd van de jaren zestig lijkt het ____ daarom wel eens op dat hun revolutie ____ niets is geweest.

Geef antwoord:

a. Welke veranderingen die de tekst beschrijft, vindt u een verbetering?

b. Waarom hield de moeder in de tekst op met werken?

c. Wat betekent de kreet: 'Baas in eigen buik'?

d. Hebt u ooit gedemonstreerd? Waarvoor of waartegen? Met succes?

e. Welke verschillen zijn er tussen de wereld waarin uw ouders opgroeiden en de wereld waarin u zelf opgroeide?

Vul in of aan:

▪ Veel jongeren gaan wel _____ hun partner samenwonen, maar kiezen ervoor om _____ te trouwen. Dat ze ook kinderen krijgen _____ getrouwd te zijn, is een vanzelfsprekend (een heel _____) verschijnsel voor hen. Ja, er zijn de _____ 30 jaar veel tradities, regels en normen _____.

▪ **twee puntjes**

Het woord 'ideeën' _____ je in drie stukken verdelen: i- + -dee- + _____. Waar begint het derde stuk? Bij de letter _____ die twee puntjes! Dus: 'ideeën' = i-dee-en. Net zo: 'koloniën' = ko-lo-ni-en, en: 'geëist' = _____.

Grammatica §8 'leren, werken'

gekni*kt*	gesto*pt*	geko*cht*	gezuch*t*	gestra*ft*	geë*ist*
gekee*rd*	gegroe*id*	verlen*gd*	geschu*d*	beloo*fd*	gerei*sd*
				[belo*v*en]	[rei*z*en]

▪ In de jaren zestig en zeventig hebben veel _____ zich tegen de autoriteiten gekeerd. Vrouwen hebben _____ tegen hun traditionele rol, en ze hebben _____ dat het recht op abortus in de _____ erkend zou worden. Mijn moeder heeft mij _____ waarom ze is gestopt met werken. Ze _____ op een katholieke school, maar toen ze _____ een gegeven moment trouwde, werd haar contract _____ verlengd! Dan ben ik in veel grotere vrijheid _____!

Schrijfopdracht

Vergelijk in 150 woorden uw leven met het leven van uw ouders.

20

Religies

1 'Twee *geloven* op één *kussen*, daar *slaapt* de *duivel* tussen'. Zo *veroordeelde*
Nederland vroeger '*gemengde*' *huwelijken*. Mensen van verschillend *geloof*,
dat *ging* niet *samen*. In Nederland heeft altijd een *scherp onderscheid* bestaan
tussen het *protestantse* en het katholieke *volksdeel*, *geestelijk* (*innerlijk*) zowel
5 als *geografisch*. Een *zelfde* onderscheid zien we binnen het *protestantisme*,
waar zich naast de *hervormde* kerk nog weer allerlei *gereformeerde kerken*
afgescheiden hebben. Ze *ontstonden* vaak vanwege verschillen in *interpretatie*
van bepaalde *bijbelpassages*, en waren meestal nogal *streng* in de *leer*.
Zodoende bestond Nederland uit een groot aantal *hechte*
10 *geloofsgemeenschappen* met eigen normen en *tradities*, eigen scholen, een
eigen politieke partij en een eigen vakbond, met eigen *persorganen* en
omroepverenigingen[1]: *besloten kringen*, waarin je je vrienden *zocht*, en
natuurlijk ook je *levenspartner*.
Een dergelijke *differentiatie* kan men ook nu nog *tekenend* noemen voor de
15 Nederlandse samenleving. Het *staat* iedereen bij voorbeeld *vrij* een school
te *stichten* (*op* te *richten*) op een *levensbeschouwelijke grondslag*. Dit '*bijzonder*

1. K.R.O.= **K**atholieke **R**adio-**O**mroep; N.C.R.V.= **N**ederlandse **C**hristelijke **R**adio-**V**ereniging;
E.O.= **E**vangelische **O**mroep.

3154	religies	religions	religions	Religionen	agama	dinler
3155	geloven	faiths	croyances	Glauben	kepercayaan	(dini) inançlar
3156	kussen	pillow	coussin	kissen	bantal	yastık
3157	slaapt	sleeps	dort	schläft	tidur	uyur
3158	duivel	devil	diable	Teufel	iblis	şeytan
3159	veroordeelde	condemned	condamnait	verurteilte	menghukum	ayıplardı
3160	gemengde	mixed	mixtes	gemischte	campur	karışık
3161	huwelijken	marriages	mariages	Ehen	kawin	evlilikler
3162	geloof	faith	foi	Glauben	kepercayaan	(dini) inanç
3163	ging ... samen	went together	s'accordait	vereinten	dapat bergabung	uyuşmazdı
3164	scherp	sharp	rigoureuse	scharf	jelas	kesin
3165	onderscheid	distinction	distinction	Unterschied	perbedaan	fark
3166	protestantse	protestant	protestante	protestantischen	protestan	protestan
3167	volksdeel	population sector	partie de la population	Bevölkerungs-gruppe	bagian rakyat	halkın bir bölümü
3168	geestelijk	spiritually	spirituellement	geistlich	rohaniah	tinsel
3169	innerlijk	inwardly	intérieurement	innerlich	batiniah	manevi
3170	geografisch	geographically	géographique-ment	geografisch	geografis	konumsal
3171	zelfde	similar	même	selbe	yang sama	aynı
3172	protestantisme	protestantism	protestantisme	Protestantismus	protestantisme	protestanlık
3173	hervormde	reformed	réformée	evangelisch-reformierte	hervorm	kalvinist
3174	gereformeerde	calvinist	calviniste	kalvinistisch-ref.	reformer	reforme
3175	kerken	churches	églises	Kirchen	gereja-gereja	kiliseler
3176	afgescheiden	separated	séparées	abgespalten	memisah	ayrıldılar
3177	ontstonden	began	prirent naissance	entstanden	timbul	oluştular
3178	interpretatie	interpretation	interprétation	Auslegung	penafsiran	yorum
3179	bijbelpassages	bible passages	passages de la Bible	Bibelstellen	pasase-2 kitab injil	incilin bölümleri
3180	streng	strict	intransigeante	streng	keras	katı, kuralcı
3181	leer	doctrine	doctrine	Lehre	ajaran	inak, akide
3182	zodoende	in that manner	ainsi	somit	dengan begitu	böylece
3183	hechte	solid	solides	festen	rapat	sıkı
3184	geloofsgemeen-schappen	circles of faith	communautés religieuses	Glaubensge-meinschaften	umat-umat kepercayaan	din camiaları
3185	tradities	traditions	traditions	Traditionen	tradisi-tradisi	gelenekler
3186	persorganen	organs of the press	organes de presse	Presseorganen	alat-alat pers	basın organları
3187	omroepvereni-gingen	broadcasting associations	sociétés de radio-télé	Vereine von Rundfunk-anstalten	perkumpulan-2 penyiaran	yayım kurumları
3188	besloten	closed	fermés	geschlossenen	tertutup	kapalı, ayrı
3189	kringen	circles	milieux	Kreisen	kalangan-2	çeveler
3190	zocht	sought	cherchait	suchte	mencari	aradığın
3191	levenspartner	living companion	conjoint(e)	Lebenspartner	teman hidup	hayat arkadaşı
3192	differentiatie	differentiation	différenciation	Differenzierung	diferensiasi	ayırım
3193	tekenend	characteristic	caractéristique	bezeichnend	hal yang khusus	tanımlayıcı
3194	staat ... vrij	is free to	est libre	steht frei	diperkenan	izin verilmektedir
3195	stichten	establish	fonder	stiften	mengadakan	kurmak
3196	op ... richten	set up	fonder	gründen	mendirikan	açmak
3197	levensbeschou-welijke	ideological	philosophique	lebensbeschau-liche	pandangan hidup	dünya görüşü
3198	grondslag	basis	base	Grundlage	dasar	temel
3199	bijzonder	special	libre	besondere	yang khusus	özel

onderwijs' wordt door de overheid op dezelfde wijze *gefinancierd* als het openbaar onderwijs: tot 16 jaar is het dus gratis. Ook kan men in Nederland kiezen of men op een openbare, een christelijke, een

20 gereformeerde, of een katholieke universiteit wil *studeren*. In de politiek heeft men de keuze tussen verschillende grote en kleine partijen die politiek *bedrijven* vanuit een bepaalde *geloofsopvatting*. En ook vandaag nog kan men op radio en t.v. *afstemmen* op *uitzendingen* waarin de eigen religieuze *overtuiging* wordt *uitgedragen*.

25

In *een enkel* dorp kun je op zondag de *families* nog zien lopen, twee keer per dag in *donkere* kleren en met zwarte *hoeden*, *op weg* naar hun kerk. Maar de *ontkerkelijking grijpt om zich heen*. In 1989 zei minder dan 50% van de bevolking *gelovig* te zijn. De kerken *lopen leeg*, en worden *afgebroken*, of

30 *verbouwd* tot *concertzaal* of *toneelruimte* (*theater*) of tot *rocktempel*.

Soms worden ze in gebruik genomen als *moskee*. Het aantal *moslims* in Nederland groeit, de islam is na het *christendom* de tweede *godsdienst* geworden. Vroeger hadden we alleen de *kerkklokken*, die op zondagochtend over stad en dorp *luidden* om de *kerkgangers* te

35 waarschuwen; nu kunnen we op vrijdagmiddag ook de *stem* van de muezzin horen, die zijn *gelovigen oproept* tot *gebed*.

3200	gefinancierd	financed	financé	finanziert	dibiayi	madden dekteklenir
3201	studeren	study	étudier	studieren	belajar	tahsil görmek
3202	bedrijven	are involved in	font	treiben	(politiek-) berpolitik	yapan
3203	geloofsopvatting	religious conviction	point de vue religieux	Glaubensbekenntnis	pandangan keagamaan	dini inanış
3204	afstemmen (op)	tune in to	choisir	einstellen (auf)	menyetel (pada)	ayarlanabilir
3205	uitzendingen	broadcasts	émissions	Sendungen	penyiaran	yayınlar
3206	overtuiging	conviction	conviction	überzeugung	keyakinan	inanç
3207	uitgedragen	carried out	propagée	verkünden	disiarkan	yayıldığı
3208	een enkel	a few	quelques	vereinzelten	satu dua	bazı
3209	families	families	familles	Familien	keluarga-keluarga	aileler
3210	donkere	sombre	foncés	dunklen	berwarna tua	koyu renk
3211	hoeden	hats	chapeaux	Hüten	topi	şapkalar
3212	op weg	on the way	en route	auf dem Weg	mengarah	doğru
3213	ontkerkelijking	loss of faith	perte d'intérêt pour l'Eglise	Entkirchlichung	penolakan agama	kiliseden uzaklaşma
3214	grijpt om zich heen	is spreading	se propage	greift um sich	merajalela	yaygınlaşıyor
3215	gelovig	religious	croyant	gläubig	agamawan	dindar
3216	lopen leeg	are emptying	se vident	laufen leer	makin kosong	boşalıyor
3217	afgebroken	demolished	démolies	abgebrochen	dirombak	yıkılıyor
3218	verbouwd (tot)	rebuilt (into)	transformées (en)	umgebaut (zu)	diubahkan (menjadi)	tadilat yapılıyor
3219	concertzaal	concert hall	salle de concert	Konzertsaal	balai konser	konser salonu
3220	toneelruimte	playhouse	espace de théâtre	Theatersaal	tempat pertunjukan sandiwara	tiyatro salonu
3221	theater	theatre	théâtre	Theater	teater	tiyatro
3222	rocktempel	rocktemple	temple du rock	Rocktempel	tempat pemujaan rock	rock tapınağı
3223	moskee	mosque	mosquée	Moschee	mesjid	cami
3224	moslims	moslems	musulmans	Muslims	orang islam	müslümanlar
3225	christendom	christianity	chrétienté	Christentum	agama nasrani	hıristiyanlık
3226	godsdienst	religion	religion	Gottesdienst	agama	din
3227	kerkklokken	church bells	cloches	Kirchenglocken	lonceng gereja	kilise çanları
3228	luidden	sounded	sonnaient	läuteten	berbunyi	çalan
3229	kerkgangers	churchgoers	fidèles	Kirchgänger	orang yang mau ke gereja	kiliseye gidenler
3230	stem	voice	voix	Stimme	suara	ses
3231	gelovigen	believers	croyants	Gläubigen	orang agamawan	dindarlar
3232	oproept (tot)	summons (to)	appelle à	aufruft (zum)	memanggil (agar)	çağıran
3233	gebed	prayer	prière	Gebet	sembayang	dua, namaz

Religies

'Twee geloven op één ____, daar slaapt de duivel tussen'. Zo ____
Nederland vroeger 'gemengde' huwelijken. Mensen van verschillend
geloof, ____ ging niet samen. In Nederland heeft altijd ____ scherp
onderscheid bestaan tussen het protestantse en ____ katholieke

volksdeel, geestelijk (innerlijk) zowel als geografisch. _____ zelfde
onderscheid zien we binnen het protestantisme, _____ zich naast de
hervormde kerk nog weer _____ gereformeerde kerken afgescheiden
hebben. Ze ontstonden vaak _____ verschillen in interpretatie van
bepaalde bijbelpassages, en _____ meestal nogal streng in de leer.
Zodoende _____ Nederland uit een groot aantal hechte
geloofsgemeenschappen _____ eigen normen en tradities, eigen scholen,
een _____ politieke partij en een eigen vakbond, met _____ persorganen
en omroepverenigingen: besloten kringen, waarin je _____ vrienden
zocht, en natuurlijk ook je levenspartner.

_____ dergelijke differentiatie kan men ook nu nog _____ noemen voor
de Nederlandse samenleving. Het staat _____ bij voorbeeld vrij een
school te stichten (_____ te richten) op een levensbeschouwelijke
grondslag. Dit '_____ onderwijs' wordt door de overheid op
dezelfde _____ gefinancierd als het openbaar onderwijs: tot 16 _____ is
het dus gratis. Ook kan men _____ Nederland kiezen of men op een
openbare, _____ christelijke, een gereformeerde, of een katholieke
universiteit _____ studeren. In de politiek heeft men de _____ tussen
verschillende grote en kleine partijen die _____ bedrijven vanuit een
bepaalde geloofsopvatting. En ook _____ nog kan men op radio en _____
afstemmen op uitzendingen waarin de eigen religieuze _____ wordt
uitgedragen.

In een enkel dorp kun _____ op zondag de families nog zien
lopen, _____ keer per dag in donkere kleren en _____ zwarte hoeden, op
weg naar hun kerk. _____ de ontkerkelijking grijpt om zich heen. In _____
zei minder dan 50% van de bevolking _____ te zijn. De kerken lopen leeg,
en _____ afgebroken, of verbouwd tot concertzaal of toneelruimte
(_____), of tot rocktempel.

Soms worden ze in _____ genomen als moskee. Het aantal moslims
in _____ groeit, de islam is na het christendom _____ tweede godsdienst
geworden. Vroeger hadden we alleen _____ kerkklokken, die op
zondagochtend over stad en _____ luidden om de kerkgangers te
waarschuwen; nu _____ we op vrijdagmiddag ook de stem van _____
muezzin horen, die zijn gelovigen oproept tot _____ .

136

Geef antwoord:

a. Men spreekt wel van de Nederlandse 'hokjesgeest'. Kunt u 'raden' wat er met dit woord bedoeld wordt?

b. Wat wordt bedoeld met de term 'bijzonder onderwijs'?

c. Twee geloven op één kussen, kan dat volgens u?

d. Vindt u dat staat en religie gescheiden moeten zijn?

e. Is 'niet geloven' ook een geloof?

Vul in of aan:

■ Grammatica §4 'groot, grote'

Nederland heeft 'gemengde' huwelijken vroeger scherp veroordeeld. Een _____ huwelijk is een huwelijk tussen mensen van _____ geloof. Er bestond in Nederland een scherp _____ tussen een katholiek en een protestants volksdeel, en dit _____ onderscheid maakte het gemengde huwelijk onmogelijk. _____ je uit het katholieke volksdeel kwam, dan mocht _____ niet trouwen met iemand die _____ was. Deed je dat toch, dan kreeg je de _____ op je kussen!

■ Let op: vrijstaan, óprichten, áfstemmen (op), úitdragen

Het (iedereen/vrijstaan:) .... om een bijzondere school (te/oprichten:) .... Ook is het mogelijk om (te/afstemmen:) .... op een radioprogramma waarin een geloofsovertuiging (worden/uitdragen:) ....

Grammatica §4 'groot, grote'		
de besloten kring	de open deur	in sommige vaste combinaties:
een besloten kring	een open deur	het *bijzonder* onderwijs
het eigen persorgaan	het glazen huis	het *openbaar* vervoer
een eigen persorgaan	een glazen huis	het *Centraal* Station

21

'*Schooljuffrouw* worden? Zelf dacht ik meer aan *professor*!'

1   Dat iedereen recht heeft op onderwijs, ja, tot 16 jaar zelfs naar school
móet, is allang geen *punt* van discussie meer in Nederland. 'Gelijke kansen
voor iedereen, zonder dat *klasse*, *sekse*, herkomst, of het *beroep* van de
ouders een rol spelen': wie zou dat idee willen *bestrijden?*

5   Toch bepalen deze factoren *in belangrijke mate* de *schoolcarrière*, en
daarmee de *beroepsperspectieven*. Kinderen uit hogere *milieus* blijken al op
jeugdige leeftijd een *voorsprong* te hebben op hun *leeftijdgenoten* uit lagere
milieus. Deze voorsprong wordt in de loop van het *basis*onderwijs en het
voortgezet onderwijs alleen maar groter. Zo krijgt 70% van de kinderen

10 van ouders met een hoger beroep het advies om naar het *VWO*
(*voorbereidend* wetenschappelijk onderwijs) te gaan, tegen 10% van de
kinderen uit een *arbeidersmilieu*; helemaal *achteraan* komen kinderen uit
culturele minderheden, met 5%.

        Al *tientallen* jaren wordt er in Nederland een *principiële*, en vaak *emotionele*

15 discussie *gevoerd* over de *opzet* (*organisatie*, structuur) van het onderwijs.
Ministers van Onderwijs *dienen* het ene *wetsvoorstel* na het andere *in* om het
onderwijssysteem grondig te *vernieuwen*. In deze voorstellen *pleit* men er onder
andere voor om alle kinderen tot hun *vijftiende* hetzelfde onderwijs te
bieden, en ze pas op deze leeftijd te laten kiezen voor een *verdere* opleiding of

20 beroep. Men hoopt dat alle leerlingen zo tot een *beroepskeuze* kunnen
komen die past bij hun *aanleg* en *persoonlijkheid*.

3234	schooljuffrouw	schoolmistress	maîtresse (d'école)	Schullehrerin	guru wanita	ilkokul öğretmeni
3235	professor	professor	professeur à l'université	Professor	guru besar	profesör
3236	punt	point	sujet	Punkt	bahan	konu
3237	klasse	class	classe	Klasse	kelas masyarakat	sınıf
3238	sekse	sex	sexe	Geschlecht	jenis kelamin	cinsiyet
3239	beroep	profession	profession	Beruf	pekerjaan	meslek
3240	bestrijden	contest	combattre	anfechten	menentangi	itiraz etmek
3241	in belangrijke mate	to an important extent	dans une large mesure	wesentlich	sangat penting	önemli ölçüde
3242	schoolcarrière	school career	carrière scolaire	Schulkarriere	karir sekolah	okuldaki gidişat
3243	beroepsperspectieven	career perspectives	perspectives professionnelles	Berufsaussichten	pengharapan karir pekerjaan	mesleki prespektifler
3244	milieus	environments	milieux	Milieus	lingkungan pergaulan	çevreler
3245	voorsprong	advantage	avance	Vorsprung	kedahuluan	ara, mesafe
3246	leeftijdgenoten	peers	gens du même âge	Altersgenossen	anak seumur	yaşdaş
3247	basis(onderwijs)	primary	primaire	Grundschul-	pengajaran dasar	temel eğitim
3248	voortgezet	secondary	secondaire	weiterführender	pengajaran lanjutan	orta öğretim
3249	VWO	pre-university education	enseignement du 2nd degré	Gymnasium	pengajaran persiapan untuk universitas	üniversiteye hazırlık eğitimi
3250	voorbereidend	preparatory	préparatoire	vorbereitend	yang mempersiapkan	hazırlayıcı
3251	arbeidersmilieu	working class environment	milieu ouvrier	Arbeitersmilieu	golongan buruh	işçi çevreleri
3252	achteraan	in the rear	derrière	hinterher	di belakang	en arkada
3253	culturele	cultural	culturelles	kulturellen	kebudayaan	kültürel
3254	tientallen	tens of	des dizaines	Zehner	puluhan	onlarca
3255	principiële	fundamental	de principe	prinzipielle	yang mendasar	ilkesel
3256	emotionele	emotional	émotionnelle	emotionelle	emosional	hissi
3257	gevoerd	conducted	tenue	geführt	dilangsungkan	sürdürülüyor
3258	opzet	framework	organisation	Planung	penyelenggaraan	taslak
3259	organisatie	organisation	organisation	Organisation	pengorganisasian	organizasyon
3260	dienen ... in	present	déposent	reichen ein	mengajukan	sunuyorlar
3261	wetsvoorstel	bill	proposition de loi	Gesetzesvorlage	rencana undang-2	kanun teklifi
3262	onderwijssysteem	education system	système d'enseignement	Unterrichtssystem	sistem pengajaran	eğitim sistemi
3263	grondig	thoroughly	profondément	gründlich	secara dasariah	temelinden
3264	vernieuwen	renew	rénover	erneuern	memperbarukan	yenileştirmek
3265	pleit (voor)	advocates	plaide (pour)	befürwortet	dianjurkan	savunuluyor
3266	vijftiende	age of 15	quinzième année	fünfzehnten	berumur limabelas tahun	onbeşinci (yaş)
3267	bieden	offer	offrir	bieten	memberikan	vermek
3268	verdere	further	ultérieur	weitere	lanjutan	ileri
3269	beroepskeuze	career choice	orientation professionnelle	Berufswahl	pemilihan pekerjaan	meslek seçimi
3270	aanleg	aptitude	disposition	Veranlagung	bawaan	yetenek
3271	persoonlijkheid	personality	personnalité	Persönlichkeit	kepribadian	kişilik

Anderen *verwerpen* de gedachte dat alle leerlingen zo lang mogelijk hetzelfde onderwijs moeten krijgen. Zij vinden dat de *schoolopleiding* juist zo vroeg mogelijk moet *uitgaan* van de aanleg (*talenten*) van de kinderen.

25 Hun *stelling luidt*, dat zowel zwakke als goede leerlingen in de nieuwe opzet te weinig individuele *begeleiding* krijgen. Zwakke leerlingen *raken* hierdoor gemakkelijk *achter;* goede leerlingen zullen *zich* juist *vervelen,* als de school te lage eisen stelt.

Een *afzonderlijk* probleem vormen de kinderen uit minderheden.

30 Waarom lukt het hun zo *zelden* om *toegelaten* te worden tot het voortgezet en het hoger onderwijs? Moet het onderwijs zo *opgezet* (georganiseerd) worden dat er meer rekening gehouden wordt met hun sociale en culturele achtergrond? En zo ja, hoe moet dat gebeuren? Op veel *basisscholen* zijn er tegenwoordig speciale lessen 'Eigen Taal en Cultuur'

35 *ingesteld.* Hiermee wil men de mogelijkheden tot *identificatie* met de eigen cultuur *vergroten.* Men hoopt dat de *schoolprestaties* dan ook beter zullen worden. Maar zo'n *scheiding* kan ook in het *nadeel* van deze kinderen werken. Zou het daarom niet *verstandiger* zijn als de hele klas lessen 'Andere Talen en Culturen' *bijwoont*?

40 Ondanks alle goede *bedoelingen lijken* we nog ver *verwijderd* van het *ideaal* dat iemand *politieagent* of *advocaat, schoolmeester* of *hoogleraar* kan worden, uitsluitend op grond van aard, *verstand,* en voorkeur.

3272	verwerpen	reject	rejettent	ablehnen	menolak	reddediyorlar
3273	schoolopleiding	schooling	instruction scolaire	Schulerziehung	pendidikan sekolah	okul eğitimi
3274	uitgaan (van)	start (from)	se baser sur	ausgehen (von)	bertolak (dari)	hareket etmelidir
3275	talenten	talents	talents	Talenten	bakat-bakat	kabiliyetler
3276	stelling	assertion	thèse	These	dalil	tez
3277	luidt	runs/is	est	lautet	berbunyi	-dir / -dır
3278	begeleiding	tutoring	accompagnement	Begleitung	pembimbingan	rehberlik
3279	raken ... achter	fall behind	prennent du retard	bleiben zurück	tertinggal	geri kalırlar
3280	zich ... vervelen	become bored	s'ennuyer	langweilen sich	kebosanan	canları sıkılır
3281	afzonderlijk	separate	à part	eigenes	yang khas	ayrı
3282	zelden	seldom	rarement	selten	jarang	nadiren
3283	toegelaten	admitted	admis	zugelassen	diterima sebagai siswa	kabul edilmeleri
3284	opgezet	designed	mis sur pied	eingerichtet	disusun	planlanmış
3285	basisscholen	primary schools	écoles primaires	Grundschulen	sekolah-sekolah dasar	ilkokullar
3286	ingesteld	instituted	mises au point	eingeführt	diadakan	konuldu
3287	identificatie	identification	identification	Identifikation	pengidentifikasian	özdeşleşme
3288	vergroten	increase	augmenter	vergrößern	melonggarkan	arttırmak
3289	schoolprestaties	school achievements	prestations scolaires	Schulleistungen	prestasi belajar	okuldaki başarılar
3290	scheiding	division	séparation	Trennung	pemisahan	ayırım
3291	nadeel	detriment	désavantage	Nachteil	kerugian	zararına
3292	verstandiger	wiser	plus raisonnable	vernünftiger	lebih bijaksana	daha akıllıca
3293	bijwoont	attends	assiste (aux)	teilnimmt (an)	menghadiri	katılsa
3294	bedoelingen	intentions	intentions	Absichten	maksud-maksud	amaçlar
3295	lijken	seem	semblons	scheinen	tampaknya	bulunuyoruz
3296	verwijderd	removed	éloignés	entfernt	jauh	uzak
3297	ideaal	ideal	idéal	Ideal	cita-cita	ülkü, ideal
3298	politieagent	police officer	agent de police	Polizist	agen polisi	polis memuru
3299	advocaat	barrister	avocat	Advokat	pengacara	avukat
3300	schoolmeester	schoolmaster	maître d'école	Lehrer	guru	öğretmen
3301	hoogleraar	professor	professeur d'université	Hochschullehrer	guru besar	profesör
3302	verstand	intellect	intelligence	Verstand	daya pikiran	akıl

'Schooljuffrouw worden? Zelf dacht ik meer aan professor!'

Dat iedereen recht heeft op onderwijs, ja, _____ 16 jaar zelfs naar school móet, is _____ geen punt van discussie meer in Nederland. '_____ kansen voor iedereen, zonder dat klasse, sekse, _____, of het beroep van de ouders een _____ spelen': wie zou dat idee willen bestrijden?

_____ bepalen deze factoren in belangrijke mate de _____, en daarmee de beroepsperspectieven. Kinderen uit hogere _____ blijken al op jeugdige leeftijd een voorsprong _____ hebben op hun leeftijdgenoten uit lagere milieus. _____ voorsprong wordt in de loop van het _____ en het

141

voortgezet onderwijs alleen maar groter. Zo _____ 70% van de kinderen van ouders met _____ hoger beroep het advies om naar het VWO (_____ wetenschappelijk onderwijs) te gaan, tegen 10% _____ de kinderen uit een arbeidersmilieu; helemaal achteraan _____ kinderen uit culturele minderheden, met 5%.

Al _____ jaren wordt er in Nederland een principiële, _____ vaak emotionele discussie gevoerd over de opzet (_____, structuur) van het onderwijs. Ministers van Onderwijs _____ het ene wetsvoorstel na het andere in _____ het onderwijssysteem grondig te vernieuwen. In deze _____ pleit men er onder andere voor om _____ kinderen tot hun vijftiende hetzelfde onderwijs te _____, en ze pas op deze leeftijd te _____ kiezen voor een verdere opleiding of beroep. _____ hoopt dat alle leerlingen zo tot een _____ kunnen komen die past bij hun aanleg _____ persoonlijkheid.

Anderen verwerpen de gedachte dat alle _____ zo lang mogelijk hetzelfde onderwijs moeten krijgen. _____ vinden dat de schoolopleiding juist zo vroeg _____ moet uitgaan van de aanleg (talenten) van _____ kinderen. Hun stelling luidt, dat zowel zwakke _____ goede leerlingen in de nieuwe opzet te _____ individuele begeleiding krijgen. Zwakke leerlingen raken hierdoor _____ achter; goede leerlingen zullen zich juist vervelen, _____ de school te lage eisen stelt.

Een _____ probleem vormen de kinderen uit minderheden. Waarom _____ het hun zo zelden om toegelaten te _____ tot het voortgezet en het hoger onderwijs? _____ het onderwijs zo opgezet (georganiseerd) worden dat _____ meer rekening gehouden wordt met hun sociale _____ culturele achtergrond? En zo ja, hoe moet _____ gebeuren? Op veel basisscholen zijn er tegenwoordig _____ lessen 'Eigen Taal en Cultuur' ingesteld. Hiermee _____ men de mogelijkheden tot identificatie met de _____ cultuur vergroten. Men hoopt dat de schoolprestaties _____ ook beter zullen worden. Maar zo'n _____ kan ook in het nadeel van deze _____ werken. Zou het daarom niet verstandiger zijn _____ de hele klas lessen 'Andere Talen en _____' bijwoont?

Ondanks alle goede bedoelingen lijken we _____ ver verwijderd van het ideaal dat iemand _____ of advocaat, schoolmeester of hoogleraar kan worden, _____ op grond van aard, verstand, en voorkeur.

142

Geef antwoord:

a. Leg de titel van deze tekst uit.

b. Waarom lukt het kinderen uit minderheidsgroepen zo zelden om toegelaten te worden tot het hoger onderwijs?

c. Waarom, denkt u, kunnen de aparte lessen ook in het nadeel werken van de kinderen uit de minderheidsgroepen?

d. Wat zouden de kinderen moeten leren in lessen 'Andere Talen en Culturen'?

e. Tot welke leeftijd moet men naar school in uw land? Volgt iedereen tot die leeftijd hetzelfde onderwijs?

f. Speelden het beroep of de sociale klasse van uw ouders een rol bij uw schoolkeuze? Hoe?

Vul in of aan:

◾ In ____ Nederlands bestaan veel woorden uit twee andere ____: 'school-carrière', 'beroeps-perspectieven'. Als je het lange woord niet ____ vinden in het woordenboek, zoek dan het laatste ____ apart op: ¬ière', 'perspectieven'. Het eerste woord zegt iets ____ het laatste woord. Dus: 'je carrière op ____', en: 'je perspectieven bij het kiezen van een ____'.

◾ Let op: toelaten (tot), recht (op), verschil (tussen), mogelijkheid (tot), voorsprong (op):

Waarom lukt het vrouwen zo zelden om toegelaten te worden ____ hogere functies als hoogleraar of minister? Ze ____ toch recht op een gelijke vertegenwoordiging in alle functies? Wat is toch dat ____ tussen de seksen, waardoor meisjes niet dezelfde mogelijkheden tot zelfontplooiing ____, en jongens al op jeugdige ____ een voorsprong op hen hebben?

Grammatica § 4 'groot, grote', § 5 'groot, groter, grootst'		
de kans	een *grotere* kans	de *grootste* kans
het ideaal	een *mooier* ideaal	het *mooiste* ideaal
goed onderwijs	steeds *beter* onderwijs	het *beste* onderwijs

143

22

Kiek toch oet!

1   Laatst *fietste* ik met Simone, een *kennis* van me, door haar *geboortedorp*. Toen er *onverwacht* (plotseling) een jongetje *overstak*, riep ze: 'Kiek toch oet!' Ik *kende* die uitdrukking niet, maar ik *begreep* direct dat ze in haar *dialect* had gesproken, en '*Kijk* toch *uit!*' *bedoelde*. Toen we even later bij

5   haar *oom* en *tante* op bezoek gingen, *begroetten* die mij in het Nederlands, maar telkens als ze met elkaar *praatten, gingen* ze zonder het te beseffen *over* op hun dialect. Nou, ik *verstond* er meteen niets meer van!

     Simone spreekt dus een van de 28 *dialecten* die Nederland *rijk is*. Wat is een dialect? Het is moeilijk om het verschil tussen taal en dialect *aan te*

10   *geven*. De taalwetenschap zegt dat taal en dialect *gelijkwaardig* zijn. *Zo bezien* spreekt Simone dus twee talen. Ze beheerst de *standaardtaal*, die ze op school geleerd heeft, en die ze op radio en t.v. hoort en in de krant leest. Maar ze spreekt ook een *streektaal*, de *regionale* taal, die ze vooral gebruikt bij *contacten* met familie en vrienden – en bij *spontane reacties*, zo blijkt.

15   Van de *gelijkwaardigheid* van taal en dialect blijkt in de praktijk weinig. *Aan de ene kant* (*enerzijds*) beschouwen velen een dialect nog steeds als een *afwijking* van de *norm*. Simone hoeft bijvoorbeeld niet te denken aan een carrière bij de radio of de t.v.: daar *komt* ze niet voor *in aanmerking*. 'Ik ben nog steeds *onzeker* als ik Nederlands spreek, omdat ik bang ben dat je mijn

20   dialect kunt *herkennen*. Toen ik zelf op school zat, moest ik mijn *accent* van mijn leraar *afleren*. De *onzekerheid* die daaruit *voortkomt* zal wel nooit *overgaan*. Ik geef nu zelf les op een school, en ik heb *uitspraaklessen* genomen om wat meer *zelfvertrouwen* te krijgen!', aldus Simone.

3303	fietste	cycled	allais à bicyclette	fuhr Fahrrad	bersepeda	bisikletle gittim
3304	kennis	acquaintance	connaissance	Bekannten	kenalan	tanıdık
3305	geboortedorp	native village	village natal	Heimatdorf	desa kelahiran	doğduğu köy
3306	onverwacht	unexpectedly	tout à coup	unerwartet	mendadak	aniden
3307	overstak	crossed over	traversa	überqueren	menyeberang jalan	karşıdan karşıya geçince
3308	kende	knew	connaissais	kannte	mengenal	bilmiyordum
3309	begreep	understood	ai compris	verstand	mengerti	anladım
3310	dialect	dialect	dialecte	Dialekt	dialek	lehçe
3311	kijk ... uit	look out	fais attention	pas auf	awas	dikkat et
3312	bedoelde	meant	voulait dire	meinte	memaksudkan	demek istediğini
3313	oom	uncle	oncle	Onkel	paman	amca, dayı
3314	tante	aunt	tante	Tante	bibi	teyze, hala
3315	begroetten	greeted	saluèrent	begrüßten	menyalami	selamladılar
3316	praatten	talked	parlaient	sprachen	berbicara	konuşurlarken
3317	gingen ... over (op)	changed over (to)	passaient (à)	wechselten über	berpindah (ke)	geçtiler
3318	verstond	understood	comprenais	Dialekte	mengerti	anlamadım
3319	dialecten	dialects	dialectes	verstand	dialek-dialek	lehçeler
3320	rijk is	is rich	est riche	besitzt	mempunyai	sahip olduğu
3321	aan ... geven	indicate	indiquer	umschreiben	memerinci	söylemek
3322	gelijkwaardig	equivalent	équivalents	gleichwertig	sama martabatnya	eşdeğer
3323	zo bezien	seen in this light	vu comme ça	so betrachtet	dilihat dari sudut ini	bakılırsa
3324	standaardtaal	standard language	langage standard	Standard- sprache	bahasa baku	standart lisan
3325	streektaal	(regional) dialect	parler régional	Mundart	bahasa daerah	bölgesel dil
3326	regionale	regional	régionale	regionale	wilayah	yöresel dil
3327	contacten	contacts	contacts	Kontakten	pertemuan	ilişkiler
3328	spontane	spontaneous	spontanées	spontanen	spontan	ihtiyari
3329	reacties	reactions	réactions	Reaktionen	reaksi-reaksi	tepkiler
3330	gelijkwaardig- heid	equivalence	équivalence	Gleichwertigkeit	kesetimbalan	eşdeğerlik
3331	aan de ene kant	on the one hand	d'un côté	an der einen Seite	pada satu pihak	bir taraftan
3332	enerzijds	on one side	d'une part	einerseits	dari segi yang satu	bir yandan
3333	afwijking	deviation	déviation	Abweichung	penyimpangan	sapma
3334	norm	norm	norme	Norm	norma	norm
3335	komt in aan- merking (voor)	would be con- sidered (for)	est prise en considération	kommt in Betracht	dianggap layak	uygun görülmez
3336	onzeker	uncertain	incertaine	unsicher	ragu	mütereddit
3337	herkennen	recognise	reconnaître	erkennen	kedapatan	duyulur
3338	accent	accent	accent	Akzent	logat	aksan, şive
3339	afleren	unlearn	perdre	abgewöhnen	melepaskan	unutmam gerekiyordu
3340	onzekerheid	uncertainty	incertitude	Unsicherheit	keraguan	tereddüt
3341	voortkomt (uit)	arises (from)	(en) résulte	stammt (daher)	disebabkan (oleh)	doğan
3342	overgaan	disappear	passer	weggehen	menghilang	geçmeyecek
3343	uitspraaklessen	elocution lessons	leçons de prononciation	Aussprache- stunden	pelajaran pelafalan	telaffuz dersleri
3344	zelfvertrouwen	selfconfidence	confiance	Selbstvertrauen	kepercayaan pada diriku sendiri	kendine güvenme

Aan de andere kant (anderzijds) *worden* steeds meer *dialectsprekers zich*
25 *bewust* van de waarde van hun dialect, en gaan zij *zich afzetten* tegen de
standaardtaal. Zo zijn Simones oom en tante *voorstanders* van de eigen
dialect-cultuur. Zij vinden de standaardtaal *stijf* en *formeel*. Ze *verwijten*
Simone dat ze *zich* niet genoeg *inzet* voor het dialect. Ze moet het gebruik,
zowel mondeling als schriftelijk, op haar school *propageren*, vinden ze.
30 Simone: 'Weet je dat ik mijn eigen dialect niet eens kan lezen? Voor mij is
het uitsluitend een *spreektaal*. En dialect spreken op school? Ik kiek wel oet
(Dat nooit)!'

146

3345	worden zich bewust (van)	become conscious (of)	prennent conscience de	werden sich (+2e) bewußt	menyadari	idrak ediyorlar
3346	dialectsprekers	dialect speakers	dialectophones	Dialektsprecher	penutur-penutur bahasa daerah	lehçeyle konuşanlar
3347	zich afzetten (tegen)	distance themselves (from)	se dresser (contre)	sich wehren (gegen)	mempertentang-kan diri	karşı koyuyorlar
3348	voorstanders	champions	partisans	Befürworter	pendukung-pendukung	taraftarlar
3349	stijf	stiff	raide	steif	kaku	heybetli
3350	formeel	formal	formelle	formell	formal	resmi
3351	verwijten	accuse	reprochent	werfen vor	mencelakan	kınıyorlar
3352	zich inzet (voor)	devotes herself (to)	s'engage (pour)	sich einsetzt (für)	mengusahakan diri	mücadele etmemesini
3353	propageren	promote	propager	propagieren	menganjurkan	yaymak
3354	spreektaal	oral language	langue parlée	Umgangs-sprache	bahasa percakapan	konuşma dili

Kiek toch oet!

_____ fietste ik met Simone, een kennis van _____, door haar geboortedorp. Toen er onverwacht (plotseling) _____ jongetje overstak, riep ze: 'Kiek toch oet!' _____ kende die uitdrukking niet, maar ik begreep _____ dat ze in haar dialect had gesproken, _____ 'Kijk toch uit!' bedoelde. Toen we even _____ bij haar oom en tante op bezoek _____, begroetten die mij in het Nederlands, maar _____ als ze met elkaar praatten, gingen ze _____ het te beseffen over op hun dialect. _____, ik verstond er meteen niets meer van!

_____ spreekt dus een van de 28 dialecten _____ Nederland rijk is. Wat is een dialect? _____ is moeilijk om het verschil tussen taal _____ dialect aan te geven. De taalwetenschap zegt _____ taal en dialect gelijkwaardig zijn. Zo bezien _____ Simone dus twee talen. Ze beheerst de _____, die ze op school geleerd heeft, en _____ ze op radio en t.v. hoort _____ in de krant leest. Maar ze spreekt _____ een streektaal, de regionale taal, die ze _____ gebruikt bij contacten met familie en vrienden – _____ bij spontane reacties, zo blijkt.

Van de _____ van taal en dialect blijkt in de _____ weinig. Aan de ene kant (enerzijds) beschouwen _____ een dialect nog steeds als een afwijking _____ de norm. Simone hoeft bijvoorbeeld niet te _____ aan een carrière bij de radio of _____ t.v.: daar komt ze niet voor _____ aanmerking. 'Ik ben nog steeds onzeker als _____ Nederlands spreek, omdat ik bang ben dat _____ mijn dialect kunt herkennen. Toen ik zelf____ school zat, moest ik mijn accent van ____ leraar afleren. De onzekerheid die daaruit voortkomt ____ wel nooit overgaan. Ik geef nu zelf____ op een school, en ik heb uitspraaklessen ____ om wat meer zelfvertrouwen te krijgen!', aldus ____.

Aan de andere kant (anderzijds) worden steeds ____ dialectsprekers zich bewust van de waarde van ____ dialect, en gaan zij zich afzetten tegen ____ standaardtaal. Zo zijn Simones oom en tante ____ van de eigen dialect-cultuur. Zij vinden ____ standaardtaal stijf en formeel. Ze verwijten Simone ____ ze zich niet genoeg inzet voor het ____. Ze moet het gebruik, zowel mondeling als ____, op haar school propageren, vinden ze. Simone: '____ je dat ik mijn eigen dialect niet ____ kan lezen? Voor mij is het uitsluitend ____ spreektaal. En dialect spreken op school? Ik kiek wel oet (Dat ____)!'

Geef antwoord:

a. Wanneer spreekt Simone de standaardtaal?

b. In welke gevallen zijn dialect en standaardtaal niet gelijkwaardig?

c. Waar gaat de 3e alinea ('Aan de ene kant ...') over? En de 4e?

d. Moeten scholen volgens u iets doen aan het dialect van de streek?

e. Een leerboek, geschreven in een dialect, kan dat volgens u?

f. Was u vroeger wel eens onzeker over uw eigen taalgebruik?

Vul in of aan:

▪ Simone, een _____ van me, hoeft niet te denken aan _____ carrière bij de radio of de TV. _____ komt er gewoon niet voor in aanmerking, _____ ze een dialectspreker is. Ze heeft zelfs _____ genomen om haar accent af _____ leren en meer zelfvertrouwen te krijgen. Maar _____ blijft onzeker, als ze Nederlands spreekt. Zal _____ onzekerheid ooit overgaan?

▪ **Grammatica §12 'onregelmatige werkwoorden'**

Simone (mogen:) mocht vroeger op school geen dialect spreken. Daardoor (vergeten:) _____ ze toen haar dialect een beetje. Maar tegelijkertijd (blijven:) _____ ze onzeker als ze Nederlands (spreken:) _____. Toen ze werk (krijgen:) _____ op een school, (nemen:) _____ ze zelfs spraaklessen. Ze hoopte dat ze zo wat meer zelfvertrouwen (zullen:) _____ krijgen. Haar ouders (zeggen:) _____ in die tijd, dat ze niet genoeg aandacht (schenken:) _____ aan haar dialect. Ze (moeten:) _____ het op haar school propageren, vonden ze. Maar Simone (kijken:) _____ wel uit.

▪ Ik fietste met Simone door haar[1] geboortedorp, toen ze[2] 'Kiek toch oet!' riep. Ik kende die[3] uitdrukking[3] niet, maar begreep toch wat ze ermee[4] bedoelde. Toen we bij Simone d'r ouders op bezoek gingen, begroetten die[5] mij in het Nederlands, maar als ze[6] iets tegen elkaar zeiden, gingen ze telkens over op hun[7] dialect. Nou, ik verstond er[8] meteen niets meer van[8]!
1. *haar* = ...;   2. *ze* = ...;   3. *die uitdrukking* = ...;   enz.

| de ouders *van* Simone | = Simone*s* ouders | = Simone *d'r* ouders |
| de fiets *van* Jan | = Jan*s* fiets | = Jan *z'n* fiets |

23

Verzorgingsstaat

1   Als je in Nederland in een ziekenhuis of *kliniek* opgenomen wordt, kun je
    gerust zijn: er zijn geen problemen met het eten, *noch* (en ook niet; en
    evenmin) met de medicijnen. Je familie hoeft geen *maaltijden* te komen
    brengen of *verband* te *bezorgen*. Als je een *operatie* moet *ondergaan, hoeven* je
5   vrienden geen geld te geven om de *opname* te betalen, en ze hoeven niet
    naar de *zwarthandelaar* om *bloed* te kopen.
        Bij *lichamelijke* of *geestelijke* nood is een leger van artsen (doktoren,
    dokters), *psychologen* of *psychiaters* beschikbaar. Tegen de kosten van deze
    hulp kan iedereen *zich verzekeren, ofwel* (*hetzij*) bij een van de *ziekenfondsen,*
10 *ofwel* (*hetzij*) bij een *particuliere* maatschappij. Ouderen (*bejaarden*) hoeven
    niet door hun kinderen *onderhouden* of in huis opgenomen te worden. Er
    zijn speciale (*te*)*huizen*, waar ze hun oude dag geheel *verzorgd* kunnen
    doorbrengen. Nederland is een verzorgingsstaat: wat in andere *samenlevingen*
    gedaan wordt door de familie, is in Nederland een taak die *toegekend* wordt
15 aan openbare *instellingen*.
        Velen vinden het een voordeel dat dit soort *taken* vervuld worden door
    publieke organisaties. Iedereen krijgt zo dezelfde behandeling, en men kan
    zijn *onafhankelijkheid bewaren* ten opzichte van (t.o.v.) de familie als men
    ziek of oud wordt. Natuurlijk hoor je *klachten* over de *verzekeringspremies*.
20 Maar het bedrag dat de Nederlanders aan premies moeten *opbrengen*
    (betalen), blijkt ongeveer *even* (net zo) hoog te zijn *als* het bedrag dat ze
    zouden moeten betalen als ze zelf voor hun *familieleden* moesten zorgen!

	Dutch	English	French	German	Indonesian	Turkish
3355	verzorgingsstaat	welfare state	Etat-providence	Versorgungs-staat	negara-pelayanan	sosyalist devlet
3356	kliniek	clinic	clinique	Klinik	klinik	klinik
3357	gerust	at ease	tranquille	ruhig	tenang	için rahat edebilir
3358	noch	nor	ni	(weder) ... noch	maupun tidak	ne de
3359	evenmin	no more	non plus	ebensowenig	demikianpun tidak	nede
3360	maaltijden	meals	repas	Mahlzeiten	makanan	yemek(ler)
3361	verband	bandages	pansement	verband	balut	sargı
3362	bezorgen	procure	fournir	besorgen	membawakan	getirmeleri
3363	operatie	operation	opération	Operation	(- ondergaan) dioperasi	ameliyat
3364	ondergaan	undergo	subir	sich unterziehen	-----	olman gerekirse
3365	hoeven (te)	require (to)	doivent	brauchen (zu)	harus	gerekmez
3366	opname	admission	hospitalisation	Aufnahme	opname	hastaneye kabul
3367	zwarthandelaar	blackmarketeer	trafiquant	Schwarzhändler	tukang catut	karaborsacı
3368	bloed	blood	sang	Blut	darah	kan
3369	lichamelijke	physical	physique	körperliche	jasmaniah	bedensel
3370	geestelijke	mental	mentale	geistiger	rohaniah	ruhi
3371	psychologen	psychologists	psychologues	Psychologen	psikolog-psikolog	psikologlar
3372	psychiaters	psychiatrists	psychiatres	Psychiater	psikiater-psikiater	ruh doktorları
3373	zich verzekeren	insure themselves	s'assurer	sich versichern	mengasuransikan diri	sigorta ettirebilir
3374	ofwel ... ofwel	either ... or	ou ... ou	entweder ... oder	baik ... baik	ya...ya da
3375	hetzij ... hetzij	whether ... or	soit ... soit	entweder ... oder	baik ... maupun	ya...ya da
3376	ziekenfondsen	National Health Insurance funds	caisse d'assurance maladie	Krankenver-sicherungen	asuransi kesehatan rakyat	hastalık fonu
3377	particuliere	private	privé	private	swasta	özel
3378	bejaarden	the aged	personnes du 3ème âge	Betagte	orang yang sudah tua	yaşlılar
3379	onderhouden	maintained	entretenir	unterhalten	dihidupi	bakılmaları
3380	tehuizen	homes	maisons de retraite	Heimen	panti-panti	bakım evleri
3381	verzorgd	provided for	soignés	versorgt	sedang dilayani	bakım görebilecekleri
3382	doorbrengen	spend	passer	zubringen	melewatkan waktu	geçirebilecekleri
3383	samenlevingen	societies	sociétés	Gesellschaften	masyarakat-masyarakat	toplumlar
3384	toegekend (aan)	assigned (to)	accordé	zugewiesen (jm)	diserahkan (kepada)	verilmiş
3385	instellingen	institutions	institutions	Einrichtungen	lembaga-lembaga	kurumlar
3386	taken	tasks	tâches	Aufgaben	tugas-tugas	görevler
3387	publieke	public	publiques	öffentlichen	umum	kamu
3388	organisaties	organisations	organisations	Organisationen	organisasi-organisasi	kuruluşlar
3389	onafhankelijk-heid	independence	indépendance	Unabhängigkeit	kemandirian	bağımsızlık
3390	bewaren	retain	garder	bewahren	mempertahankan	koruyabilir
3391	klachten	complaints	plaintes	Klagen	keluhan-keluhan	şikayetler
3392	verzekerings-premies	insurance premiums	primes d'assurances	Versicherungs-premien	premi asuransi	sigorta primleri
3393	opbrengen	raise	rapporter	aufbringen	menghasilkan	ödemek
3394	even ... als	as ... as	aussi	ebenso ... wie	sama ...	eşit, aynı
3395	familieleden	members of (their) family	membres de leur famille	Familienmitglie-der	kerabat	aile fertleri

151

Er zijn echter ook *kritische geluiden*. Steeds meer mensen vinden het *onmenselijk* om *zieken* en bejaarden *op* te *bergen* in speciale *inrichtingen*.

25   Misschien willen oude mensen wel liever in hun eigen huis blijven wonen, om niet elk contact met de samenleving te verliezen. Maar dat kan niet, *tenzij* de *ambulante gezondheidszorg* (gezondheidszorg zonder opname in een ziekenhuis) uitgebreid wordt.

De overheid wil er echter geen taken bij hebben. Zij *dringt* er juist op *aan*
30   dat de familie meer doet. Men *hanteert* (gebruikt) in dit verband wel de uitdrukking '*zorgzame* samenleving'. Hiermee wordt bedoeld dat de mensen *zich* meer om hun *naasten* moeten *bekommeren*. Een mooi ideaal, in eerste instantie *ingegeven* door *overwegingen* van sociale aard; *doch* (maar) wellicht hebben ook financiële *aspecten* een rol *gespeeld*.

3396	kritische	critical	critiques	kritische	yang mengecam	tenkit eden
3397	geluiden	noises	opinions	Töne	suara-suara	sesler
3398	onmenselijk	inhuman	inhumain	unmenschlich	tidak manusiawi	insanlık dışı
3399	zieken	the sick	malades	Kranke	orang sakit	hastalar
3400	op ... bergen	put away	enfermer	abstellen	menyimpan	kaldırmak
3401	inrichtingen	institutions	établissements	Anstalten	yayasan-yayasan	kuruluşlar
3402	tenzij	unless	sauf si	außer wenn	kecuali kalau	meğer ki
3403	ambulante	ambulant	ambulatoire	ambulante	yang berkeliling	gezici
3404	gezondheids-zorg	health care	soin de santé	Gesundheits-fürsorge	pelayanan kesehatan	sağlık hizmetleri
3405	dringt ... aan (op)	insists (on)	insiste (pour)	drängt (darauf)	mendesak	ısrar ediyor
3406	hanteert	applies	utilise	bedient sich (des)	mempergunakan	kullanılmaktadır
3407	zorgzame	caring	attentive	fürsorglich	penuh perhatian	itinalı
3408	zich bekom-meren (om)	care (about)	se soucier (de)	sich kümmern (um)	mempedulikan (akan)	ilgilenmelidirler
3409	naasten	neighbours	proches	Mitmenschen	sesama manusia	yakınlar
3410	ingegeven	inspired	inspiré	eingeflößt	diilhamkan	oluşmuş
3411	overwegingen	considerations	considérations	überlegungen	pertimbangan	düşünceler
3412	doch	but	mais	doch	akan tetapi	fakat
3413	aspecten	aspects	aspects	Aspekte	aspek-aspek	faktörler
3414	gespeeld	played	joués	gespielt	(een rol-) berperanan	oynadı

Verzorgingsstaat

Als je in Nederland _____ een ziekenhuis of kliniek opgenomen
wordt, _____ je gerust zijn: er zijn geen problemen _____ het eten, noch
(en ook niet; en _____) met de medicijnen. Je familie hoeft geen _____ te
komen brengen of verband te bezorgen. _____ je een operatie moet
ondergaan, hoeven je _____ geen geld te geven om de opname _____
betalen, en ze hoeven niet naar de _____ om bloed te kopen.

Bij lichamelijke of _____ nood is een leger van artsen (doktoren,
_____), psychologen of psychiaters beschikbaar. Tegen de kosten _____
deze hulp kan iedereen zich verzekeren, ofwel (_____) bij een van de
ziekenfondsen, ofwel (hetzij) _____ een particuliere maatschappij.
Ouderen (bejaarden) hoeven niet _____ hun kinderen onderhouden of in
huis opgenomen _____ worden. Er zijn speciale (te)huizen, waar _____
hun oude dag geheel verzorgd kunnen doorbrengen. _____ is een
verzorgingsstaat: wat in andere _____ gedaan wordt door de familie, is in
Nederland een _____ die toegekend wordt aan openbare _____.

Velen vinden het een voordeel dat dit soort _____ vervuld worden door
publieke organisaties. Iedereen krijgt _____ dezelfde behandeling, en

men kan zijn onafhankelijkheid _____ ten opzichte van (t.o.v.) de _____ als men ziek of oud wordt. Natuurlijk _____ je klachten over de verzekeringspremies. Maar het _____ dat de Nederlanders aan premies moeten opbrengen (_____), blijkt ongeveer even (net zo) hoog te _____ als het bedrag dat ze zouden moeten _____ als ze zelf voor hun familieleden moesten _____!

Er zijn echter ook kritische geluiden. Steeds _____ mensen vinden het onmenselijk om zieken en _____ op te bergen in speciale inrichtingen. Misschien _____ oude mensen wel liever in hun eigen _____ blijven wonen, om niet elk contact met _____ samenleving te verliezen. Maar dat kan niet, _____ de ambulante gezondheidszorg (gezondheidszorg zonder opname in _____ ziekenhuis) uitgebreid wordt.

De overheid wil er _____ geen taken bij hebben. Zij dringt er _____ op aan dat de familie meer doet. _____ hanteert (gebruikt) in dit verband wel de _____ 'zorgzame samenleving'. Hiermee wordt bedoeld dat de _____ zich meer om hun naasten moeten bekommeren. _____ mooi ideaal, in eerste instantie ingegeven door _____ van sociale aard; doch (maar) wellicht hebben _____ financiële aspecten een rol gespeeld.

Geef antwoord:

a. Wat zijn de verschillen tussen een verzorgingsstaat en een zorgzame samenleving? Waar woont u liever?
b. Wat wordt bedoeld met de laatste zin van deze tekst?
c. Wat zou u kiezen: in uw eigen land naar het ziekenhuis, of in Nederland?
d. Wie betaalt de kosten van een ziekenhuisopname in uw land?
e. Kunt u iets vertellen over de rol van het gezin en de familie in uw land?

Vul in of aan:

Nederland is een verzorgingsstaat. Mensen ____ zieke of bejaarde ouders kunnen gerust zijn: ____ hoeven hun vader en moeder niet te onderhouden of ____ huis op te nemen. Veel taken die ____ andere samenlevingen worden toegekend aan de familie, ____ in Nederland vervuld door openbare instellingen (publieke ____).

Grammatica §17 'woordvolgorde: omdat – daarom'

Dan (= *Als je in een Nederlands ziekenhuis opgenomen wordt,*) kun je gerust zijn.

Dan (= *Wanneer .... operatie ....,*) hoeven je vrienden niets te betalen.

Daarom (= *Omdat .... speciale tehuizen ....,*) hoeven kinderen hun ouders niet in huis op te nemen.

Daardoor (= *Doordat .... opgeborgen zijn,*) verliezen ze elk contact met de samenleving.

veel *mensen*	= velen		bejaarde *mensen*	= bejaarden	
alle *mensen*	= allen		werkeloze *mensen*	= werkelozen	
weinig *mensen*	= weinigen		volwassen *mensen*	= volwassenen	

Discussie-opdracht

Bespreek de traditionele en alternatieve geneeswijzen die u kent.

Schrijfopdracht

Bespreek in 150 woorden de voor- en nadelen van de verzorgingsstaat.

24

Aan het werk?

1 Begin jaren 90. 6 Miljoen mensen in Nederland verrichten betaald werk.
Zij vormen 59% van de totale *beroepsbevolking*, en vragen zich af: kan die
41% niet eens aan het werk?

Het aantal mensen boven de 55 jaar dat betaald werk heeft, is in
5 Nederland *relatief* (*betrekkelijk*) *laag*. Velen zijn 'met de VUT'. Ze zijn vóór
hun 65e *Vervroegd Uitge Treden*, en worden in *ruil* hiervoor *doorbetaald* door
hun *werkgever*. Velen hebben het erg prettig (naar hun zin), maar voor
anderen was de VUT-*regeling* het enige *alternatief* voor *ontslag*. Ze konden
de nieuwe ontwikkelingen in hun bedrijf niet *volgen* – in het *bedrijfsleven*
10 ben je tegenwoordig snel *verouderd*. *Overbodig* geworden zitten ze thuis, en
ze vragen zich af: mag ik nu nooit meer aan het werk?

Ook het aantal vrouwen dat een vak *uitoefent* is in Nederland opvallend
klein. Vrouwen met kleine kinderen *treden massaal* uit het *arbeidsproces*.
Sommigen *geven* hun baan *op* omdat ze bang zijn dat hun kind schade
15 ondervindt als het zo jong aan de zorg van anderen *overgelaten* wordt.
Anderen *evenwel* zouden liever – eventueel *parttime* – *doorwerken*. Maar dat
is moeilijk, omdat de *kinderopvang* door de overheid en de bedrijven zo
slecht geregeld is. Voor de *officiële kinderdagverblijven* (*crèches*) zijn er
wachttijden van 1 *à* 2 jaar. Je hebt alleen kans als je je kind lang voor de
20 geboorte hebt *ingeschreven* – en dan nog *vis* je vaak achter het *net* (*grijp* je er
vaak naast). Veel moeders *wijden zich* aan het *huishouden*, maar vragen zich
af: kan ik straks wel weer aan het werk?

Een andere oorzaak van de *scheve werkverhoudingen* is het grote aantal

3415	aan het werk	to work	au travail	an die Arbeit	bekerja	çalış
3416	beroepsbevol- king	working population	population active	Erwerbstätigen	para tenaga kerja	çalışan halk
3417	relatief	relatively	relativement	relativ	relatif	nispeten

3418	betrekkelijk	comparatively	relativement	verhältnismäßig	nisbi	nispeten
3419	laag	low	bas	niedrig	kecil	düşük
3420	vervroegd	early	anticipée	vorzeitig	sebelum umur pensiun	erken
3421	uitgetreden	retired	prennent (leur) retraite	ausgeschieden	berhenti	çıktılar
3422	ruil	exchange	échange	Tausch	(in -) sebagai penggantian	karşılığında
3423	doorbetaald	continue to be paid	(continuent à être) payés	weiterbezahlt	dibayarkan terus	maaş alıyorlar
3424	werkgever	employer	employeur	Arbeitgeber	majikan	işveren
3425	regeling	regulation	règlement	Abmachung	peraturan	düzenleme
3426	alternatief	alternative	alternative	Ausweg	alternatif	alternetif
3427	ontslag	resignation	licenciement	Entlassung	pemecatan	işten çıkarılma
3428	volgen	follow	suivre	folgen	(niet -) ketinggalan	takip edemediler
3429	bedrijfsleven	industry	entreprise	Wirtschaft	dunia perusahaan	iş hayatı
3430	verouderd	obsolete	vieilli	veraltet	tertinggal	yaşlanılır
3431	overbodig	redundant	inutiles	überflüssig	berlebih	fazla, gereksiz
3432	uitoefent	practise	exerce	ausübt	(een vak -) bekerja	çalışan
3433	treden	step	quittent	treten	(- uit) berhenti	ayrılıyorlar
3434	massaal	en masse	massivement	massal	dalam jumlah besar	topluca
3435	arbeidsproces	employment process	vie active	Arbeitsprozeß	proses kerja	iş dünyası
3436	geven ... op	give up	abandonnent	geben auf	menghentikan	terk ederler
3437	overgelaten (aan)	left (to)	laissé (à)	überlassen	diserahkan	bırakılmış
3438	evenwel	however	cependant	allerdings	akan tetapi	buna karşılık
3439	parttime	part-time	à temps partiel	Teilzeit	penggal waktu	yarım günlük
3440	doorwerken	continue working	continuer à travailler	weiterarbeiten	melangsungkan pekerjaan	çalışmaya devam
3441	kinderopvang	child care facilities	accueil des enfants	Kinderhort	penitipan anak-anak	çocuk bakımı
3442	officiële	official	officielles	offizielle	yang resmi	resmi
3443	kinderdagverblij-ven	day nurseries	crèches	Kindertagesstät-te	tempat penitipan anak-2 -	çocuk bakım evleri
3444	crèches	crèches	crèches	Kinderkrippen	- pada siang hari	kreşler
3445	wachttijden	waiting periods	temps d'attente	Wartezeiten	waktu tunggu	bekleme süresi
3446	à	to	à	a	antara ... dan ...	ila
3447	ingeschreven	enrolled	inscrit	eingeschrieben	didaftarkan	kaydettirirsen
3448	vis (achter het net)	fish (miss the boat)	pêche (rater l'occasion)	fischt	menjaring (tanpa hasil)	balık tutarsın
3449	net	net	filet	Netz	jaring	ağ
3450	grijp (ernaast)	clutch	attrapes	greifst (ins Leere)	menangkap	kaçırırsın
3451	wijden zich (aan)	dedicate them-selves (to)	se consacrent (au)	widmen sich	mencurahkan tenaganya (pada)	adıyorlar
3452	huishouden	housekeeping	ménage	Haushalt	rumah tangga	ev işleri
3453	scheve	skewed	fausses	schiefe	yang tak seimbang	hatalı
3454	werkverhoudin-gen	work ratios	proportions d'actifs	Arbeitsverhält-nisse	rasio pekerjaan	iş orantıları

mensen dat 'in de WAO loopt', de Wet *ArbeidsOngeschiktheid*. Is de
25 *gezondheid* van al die WAO-ers echter wel zo slecht? Vaak wordt gezegd
dat ze *energie* genoeg hebben, maar niet aan het werk wíllen. Ook de
werkgevers worden ervan *verdacht* de wet te *misbruiken*, als alternatief voor
ontslag. Daarnaast is het *buitengewoon* moeilijk om weer gezond *verklaard* te
worden, als je *eenmaal* bent *afgekeurd*. Veel WAO-ers zitten thuis, en
30 vragen zich af: hoef ik dan nooit meer aan het werk?

De volgende categorie die we in de *beschouwing* moeten *betrekken*, zijn de
culturele minderheden. De *werkeloosheid* onder hen is bijzonder hoog.
Vaak gaat het om laag- of niet-*geschoolden*, maar ook hoog- tot zeer hoog-
geschoolde allochtonen worden tot hun *verbazing* dikwijls niet aangenomen.
35 Ze blijven thuis, en vragen zich af: wanneer mag ik eens aan het werk?

Er zijn natuurlijk ook mensen die liever *lui* dan *moe* zijn. *Geen wonder!*
Het sociale *stelsel* in Nederland is uitstekend (voortreffelijk), en vaak is
steun (een *uitkering*) *trekken* voordeliger dan een baan accepteren. Zij *zien*
met angst de tijd *tegemoet* waarin de voorzieningen naar een lager *peil*
40 zullen worden gebracht. Ze *houden hun hart vast*, en vragen zich af: moet ik
dan heus (echt) aan het werk?

3455	arbeidsonge-schiktheid	unfitness for work	incapacité de travail	Arbeitsunfähig-keit	ketidakmampuan bekerja	işgöremezlik
3456	gezondheid	health	santé	Gesundheit	kesehatan	sağlık
3457	energie	energy	énergie	Energie	kegiatan	enerji
3458	verdacht (van)	suspected (of)	suspectés (de)	(davon) verdächtigt	dicurigai	itham ediliyorlar
3459	misbruiken	misuse	abuser	mißbrauchen	menyalahgunakan	yolsuz kullanmak
3460	buitengewoon	extraordinarily	extrêmement	außergewöhn-lich	sangat	çok, oldukça
3461	verklaard	declared	déclaré	erklärt	dinyatakan	beyan edilmesi
3462	eenmaal	once	une fois	einmal	sudah	bir kere
3463	afgekeurd	rejected	déclaré inapte	für untauglich erklärt	dinyatakan sakit	çürüğe çıkmak
3464	beschouwing	consideration	considération	Betrachtung	pengamatan	hesaba
3465	betrekken	take into	prendre (en)	einbeziehen	memasukkan	katmamız gereken
3466	werkeloosheid	unemployment	chômage	Arbeitslosigkeit	pengangguran	işsizlik
3467	geschoolden	educated people	qualifiés	geschulte	tenaga trampil	eğitimli
3468	geschoolde	educated	qualifiés	geschulte	berpendidikan	eğitimli
3469	verbazing	surprise	étonnement	Erstaunen	keheranan	şaşkınlık
3470	lui	lazy	paresseux	faul	malas	tembel
3471	moe	tired	fatigués	müde	cape	yorgun
3472	geen wonder	no wonder	pas étonnant	kein Wunder	tidak heran	hiç şaşmayın
3473	stelsel	system	système	Gefüge	sistim	sistem
3474	uitkering	benefit	allocation	Sozialhilfe	tunjangan	ödenek
3475	trekken	drawing	recevoir	genießen	menerima	almak
3476	zien ... tegemoet	look forward to	envisagent	sehen entgegen	menantikan	bakıyorlar
3477	peil	standard	niveau	Niveau	tingkat	seviye
3478	houden hun hart vast	hold their breath	ont très peur	ihnen wird bange	amat khawatir	korkuyorlar

Aan het werk?

Begin jaren _____. 6 Miljoen mensen in Nederland verrichten
betaald _____. Zij vormen 59% van de totale beroepsbevolking, _____
vragen zich af: kan die 41% niet _____ aan het werk?

Het aantal mensen boven _____ 55 jaar dat betaald werk heeft, is _____
Nederland relatief (betrekkelijk) laag. Velen zijn 'met _____ VUT'. Ze
zijn vóór hun 65e Vervroegd _____, en worden in ruil hiervoor
doorbetaald door _____ werkgever. Velen hebben het erg prettig
(naar _____ zin), maar voor anderen was de VUT-_____ het enige
alternatief voor ontslag. Ze konden _____ nieuwe ontwikkelingen in hun
bedrijf niet volgen – _____ het bedrijfsleven ben je tegenwoordig snel
verouderd. _____ geworden zitten ze thuis, en ze vragen _____ af: mag ik
nu nooit meer aan _____ werk?

Ook het aantal vrouwen dat een _____ uitoefent is in Nederland opvallend klein. Vrouwen _____ kleine kinderen treden massaal uit het arbeidsproces. _____ geven hun baan op omdat ze bang _____ dat hun kind schade ondervindt als het _____ jong aan de zorg van anderen overgelaten _____. Anderen evenwel zouden liever – eventueel parttime – doorwerken. _____ dat is moeilijk, omdat de kinderopvang door _____ overheid en de bedrijven zo slecht geregeld _____. Voor de officiële kinderdagverblijven (crèches) zijn er _____ van 1 à 2 jaar. Je hebt _____ kans als je je kind lang voor _____ geboorte hebt ingeschreven – en dan nog vis _____ vaak achter het net (grijp je er _____ naast). Veel moeders wijden zich aan het _____, maar vragen zich af: kan ik straks _____ weer aan het werk?

Een andere oorzaak _____ de scheve werkverhoudingen is het grote aantal _____ dat 'in de WAO loopt', de Wet _____. Is de gezondheid van al die _____ echter wel zo slecht? Vaak wordt gezegd _____ ze energie genoeg hebben, maar niet aan _____ werk willen. Ook de werkgevers worden ervan _____ de wet te misbruiken, als alternatief voor _____. Daarnaast is het buitengewoon moeilijk om weer _____ verklaard te worden, als je eenmaal bent _____. Veel WAO-ers zitten thuis, en vragen _____ af: hoef ik dan nooit meer aan _____ werk?

De volgende categorie die we in _____ beschouwing moeten betrekken zijn de culturele minderheden. _____ werkeloosheid onder hen is bijzonder hoog. Vaak gaat _____ om laag- of niet-geschoolden, maar ook _____- tot zeer hoog-geschoolde allochtonen worden tot _____ verbazing dikwijls niet aangenomen. Ze blijven thuis, _____ vragen zich af: wanneer mag ik eens _____ het werk?

Er zijn natuurlijk ook mensen _____ liever lui dan moe zijn. Geen wonder! _____ sociale stelsel in Nederland is uitstekend (voortreffelijk), _____ vaak is steun (een uitkering) trekken voordeliger _____ een baan accepteren. Zij zien met angst _____ tijd tegemoet waarin de voorzieningen naar een _____ peil zullen worden gebracht. Ze houden hun _____ vast, en vragen zich af: moet ik _____ heus (echt) aan het werk?

Geef antwoord:

a. Noem vijf oorzaken van de scheve werkverhoudingen in Nederland.

b. 'In het bedrijfsleven verouder je snel': wat wordt hiermee bedoeld?

c. Hoe is de positie van vrouwen op de arbeidsmarkt in uw land?

d. Zoudt u uw kinderen naar een crèche brengen?

e. Welke taak heeft vader bij het verzorgen van de kinderen?

Vul in of aan:

■ Mijn vrouw heeft een _____ baan, maar ik zit al 2 jaar _____ werk. Tot mijn verbazing zijn er mensen _____ denken dat ik liever lui _____ moe ben. Ik wijd me _____ het huishouden en aan de verzorging van _____ kinderen. Mijn vrouw is namelijk niet bang _____ haar kinderen schade ondervinden als ze zo _____ aan de zorg van een ander worden _____. Bovendien hoefden onze kinderen zo niet op een wachtlijst _____ staan!

■ **Let op: alternatief (voor), overlaten (aan), in ruil (voor), zich wijden (aan):**

Een nieuw _____ voor het pensioen is de VUT. Men treedt dan vervroegd _____, en laat het werk over _____ jongere generaties; _____ ruil hiervoor betaalt de werkgever door. Eindelijk _____ om je te wijden aan een hobby!

---

geworden bent = bent geworden

Je kunt met de VUT voordat je 65 *geworden bent/bent geworden*.
Kunnen jonge kinderen aan anderen *overgelaten worden/worden overgelaten?*
Als je je kind maar vroeg genoeg *ingeschreven hebt/hebt ingeschreven!*
Ik ben bang dat de voorzieningen naar een lager peil *gebracht zullen worden/zullen worden gebracht.*

25

Is Nederland ziek?

1　Uit een recente internationale *enquête kwam naar voren* (bleek) dat
Nederland een van de meest criminele landen ter (in de) wereld zou zijn.
Deze *uitkomst riep* nogal wat *verzet* (*protest*) *op*, vooral toen bleek dat hij
onder meer *gebaseerd* was op het *extreem* grote aantal *fietsendiefstallen*. Welke
5　conclusie moet je hier nu uit trekken? Dat het met de criminaliteit in
Nederland wel *meevalt?*

Zoals vaak ligt ook hier de *waarheid* in het midden. Het valt niet te
ontkennen dat veel Nederlanders *zich* wel eens *schuldig maken* aan een
overtreding. Bijna (haast) iedereen rijdt immers wel eens met te hoge
10　*snelheid* over de *snelweg*, of *fietst* in het donker zonder *licht*. En hoeveel
mensen zijn er niet die '*zwart* rijden' in bus of tram heel normaal vinden?
Er is toch nauwelijks *controle*. Ook zijn er mensen die de belasting *ontduiken*
door slechts een deel van hun *inkomen op* te *geven*. 'Nederland is ziek',
zeggen daarom sommige politici. Ze *bedoelen* daarmee dat het *normbesef*
15　van de Nederlandse *burger* (het onderscheid dat deze maakt tussen wat
mag en niet mag) *aan het vervagen is*.

Deze *mentaliteit* (*instelling*, houding) maakt Nederland echter nog niet
tot een *onveilig* en *crimineel* land. Daar staat tegenover dat de *toename*
(*stijging*) van zware criminaliteit in Nederland, evenals in andere
20　Westeuropese landen, bijzonder groot is en als een van de grootste
maatschappelijke problemen wordt *ervaren* (beschouwd). Tegenwoordig
loop je inderdaad veel meer kans om het *slachtoffer* te worden van een of
ander *misdrijf* dan 25 jaar geleden. Vooral in de grotere *gemeenten* voelen
mensen zich *bedreigd*. Veel vrouwen durven daar 's avonds niet alleen over
25　straat uit angst voor *geweld*.

3479	enquête	survey	enquête	Untersuchung	angket	anket
3480	kwam naar voren	appeared	paraît que	kam zutage	ternyata	belirlendi
3481	uitkomst	result	résultat	Ausschlag	hasil	sonuç
3482	riep ... op	evoked	soulevait	weckte	menimbulkan	yol açtı
3483	verzet	opposition	opposition	Widerstand	sanggahan	tepki
3484	protest	protest	protestation	Protest	protes	protesto
3485	gebaseerd (op)	based (on)	basé (sur)	beruhte (auf)	berdasarkan (atas)	(temeline) dayandırılmış
3486	extreem	extremely	extrêmement	außergewöhn-lich	yang kelewat	aşırı
3487	fietsendiefstal-len	bicycle thefts	vols de bicyclettes	Fahrraddieb-stähle	pencurian sepeda	bisiklet hırsızlıkları
3488	meevalt	is better than expected	ça va quand même	nicht so schlimm ist	tidak terlalu gawat	fena değildir
3489	waarheid	truth	vérité	Wahrheit	kebenaran	gerçek
3490	zich schuldig maken (aan)	find themselves guilty (of)	se rendent cou-pables (de)	s. schuldig machen	memperlakukan	suçlu duruma düşer
3491	overtreding	transgression	infraction	übertretung	pelanggaran	kanunları ihlal
3492	snelheid	speed	vitesse	Geschwindigkeit	kecepatan	sürrat, hız
3493	snelweg	highway	autoroute	Schnellweg	jalan lintas	otoban
3494	fietst	cycles	roule à bicyclette	radelt	naik sepeda	bisiklet sürer
3495	licht	light	lumière	Licht	lampu menyala	ışık
3496	zwart	black	sans payer	schwarz	tanpa membayar	para ödemeden
3497	controle	check	contrôle	Kontrolle	pangawasan	kontrol
3498	ontduiken	dodge	fraudent	hinterziehen	menghindari	(vergi) kaçırmak
3499	inkomen	income	revenus	Einkommen	pendapatan	gelir
3500	op ... geven	declare	déclarer	angeben	melaporkan	bildirmek
3501	bedoelen	mean	veulent	meinen	memaksudkan	demek istiyorlar
3502	normbesef	notion of standards	sens de la norme	Moral	keinsafan norma	norm bilinci
3503	burger	citizen	citoyen	Bürger	warga	vatandaş
3504	vervagen	becoming indistinct	s'estomper	verschwimmen	meluntur	kaybolmak
3505	aan het ... is	is ... -ing	est en train de	am ... ist	sedang	-tadır
3 506	mentaliteit	mentality	mentalité	Mentalität	mentalitas	mentalite
3507	instelling	attitude	attitude	Einstellung	semangat	zihniyet
3508	onveilig	unsafe	dangereux	unsicheres	tidak aman	güvenliksiz
3509	crimineel	criminal	criminel	kriminelles	jahat	suça eğilimli
3510	toename	increase	augmentation	Zunahme	pertambahan	artış
3511	stijging	rise	hausse	Anstieg	kenaikan	artış
3512	maatschappelij-ke	social	sociaux	gesellschaft-lichen	masyarakat	toplumsal
3513	ervaren	experienced	font l'expérience	erfahren	dianggap	görülüyor
3514	slachtoffer	victim	victime	Schlachtopfer	korban	kurban
3515	misdrijf	misdemeanour	délit	Verbrechen	kejahatan	suç
3516	gemeenten	municipalities	municipalités	Gemeinden	kotamadya	belediyeler
3517	bedreigd	threatened	menacés	bedroht	terancam	tehlike içinde
3518	geweld	violence	violence	Gewalt	kekerasan	şiddet

Een probleem dat vaak met criminaliteit *in verband* wordt *gebracht*, is het *druggebruik*. *Met name* vanuit het buitenland hoor je soms negatieve (kritische) geluiden over de liberale houding van de Nederlandse *justitie* ten aanzien van druggebruik en -handel. Niet alleen vindt men de *straffen* te *licht*, ook *uit* men kritiek op de *tolerante* houding ten aanzien van de *gebruikers* van *softdrugs*.

Toch lijkt deze kritiek *onterecht*. De Nederlandse overheid *voert* een *twee-sporenbeleid*. Enerzijds wordt *getracht* de handel in *harddrugs* zo streng mogelijk *aan* te *pakken*; *rechters leggen* zware *gevangenisstraffen op* aan degenen die harddrugs *verhandelen*. Anderzijds worden *verslaafden* zoveel mogelijk *geholpen*. In plaats van deze mensen als *misdadiger* of als *ongeneeslijk* patiënt te zien, wordt de *nadruk gelegd* op het oplossen van de *psychische* en sociale problemen die de *aanleiding vormden* tot de *verslaving*.

Ook wordt niet *opgetreden* tegen softdruggebruikers. In tegenstelling tot wat men vaak denkt, levert het gebruik van softdrugs namelijk minder gevaar op voor de gezondheid of maatschappij dan het gebruik van alcohol. Zo valt te verklaren waarom 'coffeeshops' in de Amsterdamse *binnenstad getolereerd* worden.

3519	in verband gebracht	associated (with)	lié (à)	in Zusammen-hang gebracht	dihubungkan (dng)	bağdaştırılan
3520	druggebruik	drugs use	toxicomanie	Rauschgiftkon-sum	percanduan	uyuşturucu kullanımı
3521	met name	specifically	notamment	vor allem	terutama	özellikle
3522	justitie	justice	justice	Justiz	kehakiman	adliye
3523	straffen	punishments	condamnations	Strafen	hukuman-2	cezalar
3524	licht	light	légères	leicht	ringan	hafif
3525	uit	expresses	exprime	äußert	diungkapkan	ediliyor
3526	tolerante	tolerant	tolérant	tolerante	toleran	hoşgörülü
3527	gebruikers	users	consommateurs	Verbraucher	pemakai-pemakai	kullananlar
3528	softdrugs	soft drugs	drogues douces	weiche Drogen	candu lunak	hafif uyuşturucular
3529	onterecht	unjustified	injuste	zu Unrecht	tidak tepat	haksız
3530	voert	carries out	mène	führt	melangsungkan	sürdürüyor
3531	twee-sporenbeleid	two-way policy	politique à deux voies	zweispurige Politik	kedwibijaksanaan	iki taraflı politika
3532	getracht	endeavoured	(on) cherche (à)	gestrebt	dicoba	çalışılıyor
3533	harddrugs	hard drugs	drogues dures	harte Drogen	obat bius	kuvvetli uyuşturucular
3534	aan ... pakken	tackle	s'attaquer (au)	angreifen	mencegah	önlemek
3535	rechters	judges	juges	Richter	hakim-hakim	hakimler
3536	leggen ... op	impose	infligent	auferlegen	mengenakan	veriyorlar
3537	gevangenis-straffen	prison sentences	peines de prison	Gefängnisstra-fen	hukuman penjara	hapis cezaları
3538	verhandelen	deal in	trafiquent	handeln (mit)	memperdagang-kan	ticaretini yapan
3539	verslaafden	addicts	drogués	Versklafte	pecandu-pecandu	müptelalar
3540	geholpen	helped	aidés	geholfen	ditolong	yardım görüyorlar
3541	misdadiger	criminal	criminel	Verbrecher	penjahat	suçlu
3542	ongeneeslijk	incurable	incurable	unheilbar	yang tak tersembuhkan	tedavisi imkansız
3543	nadruk	emphasis	accent	Betonung	ditekankan	vurgu
3544	gelegd	laid	mis	gelegt	-----	-ladı
3545	psychische	psychic	psychiques	psychischer	psikhis	ruhsal
3546	aanleiding	motivation	(l') origine (de)	Anlaß (Anstoß)	alasan	sebep
3547	vormden	formed	étaient (à)	bildeten (gaben)	merupakan	olan
3548	verslaving	addiction	toxicomanie	Versklavung	kecanduan	alışkanlık
3549	opgetreden	proceeded	(on) intervient	aufgetreten	diambil tindakan	eyleme geçmek
3550	binnenstad	city centre	centre-ville	Innenstadt	pusat kota	şehri merkezi
3551	getolereerd	tolerated	tolérés	geduldet	dibiarkan	müsaade edildiğini

Is Nederland ziek?

Uit een _____ internationale enquête kwam naar voren (bleek) _____
Nederland een van de meest criminele landen ter (_____ de) wereld zou
zijn. Deze uitkomst riep _____ wat verzet (protest) op, vooral toen
bleek _____ hij onder meer gebaseerd was op het _____ grote aantal
fietsendiefstallen. Welke conclusie moet je _____ nu uit trekken? Dat het
met de _____ in Nederland wel meevalt?

   Zoals vaak ligt _____ hier de waarheid in het midden. Het _____ niet te ontkennen dat veel Nederlanders zich _____ eens schuldig maken aan een overtreding. Bijna (_____) iedereen rijdt immers wel eens met te _____ snelheid over de snelweg, of fietst in _____ donker zonder licht. En hoeveel mensen zijn _____ niet die 'zwart rijden' in bus _____ tram heel normaal vinden? Er is toch _____ controle. Ook zijn er mensen die de _____ ontduiken door slechts een deel van hun _____ op te geven. 'Nederland is ziek', zeggen _____ sommige politici. Ze bedoelen daarmee dat het _____ van de Nederlandse burger (het onderscheid dat _____ maakt tussen wat mag en niet mag) _____ het vervagen is.

Deze mentaliteit (instelling, houding) _____ Nederland echter nog niet tot een onveilig _____ crimineel land. Daar staat tegenover dat de _____ (stijging) van zware criminaliteit in Nederland, evenals _____ andere Westeuropese landen, bijzonder groot is en _____ een van de grootste maatschappelijke problemen wordt _____ (beschouwd). Tegenwoordig loop je inderdaad veel meer _____ om het slachtoffer te worden van een _____ ander misdrijf dan 25 jaar geleden. Vooral _____ de grotere gemeenten voelen mensen zich bedreigd. _____ vrouwen durven daar 's avonds niet alleen _____ straat uit angst voor geweld.

Een probleem _____ vaak met criminaliteit in verband wordt gebracht, _____ het druggebruik. Met name vanuit het buitenland _____ je soms negatieve (kritische) geluiden over de _____ houding van de Nederlandse justitie ten aanzien _____ druggebruik en -handel. Niet alleen vindt men _____ straffen te licht, ook uit men kritiek _____ de tolerante houding ten aanzien van de _____ van softdrugs.

Toch lijkt deze kritiek onterecht. _____ Nederlandse overheid voert een twee-sporenbeleid. Enerzijds _____ getracht de handel in harddrugs zo streng _____ aan te pakken; rechters leggen zware gevangenis- straffen _____ aan degenen die harddrugs verhandelen. Anderzijds worden _____ zoveel mogelijk geholpen. In plaats van deze _____ als misdadiger of als ongeneeslijk patiënt te _____, wordt de nadruk gelegd op het oplossen _____ de psychische en sociale problemen die de _____ vormden tot de verslaving. Ook wordt niet _____ tegen softdruggebruikers. In tegenstelling tot wat men _____ denkt, levert het gebruik van softdrugs namelijk _____ gevaar op voor de gezondheid of maatschappij _____ het gebruik van alcohol. Zo valt te _____ waarom 'coffeeshops' in de Amsterdamse binnenstad getolereerd _____.

166

Geef antwoord:

a. 'Nederland is ziek'. Wat bedoelt men met die uitspraak?
b. Zijn er nog meer overtredingen die veel mensen weleens begaan?
c. Hoe zit het met de zogenaamde 'kleine criminaliteit' in uw land?
d. Hoe probeert de Nederlandse overheid het drugprobleem op te lossen?
e. Is de handel in drugs belangrijk voor de economie van uw land?
f. Is Nederland veiliger of onveiliger dan uw land?

Vul in of aan:

wat – dat – of – toen

Uit de enquête bleek _____ Nederland een zeer crimineel land is. _____ ik echter in de krant las dat deze uitkomst gebaseerd was op de diefstal van fietsen, begon ik eraan te twijfelen _____ die conclusie wel juist was. Ik vroeg mij af _____ de Nederlanders echt zo crimineel zijn. Maar weet je _____ er nu weer in de krant staat? _____ de jeugdcriminaliteit de laatste tien jaar zo gestegen is! Bij de jongens met 10%, en bij de meisjes maar liefst met 40%! _____ ik dat las, wist ik helemaal niet meer _____ ik ervan denken moest!

Grammatica §15 'woordvolgorde: hebben … gewoond'

Er is een enquête *onder de bevolking* gehouden.
Er is een enquête gehouden *onder de bevolking*.
Wat is er *uit die enquête* naar voren gekomen?
Wat is er naar voren gekomen *uit die enquête?*
Het bleek dat het *met de criminaliteit* wel meeviel.
Het bleek dat het wel meeviel *met de criminaliteit*.

Maak zinnen:

3 zinnen met: gereden/op de snelweg/nog nooit/heb/ik/zo hard
3 zinnen met: wordt/veel kritiek/(er)/op het Nederlandse drugbeleid/geuit

26

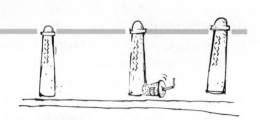

Amsterdam

1 Amsterdam is de hoofdstad, en tevens de bekendste en grootste stad van Nederland. De stad ontstond rond een *dam* in de *rivier* de Amstel, en *dankt* daaraan zijn naam. Veel Nederlandse dorpen en steden zijn op *vergelijkbare* wijze *ontstaan*. Als u een *plaatsnaam* met -dam erin *tegenkomt*,
5 weet u dus waarom die zo samengesteld is.

De stad is erg *in trek*, vooral bij *toeristen*. Zelfs wie slechts voor één dag in Nederland is, *slaat* Amsterdam zelden *over*. Door de *komst* van die *bezoekers* zijn de *hotels* gemiddeld voor 70 à 80 % *bezet*. Vooral 's zomers hoor je dan ook weinig Nederlands op straat.

10 Wat maakt Amsterdam zo de moeite *waard* (zo aantrekkelijk)? Veel jongeren zal het misschien gaan om de vrijheid van *handelen* die ze in Amsterdam hebben. Inderdaad is die vrijheid er in ruime mate, onder andere (o.a.) op *seksueel* gebied en ten aanzien van (t.a.v.) *drugs*. Anderen zullen *geïnteresseerd* zijn in (*aangetrokken* worden door) de *voordelen* die de
15 stad op *zakelijk* terrein biedt. Veel buitenlandse ondernemingen hebben er *vestigingen*.

Kenmerkend (karakteristiek) en voor iedereen aantrekkelijk – tenzij je *op zoek* bent naar een *parkeerplaats* – is het *fraaie* (*mooie*) *historische* centrum met de *beroemde grachten*. De *aanleg* daarvan *dateert* van zo'n drie eeuwen terug
20 (geleden). *Mede* door immigratie was het aantal Amsterdammers sterk gestegen, *waardoor* men *zich genoodzaakt zag* de stad *uit* te *breiden*. Van belang was wel dat de nieuwe *buurten bereikbaar* waren voor vervoer over water. Daarom *groef* men voor de uitbreiding vier grachten, in de vorm

3552	dam	dam	barrage	Damm	bendungan	set, bent
3553	rivier	river	fleuve	Fluß	sungai	nehir
3554	dankt (aan)	owes (to)	doit	verdankt	menerima (dari)	borçludur
3555	vergelijkbare	comparable	semblable	vergleichbare	yang hampir sama	aynı
3556	ontstaan	established	pris naissance	entstanden	menjadi	oluşmuş
3557	plaatsnaam	placename	nom de lieu	Ortsnamen	nama pemukiman	yer adı
3558	tegenkomt	come up against	rencontrez	begegnen	menemukan	rastlarsanız
3559	in trek	in demand	recherché	beliebt	laku	ilgi görmektedir
3560	toeristen	tourists	touristes	Touristen	turis-turis	turistler
3561	slaat ... over	omits	laisse de côté	überschlägt	melampaui	görmeden gitmez
3562	komst	coming	venue	Eintreffen	kedatangan	gelmeleri
3563	bezoekers	visitors	visiteurs	Besuchern	pengunjung-pengunjung	ziyaretçiler
3564	hotels	hotels	hôtels	Hotels	hotel-hotel	hoteller
3565	bezet	occupied	occupés	besetzt	terisi	dolu
3566	waard	worth	(is -) vaut	wert	berharga	görmeğe değer
3567	handelen	action	agir	Handlungs-	perbuatan	hareket
3568	seksueel	sexual	sexuel	sexuell	seksual	cinsellik
3569	drugs	drugs	drogues	Drogen	candu-candu	uyuşturucular
3570	geïnteresseerd (in)	interested (in)	intéressés (par)	interessiert (an)	berminat (kepada)	ilgilenirler
3571	aangetrokken	attracted	attirés (par)	angezogen	ditarik	cezbedilirler
3572	voordelen	advantages	avantages	Vorteile	faedah-faedah	çıkarlar
3573	zakelijk	business	des affaires	geschäftlichem	bisnis	ticari
3574	vestigingen	establishments	(se sont) implantées	Niederlassungen	anak perusahaan	kuruluşlar, tesisler
3575	kenmerkend (voor)	notable (for)	caractéristique (pour)	bezeichnend (für)	yang khas	tipik
3576	op zoek (naar)	looking (for)	à la recherche (de)	auf der Suche	sedang mencari	arıyorsan
3577	parkeerplaats	parking place	place de stationnement	Parkplatz	tempat parkir	park yeri
3578	fraaie	pretty	beau	reizvolle	elok	güzel
3579	mooie	beautiful	beau	schöne	bagus	güzel
3580	historische	historical	historique	historische	bersejarah	tarihi
3581	beroemde	famous	fameux	berühmten	masyhur	meşhur
3582	grachten	canals	canaux	Kanälen	parit-parit	kanallar
3583	aanleg	construction	construction	Bau	pemasangan	yapılışı
3584	dateert	dates back	date	datiert	terjadi	tarihini taşır
3585	mede	also	également	unter anderem	juga	üstelik
3586	waardoor	because of which	c'est pourquoi	wodurch	oleh sebab itu	-den / -dan dolayı
3587	zich genood-zaakt zag	felt obliged	s'est vu obligé (de)	sich genötigt sah	terpaksa	zorunluluğunda kaldı
3588	uit ... breiden	extend	élargir	ausbreiten	memperluaskan	genişletmek
3589	buurten	neighbourhoods	quartiers	Nachbarschaften	pemukiman-pemukiman	mahalleler
3590	bereikbaar	within reach	accessibles	erreichbar	dapat didatangi	ulaşılabilir
3591	groef	dug	creusa	grub	menggali	kazıldı

van steeds *wijdere* halve *cirkels*. Dit *gebeurde* in de '*Gouden* Eeuw' (17de

25 eeuw): een tijd waarin het Nederland economisch en cultureel voor de wind (goed) ging.

W at dat *inhoudt, valt* onmiddellijk *op* als je per *rondvaartboot* of *waterfiets* door de grachten *vaart*. Tijdens zo'n *tochtje* zie je *prachtige* huizen, die *destijds* (*indertijd*) *gebouwd* werden in opdracht van rijke Hollandse *kooplui*

30 (*kooplieden*). Behalve als *woonhuis deden* ze indertijd *dienst* als *opslagruimte* voor *goederen*. Gezien de hoge kosten kan geen *particulier zich* tegenwoordig nog zo'n huis *veroorloven*. Daarom zijn de meeste verbouwd tot *kantoren* of *appartementen*.

Ook de Amsterdamse *musea trekken* veel bezoekers. Amsterdam was de

35 *woonplaats* van Nederlands *beroemdste schilder:* Rembrandt. Een aantal van zijn *schilderijen, waaronder* '*de Nachtwacht* ', hangt in het Rijksmuseum. Aan Vincent van Gogh, een andere Nederlandse *kunstenaar* (schilder), is een *museum gewijd*, dat eveneens veel belangstelling *trekt*, helaas ook van *dieven*. Op *veilingen* worden voor zijn werk tegenwoordig *absurde bedragen geboden*.

40 Ik denk *persoonlijk* (Zelf ben ik van mening) dat je de mooiste *kunst* gewoon gratis op straat vindt. Kijk maar naar het haar van de mensen; naar hoe ze *zich kleden*. Altijd net een beetje anders, *artistieker* – sommigen zeggen: *gekker* – dan in andere *plaatsen*.

3592	wijdere	broader	plus larges	weiteren	yang semakin longgar	daha geniş
3593	cirkels	circles	cercles	Zirkeln	lingkaran-lingkaran	daireler
3594	gebeurde	happened	arriva	geschah	terjadi	yapıldı
3595	Gouden	Golden	d'or	Goldenen	Emas	altın
3596	inhoudt	comprises	comprenait	heißt	berarti	içerdiği
3597	valt ... op	strikes you	frappe	fällt auf	menyolok mata	göze batar
3598	rondvaartboot	boat (for a round boat trip)	bateau mouche	Rundfahrtboot	kapal pesiar	gezinti gemisi
3599	waterfiets	watercycle	pédalo	Tretboot	sepeda air	deniz bisikleti
3600	vaart	sail	navigue	fährt	mengarungi	gidersen
3601	tochtje	trip	petit tour	Ausflug	perjalanan	gezinti
3602	prachtige	splendid	magnifiques	prächtige	indah	şahane
3603	destijds	at the time	à l'époque	damals	pada waktu itu	eskiden
3604	indertijd	at the time	dans le temps	zu jener Zeit	pada masa itu	o zamanlarda
3605	gebouwd	built	construites	gebaut	dibangun	inşa edilmiş
3606	kooplui	merchants	commerçants	Kaufleuten	pedagang-pedagang	tüccarlar
3607	kooplieden	merchants	commerçants	Kaufleuten	orang dagang	tüccarlar
3608	woonhuis	residence	maison d'habitation	Wohnhaus	rumah tinggal	ev

3609	deden dienst (als)	served (as)	servaient (d')	dienten (als)	digunakan (sebagai)	görev yapıyorlardı
3610	opslagruimte	storage space	entrepôt	Lagerraum	tempat penyimpanan	ambar
3611	goederen	goods	marchandises	Waren	barang-barang	mallar
3612	particulier	private person	particulier	Privatmann	seorang pribadi	özel kişi
3613	zich veroorloven	afford	se permettre	sich erlauben	membayar	kesesi elvermek
3614	kantoren	offices	bureaux	Bureaus	kantor-kantor	yazıhane
3615	appartementen	apartments	appartements	Appartements	apartemen-apartemen	apartmanlar
3616	musea	museums	musées	Museen	museum-museum	müzeler
3617	trekken	draw	attirent	ziehen	menarik	çeker
3618	woonplaats	dwelling place	domicile	Wohnort	tempat tinggal	oturduğu şehir
3619	beroemdste	most famous	le plus célèbre	berühmtesten	yang termasyur	en meşhur
3620	schilder	painter	peintre	Malers	pelukis	ressam
3 621	schilderijen	paintings	peintures	Bilder	lukisan-lukisan	resimler
3622	waaronder	including	parmi lesquelles	worunter	termasuk	arasında
3623	Nachtwacht	Nightwatch	Ronde de Nuit	Nachtwache	Peronda malam	Gece Bekçisi
3624	kunstenaar	artist	artiste	Künstler	seniwan	sanatkar
3625	museum	museum	musée	Museum	museum	müze
3626	gewijd (aan)	consecrated (to)	consacré (à)	gewidmet	dibaktikan (kepada)	adanmış
3627	trekt	draws	attire	zieht	menarik	çeken
3628	dieven	thieves	voleurs	Dieben	pencuri-pencuri	hırsızlar
3629	veilingen	auctions	ventes aux enchères	Versteigerungen	lelang-lelang	açık arttırmalar
3630	absurde	absurd	absurdes	absurde	yang tidak masuk akal	çılgınca
3631	bedragen	amounts	montants	Beträge	jumlah uang	miktarlar
3632	geboden	offered	offerts	geboten	ditawarkan	teklif ediliyor
3633	persoonlijk	personally	personnelle-ment	persönlich	sendiri	şahsen
3634	kunst	art	art	Kunst	seni	sanat
3635	zich kleden	dress themselves	s'habillent	sich anziehen	berpakaian	giyindiklerine
3636	artistieker	more artistically	plus artistique	künstlerischer	lebih artistik	daha sanat dolu
3637	gekker	more crazily	plus fou	verrückter	lebih edan	çılgınca
3638	plaatsen	places	villes	Orten	tempat-tempat	yerler

Amsterdam

Amsterdam is de hoofdstad, en tevens de _____ en grootste stad van Nederland. De stad ontstond _____ een dam in de rivier de Amstel, _____ dankt daaraan zijn naam. Veel Nederlandse dorpen _____ steden zijn op vergelijkbare wijze ontstaan. Als _____ een plaatsnaam met -dam erin tegenkomt, weet _____ dus waarom die zo samengesteld is.

De _____ is erg in trek, vooral bij toeristen. _____ wie slechts voor één dag in Nederland _____, slaat Amsterdam zelden over. Door de komst _____ die bezoekers zijn de hotels gemiddeld voor 70 _____ 80 %

bezet. Vooral 's zomers _____ je dan ook weinig Nederlands op straat.

_____ maakt Amsterdam zo de moeite waard (zo _____)? Veel jongeren zal het misschien gaan om _____ vrijheid van handelen die ze in Amsterdam _____. Inderdaad is die vrijheid er in ruime _____, onder andere (o.a.) op seksueel gebied _____ ten aanzien van (t.a.v.) drugs. _____ zullen geïnteresseerd zijn in (aangetrokken worden door) _____ voordelen die de stad op zakelijk terrein _____. Veel buitenlandse ondernemingen hebben er vestigingen.

Kenmerkend (_____) en voor iedereen aantrekkelijk – tenzij je op _____ bent naar een parkeerplaats – is het fraaie (_____) historische centrum met de beroemde grachten. De _____ daarvan dateert van zo'n drie eeuwen _____ (geleden). Mede door immigratie was het aantal _____ sterk gestegen, waardoor men zich genoodzaakt zag _____ stad uit te breiden. Van belang was _____ dat de nieuwe buurten bereikbaar waren voor _____ over water. Daarom groef men voor de _____ vier grachten, in de vorm van steeds _____ halve cirkels. Dit gebeurde in de 'Gouden _____' (17de eeuw): een tijd waarin het Nederland _____ en cultureel voor de wind (goed) ging.

_____ dat inhoudt, valt onmiddellijk op als je _____ rondvaartboot of waterfiets door de grachten vaart. _____ zo'n tochtje zie je prachtige huizen, _____ destijds (indertijd) gebouwd werden in opdracht van _____ Hollandse kooplui (kooplieden). Behalve als woonhuis deden _____ indertijd dienst als opslagruimte voor goederen. Gezien _____ hoge kosten kan geen particulier zich tegenwoordig _____ zo'n huis veroorloven. Daarom zijn de _____ verbouwd tot kantoren of appartementen.

Ook de Amsterdamse _____ trekken veel bezoekers. Amsterdam was de _____ van Nederlands beroemdste schilder: Rembrandt. Een aantal _____ zijn schilderijen, waaronder 'de Nachtwacht', hangt in _____ Rijksmuseum. Aan Vincent van Gogh, een andere _____ kunstenaar (schilder), is een museum gewijd, dat _____ veel belangstelling trekt, helaas ook van dieven. _____ veilingen worden voor zijn werk _____ absurde bedragen geboden.

Ik denk persoonlijk (_____ ben ik van mening) dat je de _____ kunst gewoon gratis op straat vindt. Kijk _____ naar het haar van de mensen; naar _____ ze zich kleden. Altijd net een beetje _____, artistieker – sommigen zeggen: gekker – dan in andere _____.

Geef antwoord:

a. Wat kunt u uit de naam 'Rotter*dam*' afleiden?
b. Waarom is Amsterdam zo in trek bij de mensen?
c. Waarom moesten de nieuwe Amsterdamse buurten bereikbaar zijn over water?
d. Hebt u Amsterdam weleens bezocht? Zou u er (nog eens) heen willen?
e. Is het toerisme belangrijk voor uw land? Waarom (niet)?
f. Wat hebben beroemde mensen in uw land gedaan om beroemd te worden?

Vul in of aan:

▪ Hebt (Bent) _____ weleens in een rondvaartboot of per waterfiets _____ de Amsterdamse grachten gevaren? Dan is u _____ dat tochtje zeker onmiddellijk opgevallen hoe fraai _____ huizen zijn, die daar in de Gouden _____ gebouwd werden. Wist u dat dat gebeurde _____ opdracht van zeer rijke Hollandse kooplieden? Aan _____ huizen kun je dan ook goed zien _____ het inhoudt, wanneer men zegt dat het iemand '_____ de wind' gaat.

▪ Kenmerkend voor Amsterdam is het centrum met de beroemde grachten. De aanleg daarvan[1] dateert van enige eeuwen terug. Door immigratie was het aantal Amsterdammers gestegen, waardoor[2] men de stad moest uitbreiden. De nieuwe buurten moesten wel bereikbaar zijn over water; daarom[3] groef men voor de uitbreiding vier grachten. Dit[4] gebeurde in een tijd waarin[5] het Nederland voor de wind ging.
1. *daarvan* = ...; 2. *waardoor* = ...; enz.

Schrijfopdracht

Beschrijf een stad (in uw land) die u mooi vindt. Wat maakt die stad zo aantrekkelijk?

27

Rotterdam

Denkend aan Holland
Zie ik brede *rivieren*
traag door *oneindig*
laagland gaan

1   *Zo beschreef* een *dichter* het Nederlandse *landschap*. Midden door Nederland
stromen de *Maas*, de *Waal* en de *Rijn*, 'de grote rivieren'. Ze snijden het land
in twee *helften:* het Nederland van boven (ten noorden van) de rivieren en
het Nederland van beneden (ten zuiden van) de rivieren. Een bekend
5   *vooroordeel* is, dat de inwoners van deze twee helften zeer verschillend zijn.
In de zuidelijke helft zouden *joviale levensgenieters* wonen, *veelal katholiek*, die
met een '*zachte* g' praten, en veel bier drinken, vooral gedurende *carnaval;*
de *noorderlingen* zouden *nuchter* en serieus zijn, en hun *gevoelens verbergen*
achter een strenge *calvinistische moraal.*
10   De rivieren *scheiden* niet alleen, ze *verbinden* ook. Ze verbinden de
Nederlandse *havens* met het *Duitse* Ruhrgebied. Nederland heeft de naam
verworven (*veroverd*) het '*distributiecentrum* van Europa' te zijn, en dat is
met name op grond van het *goederenvervoer* over de rivieren; daarnaast
heeft het grote *aandeel* in het Europese vervoer per *vrachtwagen* en door de
15   lucht *hiertoe* bijgedragen. Het grootste deel van deze *transporten doet*
Rotterdam *aan*. De helft van alle olietransporten en *tweederde* (2/3) van het
vervoer van *landbouwprodukten* binnen de EG gaat via Rotterdam. Maar
niet alleen binnen Europa, ook *mondiaal* staat Rotterdam als *overslaghaven*
aan de *top*. Hoe kunnen we dit verklaren? Wat is het *geheim* van
20   Rotterdam?
    In de eerste plaats is Rotterdam direct vanuit zee bereikbaar. Dankzij
de Nederlandse kennis van *waterbouw* hebben de Rotterdammers een

3639	denkend	thinking	pensant	denkend	mengingat	düşünürken
3640	rivieren	rivers	fleuves	Flüße	sungai-sungai	nehirler
3641	traag	slowly	lentement	träge	dengan lambat	yavaşça
3642	oneindig	unending	infinie	unendliches	yang tak terhingga	sonsuz
3643	laagland	lowland	plaine	Flachland	dataran rendah	ova
3644	beschreef	described	décrit	beschrieb	memerikan	tasvir etmiştir
3645	dichter	poet	poète	Dichter	penyair	şair
3646	landschap	landscape	paysage	Landschaft	pemandangan alam	manzara
3647	stromen	flow	coulent	strömen	mengalir	akıyorlar
3648	Maas	Meuse	Meuse	Maas	sungai Maas	Maas
3649	Waal	Waal	Waal	Waal	sungai Waal	Waal
3650	Rijn	Rhine	Rhin	Rhein	sungai Rijn	Ren
3651	helften	halves	moitiés	Hälften	paro, bagian	yarıya
3 652	vooroordeel	prejudice	préjugé	Vorurteil	prasangka	önyargı
3653	joviale	jovial	joyeux	jovialen	yang ramah	içten, sevecen
3654	levensgenieters	hedonists	bons vivants	Lebensgenießer	penikmat hidup	hayatın tadını çıkaranlar
3655	veelal	mostly	pour la plupart	oft	kebanyakan	çoğu
3656	katholiek	catholic	catholiques	katholisch	katolik	katolik
3657	zachte	soft	doux	weichen	lembut	yumuşak
3658	carnaval	carnival	carnaval	Karneval	karnaval	karnaval
3659	noorderlingen	northerners	gens du Nord	Leute aus dem N	orang dari bagian utara	kuzeyliler
3660	nuchter	sober	pondérés	nüchtern	adem	sakin, soğukkanlı
3661	gevoelens	feelings	sentiments	Gefühle	perasaan	duygular
3662	verbergen	conceal	dissimulent	verbergen	melindungi	saklayan
3663	calvinistische	calvinist	calviniste	kalvinistischen	kalvinistis	kalvinist
3664	moraal	morality	morale	Moral	moral	ahlak
3665	scheiden	separate	séparent	trennen	memisahkan	ayır(m)ıyorlar
3666	verbinden	unite	rattachent	verbinden	menghubungkan	birleştiriyorlar
3667	havens	harbours	ports	Häfen	pelabuhan-pelabuhan	limanlar
3668	Duitse	German	allemande	deutschen	Jerman	Alman
3669	veroverd	appropriated	conquis	erobert	merebutkan	kazandı
3670	distributiecentrum	distribution centre	centre de distribution	Distributionszentrum	pusat distribusi	dağıtım merkezi
3671	goederenvervoer	freight transport	transport de marchandises	Gütertransport	pengangkutan barang-2	mal nakliyatı
3672	aandeel	part	part	Anteil	bagian	hisse
3673	vrachtwagen	lorry	poids lourd	Lastwagen	mobil barang	kamyon
3674	hiertoe	to this	y	dazu	untuk hasil ini	buna
3675	transporten	transportation	transports	Transporte	angkutan-angkutan	taşımacılık işleri
3676	doet ... aan	calls at	passe (par)	sucht auf	lewat	uğrar
3677	tweederde	two thirds	deux tiers	zweidrittel	dua per tiga	üçte ikisi
3678	landbouwprodukten	agricultural products	produits agricoles	Landbauprodukte	hasil pertanian	tarım ürünleri
3679	mondiaal	worldwide	sur le plan mondial	mondial	secara mondial	dünyada
3680	overslaghaven	trans-shipment harbour	port de transbordement	Umschlaghafen	bandar pemindah-muatan	aktarma limanı
3681	top	top	sommet	Spitze	(aan -) pemuncak	zirve
3682	geheim	secret	secret	Geheimnis	rahasia	sır
3683	waterbouw	hydraulics	ouvrage hydraulique	Wasserbau	konstruksi bangunan air	su ile ilgili inşaatlar

compleet havengebied in zee kunnen bouwen. Door de grote *diepte* kunnen de grootste *schepen* de haven *aandoen.* Hierdoor heeft Rotterdam kunnen
25   profiteren van de *opkomst* van de Nederlandse *petrochemische, metallurgische* en *olieverwerkende industrieën.* Met de *vestiging* van Shell, Nedlloyd en Pakhoed in de *delta* is een der (van de) grootste *havenindustriecomplexen* ter (in de) wereld ontstaan.

Maar de *kern* van het Rotterdamse succes is de *logistieke*
30   dienstverlening. De Rotterdammers *leggen eer in* met hun *geautomatiseerde overslag,* die 24 uur per dag functioneert, 7 dagen per week, en 365 dagen per jaar.

Helaas heeft het Rotterdamse succes ook een nadeel: *smog.* Bij warm, *windstil* weer *treedt* er een *alarmeringssysteem in werking* dat de bewoners
35   *informeert* over de *stand* van de *luchtvervuiling.* De dichter kon niet weten welke bijzondere betekenis zijn woorden nog zouden krijgen, toen hij zijn *impressie* aldus (zo) vervolgde:

De lucht hangt er laag
en de zon wordt er langzaam
in grijze *veelkleurige*
dampen gesmoord

3684	compleet	complete	complet	vollständig	lengkap	tam, komple
3685	havengebied	harbour area	zone portuaire	Hafengebiet	kawasan perlabuhan	liman bölgesi
3686	diepte	depth	profondeur	Tiefe	kedalaman	derinlik
3687	schepen	ships	bateaux	Schiffe	kapal-kapal	gemiler
3688	aandoen	call at	faire escale	anlaufen	menyinggahi	girebilir
3689	opkomst	rise	développement	Entstehung	pertumbuhan	kuruluş
3690	petrochemische	petrochemical	pétrochimiques	petrochemischen	petrokimia	petro kimyasal
3691	metallurgische	metallurgical	métallurgiques	metallurgischen	melaturgis	metalurjik
3692	olieverwerkende	oil treating	raffinage du pétrole	ölverarbeitenden	pengolahan minyak	petrol işleyen
3693	industrieën	industries	industries	Industrien	industri-industri	endüstriler
3694	vestiging	establishment	implantation	Niederlassung	didirikannya	yerleşmesi
3695	delta	delta	delta	Delta	delta	delta
3696	havenindustrie-complexen	harbour industry complexes	complexes industriels portuaires	Hafenindustrie-komplexe	kompleks-2 industri pelabuhan	liman endüstri sahaları
3697	kern	nucleus	point essentiel	Kern	inti	esas
3698	logistieke	logistical	logistique	logistische	logistik	lojistik
3699	leggen eer in (met)	gain credit (from)	tirent honneur (de)	legen Ehre ein	mendapatkan hormat	saygı kazanıyorlar
3700	geautomatiseerde	automated	automatisé	automatisierten	yang diotomatiskan	otomatikleştirilmiş
3701	overslag	trans-shipment	transbordement	Umschlag	pemindahmuatan	yük aktarma
3702	smog	smog	smog	Smog	polusi udara yang amat	hava kirliliği
3703	windstil	calm	calme	windstill	angin mati	rüzgarsız
3704	treedt	enters	se met	(tritt)	mulai	başlar
3705	alarmeringssysteem	warning system	système d'alarme	Alarmsystem	sistim alarm	alarm sistemi
3706	in werking	in operation	en marche	schaltet sich ein	beroperasi	çalışmaya
3707	informeert	informs	informe	informiert	memberi penerangan	bilgi veren
3708	stand	status	état	Stand	keadaan	derece
3709	luchtvervuiling	air pollution	pollution atmosphérique	Luftverunreinigung	polusi udara	hava kirliliği
3710	impressie	impression	impression	Eindruck	kesan	algılama
3711	veelkleurige	multicoloured	multicolores	vielfarbige	berwarna-warni	çok renkli
3712	dampen	vapours	vapeurs	Dämpfe	uap-uap	dumanlar
3713	gesmoord	smothered	étouffé	erstickt	ditutupi	boğuluyor

Rotterdam

'Denkend aan Holland / Zie ik brede rivieren / _____ door oneindig / laagland gaan'

Zo beschreef een _____ het Nederlandse landschap. Midden door Nederland stromen _____ Maas, de Waal en de Rijn, 'de _____ rivieren'. Ze snijden het land in twee _____: het Nederland van boven (ten noorden van) _____ rivieren en het Nederland van beneden (ten _____ van) de

177

rivieren. Een bekend vooroordeel is, _____ de inwoners van deze twee helften zeer _____ zijn. In de zuidelijke helft zouden joviale _____ wonen, veelal katholiek, die met een 'zachte _____' praten, en veel bier drinken, vooral gedurende _____; de noorderlingen zouden nuchter en serieus zijn, _____ hun gevoelens verbergen achter een strenge calvinistische _____.

De rivieren scheiden niet alleen, ze verbinden _____. Ze verbinden de Nederlandse havens met het _____ Ruhrgebied. Nederland heeft de naam verworven (veroverd) _____ 'distributiecentrum van Europa' te zijn, en dat _____ met name op grond van het goederenvervoer _____ de rivieren; daarnaast heeft het grote aandeel _____ het Europese vervoer per vrachtwagen en door _____ lucht hiertoe bijgedragen. Het grootste deel van _____ transporten doet Rotterdam aan. De helft van _____ olietransporten en tweederde (2/3) van het vervoer _____ landbouwprodukten binnen de EG gaat via Rotterdam. _____ niet alleen binnen Europa, ook mondiaal _____ Rotterdam als overslaghaven aan de top. Hoe kunnen _____ dit verklaren? Wat is het geheim van _____?

In de eerste plaats is Rotterdam direct _____ zee bereikbaar. Dankzij de Nederlandse kennis van _____ hebben de Rotterdammers een compleet havengebied in _____ kunnen bouwen. Door de grote diepte kunnen _____ grootste schepen de haven aandoen. Hierdoor heeft Rotterdam _____ profiteren van de opkomst van de Nederlandse _____, metallurgische en olieverwerkende industrieën. Met de _____ van Shell, Nedlloyd en Pakhoed in de _____ is een der (van de) grootste havenindustriecomplexen _____ (in de) wereld ontstaan.

Maar de kern _____ het Rotterdamse succes is de logistieke dienstverlening. _____ Rotterdammers leggen eer in met hun geautomatiseerde _____, die 24 uur per dag functioneert, 7 _____ per week, en 365 dagen per jaar.

_____ heeft het Rotterdamse succes ook een nadeel: _____. Bij warm, windstil weer treedt er een _____ in werking dat de bewoners informeert over _____ stand van de luchtvervuiling. De dichter kon _____ weten welke bijzondere betekenis zijn woorden nog _____ krijgen, toen hij zijn impressie aldus (zo) _____: 'De lucht hangt er laag / en de _____ wordt er langzaam / in grijze veelkleurige / _____ gesmoord'.

Geef antwoord:

a. Welke factoren bepalen het succes van Rotterdam?

b. Doen deze factoren zich ook voor in een van de steden van uw land?

c. Waarom is het zo'n voordeel dat de overslag geautomatiseerd is?

d. Bestaat er in uw land ook zo'n verschil tussen noorderlingen en zuiderlingen, of tussen westerlingen en oosterlingen?

Vul in of aan:

■ Dankzij (_____) de Nederlandse kennis van waterbouw is er _____ compleet havengebied in zee gebouwd. De haven is zo _____, dat de grootste schepen de haven _____ aandoen. Zo kan Rotterdam profiteren van de _____ van verschillende industrieën, die zich in het havengebied _____ hebben. Hierdoor is een van de grootste _____ ter wereld ontstaan.

■ Nederland heeft de naam verworven 'het distributiecentrum van Europa' te zijn, en dat[1] is met name op grond van het goederenvervoer over de rivieren; daarnaast heeft het aandeel in het vervoer per vrachtwagen daartoe[2] bijgedragen. Het grootste deel van al deze[3] transporten doet Rotterdam aan. Hoe kunnen we dit[4] verklaren?
1. *dat* = ...; 2. *daartoe* = ...; 3. *deze* = ...; 4. *dit* = ...

Grammatica §13 'kan + komen'

Rotterdam *kan* een haven in zee bouwen. – Rotterdam *heeft* een haven in zee *kunnen* bouwen.

Rotterdam *ging* de overslag automatiseren. – Rotterdam *is* de overslag *gaan* automatiseren.

Schrijfopdracht

Hoe zou u de regel: 'Denkend aan mijn land zie ik ....' vervolgen?

28

Nederlands *fabrikaat*

1   Boeken en *sigaretten* uit de Verenigde Staten; elektronische *apparatuur* uit Japan; kleding en *speelgoed* uit Taiwan; fruit uit Marokko; *cacao* uit Ghana; koffie uit Brazilië. De Nederlandse *etalages* liggen er vol mee. *Produceren* die *Hollanders* eigenlijk ook nog wel iets?

5   Nederland *produceert wel degelijk*, het *exporteert* zelfs *op grote schaal*. Waarschijnlijk heeft iedereen in eigen land al eens kennis gemaakt met produkten van Nederlands fabrikaat. *Zet* bijvoorbeeld een *keteltje* water *op* in Duitsland, en je *kookt* op Nederlands *gas. Tank* in Frankrijk, en de *benzine* is vrijwel zeker *afkomstig* uit Nederland. *Was* je haar of *maak je op* in

10 de Verenigde Staten, en de kans is groot dat je Nederlandse *cosmetica* gebruikt. *Bied* je *geliefde* een *roos aan* in Syrië, of *schenk* een biertje voor hem *in* in New York, en het zouden wel eens Nederlandse produkten kunnen zijn waar je zijn hart mee *tracht* te *winnen.*

15 Van het Nederlands *nationaal* inkomen komt 60% van de *export.* Hoe kan zo'n klein land, met zo weinig *natuurlijke hulpbronnen*, zoveel *exporteren?* 'De Nederlander heeft *handelsgeest'*, zullen velen *opmerken.* Inderdaad heeft Nederland een lange *handelstraditie:* wat men niet had, ging men halen. Vooral in de koloniën. De Nederlandse *tak* van Shell is in Nederlands-

20 Indië begonnen als *onderneming* in olie, en ook Unilever *haalde* de *grondstoffen* voor een deel uit de koloniën.

Belangrijk is natuurlijk ook de gunstige *ligging* van Nederland, in het grootste *marktblok* ter wereld, aan de delta van drie grote rivieren. Een derde *aspect* waar men op kan *wijzen* is de *wetenschappelijke benadering* van de

3714	fabrikaat	manufacture	(produit de) fabrication	Fabrikat	buatan	ürün
3715	sigaretten	cigarettes	cigarettes	Zigaretten	rokok-rokok	sigaralar
3716	apparatuur	equipment	appareillage	Apparatur	peralatan	aletler
3717	speelgoed	toys	jouet	Spielzeug	mainan	oyuncak
3718	cacao	cocoa	cacao	Kakao	coklat	kakao
3719	etalages	shop-windows	étalages	Schaufenster	etalase-etalase	vitrinler
3720	produceren	produce	produisent	produzieren	memproduksikan	imal ediyorlar (mı)
3721	Hollanders	Dutch	Hollandais	Holländer	orang Olanda	Hollanda'lılar
3722	produceert	produces	produit	produziert	menghasilkan	imal ediyor
3723	wel degelijk	all right	absolument	durchaus	betul, pasti	gerçekten
3724	exporteert	exports	exporte	exportiert	mengekspor	ihraç ediyor
3725	op grote schaal	on a great scale	sur une grande échelle	in großem Umfang	secara besar-besaran	büyük çapta
3726	zet ... op	put on	fais chauffer	setz auf	taruhlah diatas api	ocağa koy
3727	keteltje	kettle	bouilloire	Kesselchen	cerek	çaydanlık(cık)
3728	kookt	are cooking	fais la cuisine	kocht	memasak	kaynatırsın
3729	gas	gas	gaz	Gas	gas	daz
3730	tank	fill up	fais le plein	tanke	isilah tangki mobil	yakıt al
3731	benzine	petrol	essence	Benzin	bensin	benzin
3732	afkomstig (uit)	originates (from)	en provenance	stammend (aus)	berasal (dari)	-dan gelir
3733	was	wash	lave	wasche	cucilah	yıka
3734	maak ... je ... op	make up	maquille-toi	schminke dich	berias diri	makyaj yap
3735	cosmetica	cosmetics	produits cosmétiques	Kosmetika	kosmetika	kozmetik
3736	bied ... aan	offer	offre	biete an	sembahkanlah	sun
3737	geliefde	beloved	bien-aimé(e)	Geliebten	kekasih	sevgilin
3738	roos	rose	rose	Rose	bunga mawar	gül
3739	schenk ... in	pour out	sers	schenke ein	tuangkanlah	ikram et
3740	tracht (te)	endeavour	tâches (de)	versucht	mencoba	çalıştığın
3741	winnen	win	gagner	gewinnen	mengambil	kazanmaya
3742	nationaal	national	national	nationale	nasional	ulusal
3743	export	export	exportation	Export	ekspor	ihracat
3744	natuurlijke	natural	naturelles	natürlichen	alam	tabii
3745	hulpbronnen	resources	ressources	Ressourcen	sumber daya	yardım kaynakları
3746	exporteren	export	exporter	exportieren	mengekspor	ihraç edebilir
3747	handelsgeest	business sense	esprit du commerce	Handelsgeist	semangat dagang	ticaret zihniyeti
3748	opmerken	remark	remarquer	bemerken	mengemukakan	teşhis ederler
3749	handelstraditie	business tradition	tradition du commerce	Handelstradition	tradisi perniagaan	ticaret geleneği
3750	tak	branch	branche	Zweig	cabang	dal
3751	onderneming	concern	entreprise	Unternehmen	perusahaan	işletme
3752	haalde	obtained	allait chercher	holte	diambil	getiriyordu
3753	grondstoffen	raw materials	matières premières	Rohstoffe	bahan baku	hammaddeler
3754	ligging	position	emplacement	Lage	letak geografis	konum
3755	marktblok	trade block	bloc de marchés	Marktblock	persatuan pemasaran	piyasa, pazar
3756	aspect	aspect	aspect	Aspekt	segi, aspek	taraf
3757	wijzen (op)	point out	signaler	weisen (auf)	dikemukakan	belirtilebilecek
3758	wetenschappe-lijke	scientific	scientifique	wissenschaft-liche	ilmiah	bilimsel
3759	benadering	approach	approche	Vorgehen	pendekatan	yaklaşım

181

25 *produktie*. Met name in de *landbouw werken producenten* en *universitaire onderzoekers nauw samen*. De *produktiviteit* is hierdoor zo gestegen dat Nederland de tweede *landbouwexporteur* is ter wereld; in de bloemen- en *zuivelexport* is het zelfs eerste, en de export van aardappelen is groter dan die van alle andere landen *tezamen* (samen).

30 Verder kunnen de Nederlandse technische en *technologische specialismen* genoemd worden. Het bekendste voorbeeld is natuurlijk Philips, begonnen als *gloeilampenfabriek*, nu *koploper* op vele gebieden van de *technologie*. Belangrijk is ook de kennis van de waterbouw. *Bruggen* bouwen en *baggeren* in het *Midden-Oosten, landwinning* in Bangladesh: het gebeurt
35 vaak onder Nederlandse *leiding*.

Maar de belangrijkste *factor* is waarschijnlijk de overslag. Veel van wat Nederland binnenkomt, wordt hier *opgeslagen*, en vervolgens weer *geëxporteerd* ... soms zelfs terug naar het land van herkomst!

3760	produktie	production	production	Produktion	produksi	imalat
3761	landbouw	agriculture	agriculture	Landwirtschaft	pertanian	tarım
3762	werken ... samen (met)	work together (with)	collaborent (avec)	arbeiten zusammen	bekerjasama (dengan)	beraber çalışıyorlar
3763	producenten	producers	producteurs	Produzenten	penghasil-penghasil	üreticiler
3764	universitaire	academic	universitaires	universitäre	universiter	üniver site
3765	onderzoekers	researchers	chercheurs	Forscher	peneliti-peneliti	araştırmacılar
3766	nauw	closely	étroitement	eng	secara erat	sıkı
3767	produktiviteit	productivity	productivité	Produktivität	daya produksi	üretim

3768	landbouwexporteur	agricultural exporter	exportateur agricole	Exporteur von Landbauprodukten	pengekspor hasil pertanian	tarım ürünleri ihracatçısı
3769	zuivelexport	dairy export	exportation de produits laitiers	Export von Molkereiprodukten	ekspor susu dan hasil susu	süt ürünleri ihracatı
3770	tezamen	together	ensemble	zusammen	segenap	toplam
3771	technologische	technological	technologiques	technologische	teknologis	teknolojik
3772	specialismen	specialities	spécialités	Spezialgebiete	bidang keahlian	uzmanlıklar
3773	gloeilampenfabriek	light bulb factory	usine d'ampoules	Glühlampenfabrik	pabrik lampu pijar	ampul fabrikası
3774	koploper	spearhead	leader	Spitzenreiter	pemuncak	önde gelen
3775	technologie	technology	technologie	Technologie	teknologi	teknoloji
3776	bruggen	bridges	ponts	Brücken	jembatan-jembatan	köprüler
3777	baggeren	dredging	draguer	baggern	mengeruk lumpur	balçık tarama temizleme
3778	Midden-Oosten	Middle East	Moyen-Orient	Vorderen Orient	Timur Tengah	Orta Doğu
3779	landwinning	land reclamation	conquête de terre	Landgewinnung	pengeringan laut	deniz kurutma
3780	leiding	leadership	direction	Führung	pimpinan	denetim
3781	factor	factor	facteur	Faktor	faktor	faktör
3782	opgeslagen	stored	entreposé	gelagert	disimpan	ambarlanır
3783	geëxporteerd	exported	exporté	exportiert	diekspor	ihraç edilir

Nederlands fabrikaat

Boeken en sigaretten uit de Verenigde Staten; _____ apparatuur uit Japan; kleding en speelgoed uit _____; fruit uit Marokko; cacao uit Ghana; koffie _____ Brazilië. De Nederlandse etalages liggen er vol _____. Produceren die Hollanders eigenlijk ook nog wel _____?

Nederland produceert wel degelijk, het exporteert zelfs _____ grote schaal. Waarschijnlijk heeft iedereen in eigen _____ al eens kennis gemaakt met produkten van _____ fabrikaat. Zet bijvoorbeeld een keteltje water op _____ Duitsland, en je kookt op Nederlands gas. _____ in Frankrijk, en de benzine is vrijwel _____ afkomstig uit Nederland. Was je haar of _____ je op in de Verenigde Staten, en _____ kans is groot dat je Nederlandse cosmetica _____. Bied je geliefde een roos aan in _____, of schenk een biertje voor hem in _____ New York, en het zouden wel eens _____ produkten kunnen zijn waar je zijn hart _____ tracht te winnen.

Van het Nederlands nationaal ____ komt 60% van de export. Hoe kan ____ klein land, met zo weinig natuurlijke ____, zoveel exporteren? 'De Nederlander heeft handelsgeest', zullen ____ opmerken. Inderdaad heeft Nederland een lange handelstraditie: ____ men niet had, ging men halen. Vooral ____ de koloniën. De Nederlandse tak van Shell ____ in Nederlands-Indië begonnen als onderneming in ____, en ook Unilever haalde de grondstoffen voor ____ deel uit de koloniën.

Belangrijk is natuurlijk ____ de gunstige ligging van Nederland, in het ____ marktblok ter wereld, aan de delta van ____ grote rivieren. Een derde aspect waar men ____ kan wijzen is de wetenschappelijke benadering van ____ produktie. Met name in de landbouw werken ____ en universitaire onderzoekers nauw samen. De produktiviteit ____ hierdoor zo gestegen dat Nederland de tweede landbouwexporteur ____ ter wereld; in de bloemen- en zuivelexport ____ het zelfs eerste, en de export van ____ is groter dan die van alle andere ____ tezamen (samen).

Verder kunnen de Nederlandse technische ____ technologische specialismen genoemd worden. Het bekendste voorbeeld ____ natuurlijk Philips, begonnen als gloeilampenfabriek, nu koploper ____ vele gebieden van de technologie. Belangrijk is ____ de kennis van de waterbouw. Bruggen bouwen ____ baggeren in het Midden-Oosten, landwinning in Bangladesh: ____ gebeurt vaak onder Nederlandse leiding.

Maar ____ belangrijkste factor is waarschijnlijk de overslag. Veel ____ wat Nederland binnenkomt, wordt hier opgeslagen, en ____ weer geëxporteerd ... soms zelfs terug naar het ____ van herkomst!

Geef antwoord:

a. Nederland is een exportland. Hoe komt dat?
b. Welke Nederlandse produkten heeft u in uw land leren kennen?
c. Welke produkten exporteert uw land?
d. Welke produkten uit uw land heeft u in Nederlandse winkels zien liggen?
e. Wanneer geeft men elkaar bloemen in uw land?

Vul in of aan:

◻ Nederland is de eerste exporteur van bloemen in de wereld. _____ kan zo'n klein land zoveel bloemen produceren? V_____ zullen opmerken dat de grond zeer geschikt _____ voor de bloementeelt. Een tweede aspect waarop _____ kan wijzen is de wetenschappelijke benadering. Nederland _____ koploper in de biologische technologie op dit _____. Er zijn allerlei nieuwe soorten ontwikkeld, die _____ trek zijn op de internationale markt. Maar de _____ factor is waarschijnlijk, dat de producenten _____ samenwerken, niet alleen bij het onderzoek, maar _____ bij de verkoop. Wie kent niet de bloemenveilingen in Aalsmeer?

◻ 'Handelstraditie' _____ uit twee kortere woorden: 'handel' en 'traditie'. _____ die twee woorden staat een *s*. Zo'n verbindings-*s* _____ er niet altijd: in 'marktblok' staan de _____ gewoon achter elkaar. Nog iets: het is: _____ traditie, en dus ook: *de* handelstraditie, en _____ blok, dus ook *het* marktblok.

Grammatica §8 'leren, werken', §14 'woordvolgorde'

ik *kook* op gas	ik *maak* me op	ik *bied* hem iets *aan*.
kook je op gas?	*maak* jij je *op*?	*bied* je hem iets *aan*?
kook op gas!	*maak* je *op*!	*bied* hem iets *aan*!

Discussie-opdracht

Bespreek met anderen: In deze tekst worden 5 (of 6) verklaringen gegeven voor de grootte van de Nederlandse export. De eerste verklaring begint met '....', *zullen velen opmerken*. Waarmee beginnen de volgende verklaringen? Weet u nog andere mogelijkheden om deze verklaringen te beginnen?

29

Textiel

1 *Ritsen* waren vroeger een probleem voor mij. Ze gaan vaak kapot, en
aangezien ik twee *linkerhanden* heb (*onhandig* ben), en het beroep van
kleermaker hier *reeds* lang (allang) *uitgestorven* is, zat ik dan met *broeken* die ik
niet meer kon *dragen,* maar ook niet *weg* wilde (wou) *gooien.* Tegenwoordig
5 is er echter De Gouden *Schaar:* een *keten* van *naaiateliers,* waar *vaardige*
Turkse handen je kleding *herstellen* (*repareren*).

Deze Turkse handen doen nog veel meer, heb ik gehoord. Zij
vervaardigen vaak de kleren die in de grote *warenhuizen te koop* zijn. Volgens
de krant zijn *duizenden* mensen werkzaam in deze *bedrijfstak.* De
10 warenhuizen *stimuleren* deze nieuwe ontwikkeling. De *smaak* van het
publiek wisselt (verandert) steeds sneller, en om hierop te kunnen reageren,
moet de *textielbranche* op steeds *kortere termijn* plannen maken en *bestellingen*
plaatsen. Dan is het natuurlijk *handig* (makkelijk) als de *leverancier* dichtbij
zit. De textielindustrie is weer terug in Nederland.
15

Ik *herinner me* nog goed hoe in de jaren zestig in Nederland de ene
textielfabriek na de andere genoodzaakt werd te sluiten. Als ik het goed
begrepen heb, *stortte* de textielindustrie *in,* omdat ze *zich* in de *concurrentie*
met de Derde Wereld niet kon *handhaven.* Dat *hield verband* met de
20 *arbeidskosten,* die daar veel lager waren dan hier. Begrijpelijk, als er geen
loonafspraken zijn, er geen controle is op de *arbeidsomstandigheden,* en er niets
bijgedragen hoeft te worden aan sociale voorzieningen.

3784	textiel	textile	textile	Textil	tekstil	tekstil
3785	ritsen	zips	fermetures éclair	Reißverschlüße	ritsleting	fermuarlar
3786	linkerhanden	left hands	mains gauches	linke Hände	tangan kiri	sol eller
3787	onhandig	clumsy	maladroit	ungeschickt	tidak tangkas	beceriksiz
3788	kleermaker	tailor	tailleur	Schneider	tukang jahit	terzi
3789	reeds	already	déjà	bereits	telah	çoktan
3790	uitgestorven	extinct	s'(est) éteinte	ausgestorben	tidak ada lagi	kaybolmuş
3791	broeken	trousers	pantalons	Hosen	celana-celana	pantolonlar
3792	dragen	wear	porter	tragen	memakai	giyemediğim
3793	weg ... gooien	throw away	jeter	wegwerfen	membuang	atmak
3794	schaar	scissors	ciseaux	Schere	gunting	makas
3795	keten	chain	chaîne	Kette	rantai	dizi
3796	naaiateliers	sewing workshops	ateliers de couture	Schneider-ateliers	tempat kerja penjahit	terzi atölyeleri
3797	vaardige	skilled	habiles	geschickte	trampil	becerikli
3798	herstellen	restore	réparer	ausbessern	memperbaiki	tamir eden
3799	repareren	repair	réparer	reparieren	membetulkan	tamir eden
3800	vervaardigen	manufacture	confectionnent	anfertigen	membuat	yapıyorlar
3801	warenhuizen	department stores	grands magasins	Kaufhäuser	toko serba ada	büyük mağazalar
3802	te koop	for sale	à vendre	zu kaufen	dapat dibeli	satılan
3803	duizenden	thousands	des milliers	tausende	ribuan	binlerce
3804	bedrijfstak	line of business	branche d'activités	Betriebszweig	cabang pengusahaan	işletme dalı
3805	stimuleren	stimulate	stimulent	anregen	mendorong	teşvik ediyorlar
3806	smaak	taste	goût	Geschmack	selera	zevk
3807	publiek	public	public	Publikum	para pembeli	halk
3808	wisselt	changes	change	wechselt	berubah-ubah	değişiyor
3809	textielbranche	textiles business	branche du textile	Textilbranche	pengusahaan tekstil	tekstil branşı
3810	kortere	shorter	plus court	kürzerer	semakin singkat	daha kısa
3811	termijn	terms	terme	Zeit	waktu	süre
3812	bestellingen	orders	commandes	Bestellungen	pesanan-pesanan	siparişler
3813	handig	handy	pratique	gewandt	gampang	kolay
3814	leverancier	supplier	fournisseur	Lieferant	leveransir	tedarikçi
3815	herinner me	remember	me souviens	erinnere mich	teringat	hatırlıyorum
3816	begrepen	understood	compris	verstanden	mengerti	anladıysam
3817	stortte ... in	collapsed	s'effondra	brach zusammen	ambruk	çöktü
3818	concurrentie	competition	concurrence	Konkurrenz	persaingan	rekabet
3819	zich handhaven	hold their own	se maintenir	s. aufrecht-erhalten	bertahan	dayanamadığı
3820	hield verband (met)	was connected (to)	était lié (aux)	hing zusammen	berhubungan (dengan)	ile ilgiliydi
3821	arbeidskosten	labour costs	coûts de production	Arbeitskosten	biaya tenaga kerja	iş masrafları
3822	loonafspraken	wage agreements	accords salariaux	Lohnvereinba-rungen	perjanjian upah	ücret anlaşmaları
3823	arbeidsomstan-digheden	working circum-stances	conditions de travail	Arbeitsumstän-de	kondisi kerja	çalışma vaziyetleri

De *westerse* landen vonden *uiteindelijk* een hele (heel) slimme oplossing
voor dit probleem. Als (Bij wijze van) *overgangsregeling* hebben zij met de
25 Derde-wereldlanden een *akkoord* gesloten, dat *inhield* dat deze landen de
textielexport naar het Westen voorlopig *beperkten*. Hierdoor was het
Westen in staat *zich* te *reorganiseren*. Nou, dat is inderdaad gelukt. Tal van
bedrijven *brachten* hun produktie *over* naar een vestiging in een Derde-
wereldland. Zo konden ze ook profiteren van de lage lonen daar, en
30 bovendien *viel* de kleding die ze daar onder eigen *beheer* lieten maken niet
onder de afgesproken *exportbeperkingen*!

Maar nu is de textielindustrie dus weer terug in Nederland. Eerst begreep
ik niet goed hoe we nu ineens (plotseling) wel kunnen *concurreren* met de
35 lage-lonenlanden. Maar inmiddels (intussen) is me duidelijk geworden
dat het vaak *illegalen* zijn die in die nieuwe *ateliers* werken. En die *vallen*
natuurlijk buiten alle *loonovereenkomsten*, sociale voorzieningen en
controlemaatregelen, en *nemen genoegen* met een laag loon. Ondanks het feit
dat (Hoewel) deze extra werkgelegenheid natuurlijk zeer welkom is,
40 vraag ik me toch af of Nederland deze ontwikkelingen *zomaar toe* moet *laten*
(*toe* moet *staan*). Zou werk met zulke *slechte arbeidsvoorwaarden* niet gewoon
verboden moeten worden?

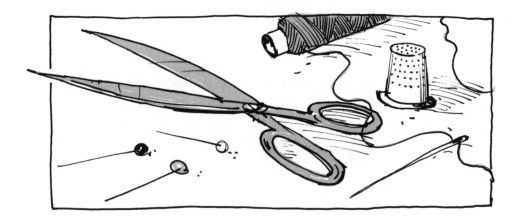

	Dutch	English	French	German	Indonesian	Turkish
3824	westerse	western	occidentaux	westliche	barat	batılı
3825	uiteindelijk	finally	enfin	letzten Endes	akhirnya	en sonunda
3826	overgangsrege-ling	transitional measure	règlement transitoire	übergangsbe-stimmung	peraturan peralihan	geçiş düzenlemesi
3827	akkoord	settlement	accord	übereinkunft	persetujuan	anlaşma
3828	inhield	implied	contenait	beinhaltete	mencakup	içeren
3829	beperkten	limited	limitaient	einschränkten	membatasi	kısıtlama larını
3830	zich reorga-niseren	reorganise itself	se réorganiser	sich reorga-nisieren	mereorganisasi-kan diri	yeniden örgütleşmek
3831	brachten ... over (naar)	transferred (to)	transféraient (dans)	brachten (nach)	memindahkan (ke)	taşıdılar
3832	viel (onder)	fell (under)	tombaient (sous)	fielen unter	termasuk	kapsamına giriyordu
3833	beheer	control	gestion	Verwaltung	pengelolaan	denetim
3834	exportbeperkin-gen	export limitations	limitations à l'exportation	Exportbeschrän-kungen	pembatasan ekspor	ihracat kısıtlamaları
3835	concurreren	compete	concurrencer	konkurrieren	menyaingi	rekabet edebiliriz
3836	illegalen	illegal inhabitants	immigrés clandestins	Illegale	orang yang tanpa izin menetap disini	kaçaklar
3837	ateliers	workshops	ateliers	Ateliers	tempat-tempat kerja	atölyeler
3838	vallen (buiten)	fall (outside)	sont exclus	fallen (außerhalb +2e)	tidak termasuk	kapsamına girmiyorlar
3839	loonovereen-komsten	wage agreements	accords salariaux	Lohnvereinba-rungen	perjanjian upah	ücret anlaşmaları
3840	controlemaatre-gelen	supervisory measures	mesures de contrôle	Kontrolle-maßnahmen	tindakan pengawasan	kontrol önlemleri
3841	nemen genoe-gen (met)	are satisfied (with)	se contentent (d')	sich zufrieden-stellen	sudi menerima saja	yetiniyorlar
3842	zomaar	just like that	comme ça	ohne weiteres	begitu saja	öylesine
3843	toe ... laten	allow	admettre	zulassen	membiarkan	izin vermeli (mi)
3844	toe ... staan	permit	permettre	erlauben	memperkenankan	izin vermeli (mi)
3845	slechte	bad	mauvaises	schlechte	buruk	kötü
3846	arbeidsvoor-waarden	working conditions	conditions de travail	Arbeitsbedin-gungen	syarat-syarat kerja	çalışma şartları

Textiel

Ritsen waren vroeger een probleem _____ mij. Ze gaan vaak kapot, en
aangezien _____ twee linkerhanden heb (onhandig ben), en het _____
van kleermaker hier reeds lang (allang) uitgestorven _____, zat ik dan
met broeken die ik _____ meer kon dragen, maar ook niet weg _____
(wou) gooien. Tegenwoordig is er echter De _____ Schaar: een keten van
naaiateliers, waar _____ Turkse handen je kleding herstellen (repareren).

Deze Turkse _____ doen nog veel meer, heb ik gehoord. _____
vervaardigen vaak de kleren die in de _____ warenhuizen te koop zijn.

Volgens de krant _____ duizenden mensen werkzaam in deze bedrijfstak. De _____ stimuleren deze nieuwe ontwikkeling. De smaak van _____ publiek wisselt (verandert) steeds sneller, en om _____ te kunnen reageren, moet de textielbranche op _____ kortere termijn plannen maken en bestellingen plaatsen. _____ is het natuurlijk handig (makkelijk) als de _____ dichtbij zit. De textielindustrie is weer terug _____ Nederland.

Ik herinner me nog goed hoe _____ de jaren zestig in Nederland de ene _____ na de andere genoodzaakt werd te sluiten. _____ ik het goed begrepen heb, stortte de _____ in, omdat ze zich in de concurrentie _____ de Derde Wereld niet kon handhaven. Dat _____ verband met de arbeidskosten, die daar veel _____ waren dan hier. Begrijpelijk, als er geen _____ zijn, er geen controle is op de _____, en er niets bijgedragen hoeft te worden _____ sociale voorzieningen.

De westerse landen vonden uiteindelijk _____ hele (heel) slimme oplossing voor dit probleem. _____ (Bij wijze van) overgangsregeling hebben zij met _____ Derde-wereldlanden een akkoord gesloten, dat inhield _____ deze landen de textielexport naar het Westen _____ beperkten. Hierdoor was het Westen in staat _____ te reorganiseren. Nou, dat is inderdaad gelukt. _____ van bedrijven brachten hun produktie over naar _____ vestiging in een Derde-wereldland. Zo konden _____ ook profiteren van de lage lonen daar, _____ bovendien viel de kleding die ze daar _____ eigen beheer lieten maken niet onder de _____ exportbeperkingen!

Maar nu is de textielindustrie dus _____ terug in Nederland. Eerst begreep ik niet _____ hoe we nu ineens (plotseling) wel kunnen _____ met de lage-lonenlanden. Maar inmiddels (intussen) _____ me duidelijk geworden dat het vaak illegalen _____ die in die nieuwe ateliers werken. En _____ vallen natuurlijk buiten alle loonovereenkomsten, sociale voorzieningen _____ controlemaatregelen, en nemen genoegen met een laag _____. Ondanks het feit dat (Hoewel) deze extra _____ natuurlijk zeer welkom is, vraag ik me _____ af of Nederland deze ontwikkelingen zomaar toe _____ laten (toe moet staan). Zou werk met _____ slechte arbeidsvoorwaarden niet gewoon verboden moeten worden?

Geef antwoord:

a. Hoe komt het dat de textielindustrie teruggekeerd is naar Nederland?
b. Wat voor akkoord sloten de Westerse landen met de Derde-wereldlanden? Voor wie is dit akkoord gunstig?
c. Moet de export geheel vrij zijn, of vindt u beperkingen soms redelijk?
d. Welke beroepen zijn in uw land uitgestorven, of zullen binnenkort uitsterven?
e. Moeten de naaiateliers in Nederland verboden worden?
f. Hoe komt het dat de arbeidskosten in de Derde-wereldlanden lager zijn dan in het Westen?

Vul in of aan:

◼ In Amsterdam komen er steeds meer naaiateliers bij. 15 tot 20% van alle allochtonen in Amsterdam is werkzaam in deze _____. De grote warenhuizen stimuleren deze nieuwe ontwikkeling. _____ de leverancier dichtbij zit, _____ de textielbranche op kortere termijn plannen maken _____ bestellingen plaatsen. Zo kan men reageren op de snel wisselende _____ van het publiek.

◼ Vóór het instorten van de textielindustrie (= *Voordat* ....,) waren er veel textielfabrieken in Nederland. Ondanks de noodzaak van extra werkgelegenheid (= *Hoewel* .... is,) moeten de naaiateliers misschien toch verboden worden, vanwege de slechte arbeidsvoorwaarden (= *omdat* .... *zijn*).

◼ De Westerse landen vonden een slimme oplossing. Zij[1] hebben met de Derde-wereldlanden een akkoord gesloten, dat[2] inhield, dat deze[3] landen de export naar het Westen voorlopig zouden beperken. Hierdoor[4] kon het Westen zich reorganiseren. Nou, dat[5] is inderdaad gelukt. Veel bedrijven brachten hun[6] produktie over naar een Derde-wereldland. Zo[7] konden ze profiteren van de lage lonen daar[8], en de kleding die ze er[9] lieten maken viel niet onder de afgesproken exportbeperkingen.

1. *zij* = ...;   2. *dat* = ...;   enz.

30

Het *platteland*

1   *Vlak grasland* met koeien, *velden* met *koren* tussen *strakke bomenrijen*, fraaie *boerderijen* waar ze kaas maken, en *gezellige* dorpjes waar iedereen op klompen loopt. Dit is het traditionele *beeld* van het Nederlandse platteland, en zo zie je het op foto's en in *films*. Maar klopt dit beeld

5   eigenlijk nog wel? Ja en nee. Inderdaad is nog steeds 65% van de bodem grasland of *bouwland*. En als je goed zoekt, *ontdek* je *beslist* (*ongetwijfeld*, zeker) gezellige dorpjes, of *tref* je een *boer* die zelf kaas maakt ...

    Maar het Nederlandse *boerenbedrijf* heeft de laatste tientallen jaren *ingrijpende wijzigingen* (veranderingen) ondergaan. De eens zo fraaie

10   boerderijen zijn verbouwd tot moderne bedrijven. De landbouw is een industrie geworden: de *bio-industrie*. En de *boeren* zijn nog slechts *grondstofproducenten;* ze *verwerken* hun produkten nog maar zelden zelf. Men heeft, *gestimuleerd* door de overheid, een *schaalvergroting doorgevoerd*, en dat heeft zijn *uitwerking* niet gemist (is niet zonder gevolgen gebleven). Het

15   eens zo *gevarieerde* bouwland bestaat nu vaak uit *eindeloze* velden met één produkt. En in de *veeteelt* is het al niet anders: een boer kan tegenwoordig *in z'n eentje* (alleen) wel 10.000 *kippen* houden!

    Als gevolg van deze schaalvergroting zijn er steeds minder mensen werkzaam in het boerenbedrijf. Tussen 1950 en 1990 *liep* het aantal

20   *arbeidsplaatsen* met een half miljoen *terug* tot circa 250 duizend. Steeds meer boeren verkopen hun *boerderij* aan *forensen*, en *trekken weg* naar de steden. De dorpjes zijn misschien nog wel gezellig, maar dan toch vooral in de *weekends*, als de forensen thuis zijn, of 's zomers, als de toeristen klompen komen kopen.

25   In het traditionele beeld van het Nederlandse platteland moeten enige *correcties aangebracht* worden, dat *behoeft* geen *betoog* (dat is wel duidelijk). Maar één ding zal wel niet veranderen. Het Nederlandse landschap zal wel altijd plat blijven. Zo plat als een *dubbeltje*!

3847	platteland	country	campagne	Land	pedesaan	kırsal bölge
3848	vlak	level	plate	flaches	datar	düz
3849	grasland	grassland	terre à pâturage	Grasland	perumputan	otluk
3850	velden	fields	champs	Felder	tegalan-tegalan	tarlalar
3851	koren	corn	blé	Korn	gandum	tahıl
3852	strakke	stiff	bien alignés	starre	yang lurus	düzenli
3853	bomenrijen	rows of trees	rangées d'arbres	Baumreihen	deretan-deretan pohon	ağaç sıraları
3854	boerderijen	farms	fermes	Bauernhöfe	rumah petani	çiftlikler
3855	gezellige	cosy	charmants	gemütliche	yang menyenangkan	hoş
3856	beeld	image	image	Bild	gambaran	manzara
3857	films	films	films	Filmen	film-film	filimler
3858	bouwland	farmland	terres arables	Ackerland	tanah garapan	tarım alanı
3859	ontdek	discover	découvres	entdeckst	menemukan	bulursun
3860	beslist	definitely	certainement	sicher	tentu	mutlaka
3861	ongetwijfeld	undoubtedly	sans doute	zweifelsohne	dengan pasti	şüphesiz
3862	tref	come across	rencontre	triffst	menjumpai	rastlarsın
3863	boer	farmer	paysan	Bauer	seorang petani	çiftçi
3864	boerenbedrijf	farming industry	agriculture	Bauernbetrieb	perusahaan pertanian	çiftlik işletmesi
3865	ingrijpende	radical	profondes	einschneidende	yang mendalam	temelinden
3866	wijzigingen	changes	modifications	Veränderungen	perubahan-2	değişiklikler
3867	bio-industrie	bio-industry	bio-industrie	Massenviehhaltung	bioindustri	bio-endüstri
3868	boeren	farmers	paysans	Bauern	petani-2	çiftçiler
3869	grondstofproducenten	producers of raw materials	producteurs de matière première	Rohstoffproduzenten	penghasil bahan baku	hammadde üreticileri
3870	verwerken	process	transforment	verarbeiten	mengolah	işliyorlar
3871	gestimuleerd	stimulated	stimulé	angeregt	didorong	desteklenen
3872	schaalvergroting	increase in scale	concentration des structures	Maßstabvergrößerung	pengluasan skala	hacim artışı
3873	doorgevoerd	carried out	réalisé	durchgeführt	dilaksanakan	gerçekleştirildi
3874	uitwerking	effect	effet	Wirkung	dampak	etki
3875	gevarieerde	varied	variées	abwechslungsreiche	beraneka-ragam	çeşitli
3876	eindeloze	never-ending	à l'infini	endlose	tak terhingga	sonsuz
3877	veeteelt	stock-breeding	élevage	Viehzucht	peternakan	hayvancılık
3878	in z'n eentje	on his own	tout seul	alleine	seorang diri	tek başına
3879	kippen	hens	poulets	Hühner	ekor ayam	tavuklar
3880	als gevolg van	as a consequence of	à la suite de	infolge (dieser)	akibat	sonucu olarak
3881	liep ... terug	fell back	a diminué	nahm ab	berkurang	azaldı
3882	arbeidsplaatsen	employment positions	emplois	Arbeitsplätze	tempat kerja	iş yerleri
3883	boerderij	farm	ferme	Bauernhof	rumah petani	çiftlik
3884	forensen	suburbians	navetteurs	Pendler	pekerja yang tinggal di luar kota	şehirliler
3885	trekken ... weg	depart	partent	ziehen weg	meninggalkan desa	gidiyorlar
3886	weekends	weekends	week-ends	Wochenenden	akhir minggu	hafta sonları
3887	correcties	corrections	corrections	Korrekturen	pembetulan-2	düzeltmeler
3888	aangebracht	made	portées	vorgenommen	dilaksanakan	yapılmalı
3889	behoeft	needs	a besoin de	bedarf	memerlukan	ihtiyacı (yoktur)
3890	betoog	argument	démonstration	Erörterung	penguraian	izah
3891	dubbeltje	ten cents coin	pièce de 10 cents	Groschen	picisan	on cent

Het platteland

_____ grasland met koeien, velden met koren tussen _____ bomenrijen, fraaie boerderijen waar ze kaas maken, _____ gezellige dorpjes waar iedereen op klompen loopt. _____ is het traditionele beeld van het Nederlandse _____, en zo zie je het op _____ en in films. Maar klopt dit beeld _____ nog wel? Ja en nee. Inderdaad is _____ steeds 65% van de bodem grasland of_____ . En als je goed zoekt, ontdek je_____ (ongetwijfeld, zeker) gezellige dorpjes, of tref je _____ boer die zelf kaas maakt ...

Maar het Nederlandse _____ heeft de laatste tientallen jaren ingrijpende _____ (veranderingen) ondergaan. De eens zo fraaie boerderijen _____ verbouwd tot moderne bedrijven. De landbouw is _____ industrie geworden: de bio-industrie. En de _____ zijn nog slechts grondstofproducenten; ze verwerken hun _____ nog maar zelden zelf. Men heeft, gestimuleerd _____ de overheid, een schaalvergroting doorgevoerd, en dat _____ zijn uitwerking niet gemist (is niet zonder _____ gebleven). Het eens zo gevarieerde bouwland bestaat _____ vaak uit eindeloze velden met één produkt. _____ in de veeteelt is het al niet _____: een boer kan tegenwoordig in z'n _____ (alleen) wel 10.000 kippen houden!

Als _____ van deze schaalvergroting zijn er steeds minder _____ werkzaam in het boerenbedrijf. Tussen 1950 en 1990 _____ het aantal arbeidsplaatsen met een half _____ terug tot circa 250 duizend. Steeds meer _____ verkopen hun boerderij aan forensen, en trekken _____ naar de steden. De dorpjes zijn misschien _____ wel gezellig, maar dan toch vooral in _____ weekends, als de forensen thuis zijn, of_____, als de toeristen klompen komen kopen.

_____ het traditionele beeld van het Nederlandse platteland _____ enige correcties aangebracht worden, dat behoeft geen _____ (dat is wel duidelijk). Maar één ding _____ wel niet veranderen. Het Nederlandse landschap zal _____ altijd plat blijven. Zo plat als een _____!

Geef antwoord:

a. Noem enkele verschillen tussen de Nederlandse boer vroeger en nu.

b. Hoeveel arbeidsplaatsen telde het Nederlandse boerenbedrijf in 1950?

c. Is er in uw land een zelfde ontwikkeling in de landbouw als in Nederland?

d. Zijn er ook veranderingen in de grote steden?

e. Als u een film mocht maken van het platteland in uw land, wat zou u filmen?

Vul in of aan:

Let op: ondergáán, dóórvoeren, terúglopen, áántrekken, ópgeven

Het Nederlandse platteland heeft ingrijpende _____ ondergaan. De overheid voerde het EG-beleid _____, en dit betekende een schaalvergroting. Het aantal arbeidsplaatsen _____ hierdoor natuurlijk terug, en veel boeren gaven _____ bedrijf op. De lege boerderijen trekken echter weer forensen _____. Die willen juist weg uit de steden, misschien _____ ze een traditioneel beeld hebben van het _____?

Let op: bestaan (uit), als gevolg (van), verkopen (aan), wégtrekken (naar)

Ook nu nog _____ 65% van Nederland uit landbouwgrond, maar als _____ van de schaalvergroting is het bouwland nu _____ gevarieerd. Omdat er geen werk is, verkopen veel _____ hun boerderijen aan stedelingen, en _____ ze weg naar de steden.

Grammatica §23 'er'

Ik had vier kippen, er ging *er ééntje* dood (= er ging één kip dood); toen had ik *er* nog maar *drie* (= toen had ik nog maar drie kippen).

Geef de inhoud:

1e alinea: het traditionele beeld van het Nederlandse platteland;
2e alinea: ....; 3e alinea: ....; 4e alinea: Nederland blijft plat.

31

Waterland

1 – *Zeg*, noemen ze jullie eigenlijk weleens waterlanders? Dat lijkt me
namelijk wel een goede *bijnaam* voor jullie.
– Hé, wat *grappig*! Daar heb ik nou nog nooit bij *stilgestaan*! Nee,
'waterlanders' is geen bijnaam van de Nederlanders, *voorzover* ik weet.
5 Waterlanders betekent namelijk hetzelfde als *tranen*! We worden wel eens
'kaaskoppen' genoemd. Door de Belgen: tussen België en Nederland
bestaat een vrij grote *rivaliteit*, moet je weten. Maar er wordt natuurlijk
wél gesproken van 'Nederland: waterland'. De *reclamefolders* zeggen dat
we een naam te verliezen hebben als het gaat om *waterrecreatie*. Voor *zeilen*,
10 zwemmen, *roeien* en andere *specifiek* op het water *gerichte sporten* moet je hier
zijn. Dit inzicht begint in het buitenland ook *door te breken, getuige* de
massa's die hier een *watersportvakantie* komen doorbrengen.
– Tja, dat ligt (is) in mijn land minder eenvoudig. Sahara-zeilen zal wel
nooit echt *populair* worden. Maar er zijn nu wel *stuwmeren aangelegd*. Kan
15 onze *olympische zwemploeg* misschien nog eens tot mooie *prestaties* komen ...

Natuurlijk worden stuwmeren niet aangelegd *terwille van* de
sportbeoefening. Ze zijn bedoeld om *elektrische stroom op* te *wekken* (te
winnen), en om de *droge* gebieden van water te kunnen *voorzien*. Maar dit
20 laatste schijnt niet altijd te werken. Reeds *aanwezige bronnen* blijken
dikwijls *op* te *drogen, tengevolge van* de verandering van de *grondwaterstand*.
Bovendien *verspreiden* zulke stuwmeren vaak allerlei ziektes. Tenslotte kan
het *aanbrengen* van een dam wel eens problemen *opleveren* met de *buurlanden*.
De *klacht* (het *verwijt*) van lager gelegen landen is dan dat er *onvoldoende*
25 water voor hen *overblijft*, mede vanwege de *verdamping*. Maar als zo'n dam
er eenmaal is, gaat men die natuurlijk niet direct weer *afbreken*
(*vernietigen*). De *protesten* leiden daarom in het algemeen tot niets.

3892	zeg	I say	dis donc	sag mal	seg	söylesene
3893	bijnaam	nickname	surnom	Spitzname	nama julukan	takma isim
3894	grappig	comical	drôle	witzig	lucu	komik
3895	stilgestaan (bij)	dwelled (upon)	réfléchi (à)	gedacht (daran)	menaruh perhatian	düşünmedim
3896	voorzover	as far as	pour autant que	soweit	(-ik weet) setahu saya	kadar
3897	tranen	tears	larmes	Tränen	air mata	gözyaşları
3898	rivaliteit	rivalry	rivalité	Rivalität	persaingan sengit	rekabet
3899	reclamefolders	advertising leaflets	prospectus	Reklame-broschüre	brosur iklan	reklam broşürlei
3900	waterrecreatie	water recreation	loisirs nautiques	Wassererholung	rekreasi air	su sporları
3901	zeilen	sailing	(la) voile	segeln	berlayar	yelkenle gitmek
3902	roeien	rowing	(l')aviron	rudern	mendayung	kürek çekmek
3903	specifiek	specifically	spécifiquement	speziell	secara khusus	özellikle
3904	gerichte	directed	orientés	orientierte	berhubung dengan	yönelik
3905	sporten	sports	sports	Sporte	jenis-2 olahraga	sporlar
3906	door ... breken	break through	percer	durchdringen	berlaku	rağbet kazanıyor
3907	getuige	witness	témoin	sieh	yang ternyata dari	ispat ettiği gibi
3908	massa's	masses	masses	Massen	jumlah orang yang banyak	kütleler
3909	watersportva-kantie	water sporting holiday	vacances de sports nautiques	Wassersport-ferien	liburan olahraga air	su sporları tatili
3910	populair	popular	populaire	populär	digemari	yaygın, sevilen
3911	stuwmeren	storage lakes	lacs artificiels	Stauseen	waduk-waduk	baraj gölleri
3912	aangelegd	built	aménagés	gebaut	dipasang	yapılacak
3913	olympische	olympic	olympique	olympischer	olimpik	olimpiyat
3914	zwemploeg	swimming team	équipe de natation	Schwimmer-team	regu renang	yüzme takımı
3915	prestaties	feats	performances	Leistungen	prestasi	başarılar
3916	terwille van	for the sake of	dans l'intérêt de	um (+2e) willen	demi	için
3917	sportbeoefening	practice of sport	exercice sportif	Sportausübung	olahraga	spor yapmak
3918	elektrische	electric	électrique	elektrischen	listrik	elektrik
3919	stroom	current	courant	Strom	arus	akım
3920	op ... wekken	generate	produire	erzeugen	membangkitkan	elde etmek
3921	droge	dry	arides	trockene	kering	kurak
3922	voorzien (van)	provide (with)	approvisionner	versorgen (mit)	(-water) mengairi	sağlamak
3923	aanwezige	present	existantes	vorhandenen	yang lama	mevcut
3924	bronnen	sources	sources	Quellen	mata-mata air	kaynaklar
3925	op ... drogen	dry up	tarir	austrocknen	mengering	kuruyorlar
3926	tengevolge van	as a result of	par suite de	infolge (+2e)	akibat	sonucu olarak
3927	grondwater-stand	groundwater level	niveau phréatique	Grundwasser-stand	ketinggian air tanah	yeraltı su seviyesi
3928	verspreiden	spread	disséminent	verbreiten	menjangkitkan	yayşyorlar
3929	aanbrengen	placing	construction	bauen	pemasangan	yapmak
3930	opleveren	present	donner	schaffen	mengakibatkan	yaratabilir
3931	buurlanden	neighbouring countries	pays voisins	Nachbarländern	negara tetangga	komşu ülkeler
3932	klacht	complaint	plainte	Beschwerde	keluhan	şikayet
3933	verwijt	accusation	reproche	Vorwurf	cela	kınama
3934	onvoldoende	insufficient	insuffisamment	ungenügend	tidak cukup	yetersiz
3935	overblijft	remains	reste	übrigbleibt	disisakan	geri kalıyor
3936	verdamping	evaporation	évaporisation	Verdampfung	penguapan	buharlaşma
3937	afbreken	break up	démolir	abbrechen	merombak	ortadan kaldırmak
3938	vernietigen	destroy	détruire	zerstören	menghancurkan	yok etmek
3939	protesten	protests	protestations	Proteste	protes-protes	itirazlar

Ook in Nederland *rijzen* er vaak problemen met betrekking tot (m.b.t.)
de rivieren. Die worden door onze buurlanden *zodanig vervuild* met
30   *industrieel afval*, dat het de grootste moeite kost het water te *zuiveren*
(schoon te maken) en er *drinkwater* van een *behoorlijke kwaliteit* van te
maken. Het blijkt moeilijk om met de *verantwoordelijke* buurlanden
overeenstemming te *bereiken* over een *verbod* op *chemische lozingen*. Tijdens
onderhandelingen beloven de *schuldigen* de lozingen te *staken* (met *lozen op* te
35   *houden*), maar in de praktijk *komen* ze weer even gemakkelijk van die *belofte*
terug. Uiteindelijk rest ons weinig anders dan te *berusten* in (*ons neer* te *leggen*
bij) de situatie. Helaas, je zou toch mogen verwachten dat men wat
zorgvuldiger (*voorzichtiger*) *omgaat* met wat de natuur ons *schenkt*.

3940	rijzen	arise	surgissent	entstehen	timbul	doğuyor
3941	zodanig	so	tellement	derartig	sedemikian rupa	o derece
3942	vervuild	polluted	polluées	verschmutzt	tercemar	kirletiliyor
3943	industrieel	industrial	industriels	industriellem	industri	endüstriyel
3944	afval	waste	déchets	Abfall	limbahan	çöp
3945	zuiveren	purify	épurer	reinigen	memurnikan	temizlemek
3946	drinkwater	drinking water	eau potable	Trinkwasser	air minum	içme suyu
3947	behoorlijke	fit	convenable	anständigen	cukup baik	yeterli
3948	kwaliteit	quality	qualité	Qualität	mutu	kalite
3949	verantwoordelij-ke	responsible	responsables	verantwortlichen	yang bertang-gungjawab	sorumlu
3950	overeenstem-ming	agreement	accord	übereinstim-mung	persetujuan	anlaşma
3951	bereiken	reach	parvenir (à)	erreichen	mendapat	varmak
3952	verbod	ban	interdiction	Verbot	larangan	yasak
3953	chemische	chemical	chimiques	chemischer	kimiawi	kimyasal
3954	lozingen	disposal	rejets	Abwasser-belastung	pembuangan air limbah	akıtmalar
3955	onderhandelin-gen	negotiations	négociations	Verhandlungen	perundingan	görüşmeler
3956	beloven	promise	promettent	versprechen	berjanji	söz veriyorlar
3957	schuldigen	perpetrators	coupables	Schuldigen	yang bersalah	suçlular
3958	staken	discontinue	cesser	stoppen	menyetop	sona erdirmek
3959	lozen	draining	rejeter	ausstoßen	membuang air limbah	akıtmak
3960	ophouden (met)	stop (with)	arrêter (de)	aufhören (mit)	menghentikan	durdurmak
3961	komen ... terug (van)	renege	reviennent (sur)	rückgängig machen	tidak menetapi	tutmuyorlar
3962	belofte	promise	promesse	Versprechen	perjanjian	söz
3963	berusten (in)	rest (with)	se résigner (à)	sich ergeben	tawakal	kabullenmek
3964	ons neer ... leggen (bij)	resign ourselves (to)	nous incliner (devant)	uns niederlegen	menerima	kabullenmek
3965	zorgvuldiger	more carefully	avec plus de soin	sorgfältiger	lebih cermat	daha itinalı
3966	voorzichtiger	more cautiously	plus prudemment	vorsichtiger	lebih hati-hati	daha dikkatli
3967	omgaat (met)	deals (with)	s'(y) prenne	umgeht (mit)	menangani	meşgul olmak
3968	schenkt	proffers	offre	schenkt	menganugerah-kan	hediye ettiği

Waterland

– Zeg, noemen ze jullie eigenlijk weleens waterlanders? _____ lijkt me namelijk wel een goede bijnaam _____ jullie.

– Hé, wat grappig! Daar heb ik _____ nog nooit bij stilgestaan! Nee, 'waterlanders' is _____ bijnaam van de Nederlanders, voorzover ik weet. _____ is namelijk hetzelfde als tranen! We worden _____ eens 'kaaskoppen' genoemd, door de Belgen. Tussen _____ en Nederland bestaat een vrij grote rivaliteit, _____ je weet. Maar er wordt natuurlijk

wél ____ van 'Nederland: waterland'. De reclamefolders zeggen
dat ____ een naam te verliezen hebben als het ____ om waterrecreatie.
Voor zeilen, zwemmen, roeien en ____ specifiek op het water gerichte
sporten moet ____ hier zijn. Dit inzicht begint in het ____ ook door te
breken, getuige de ____ die hier een watersportvakantie komen
doorbrengen.
– Tja, ____ ligt (is) in mijn land minder eenvoudig. ____-zeilen zal wel
nooit echt populair worden. ____ er zijn nu wel stuwmeren aangelegd.
Kan ____ olympische zwemploeg misschien nog eens tot mooie ____
komen ...

Natuurlijk worden stuwmeren ____ aangelegd terwille van de
sportbeoefening. Ze zijn ____ om elektrische stroom op te wekken
(te ____), en om de droge gebieden van water te ____ voorzien. Maar
dit laatste schijnt niet altijd ____ werken. Reeds aanwezige bronnen
blijken dikwijls op ____ drogen, tengevolge van de verandering van
de ____. Bovendien verspreiden zulke stuwmeren vaak allerlei
ziektes. ____ kan het aanbrengen van een dam wel ____ problemen
opleveren met de buurlanden. De klacht (____ verwijt) van lager gelegen
landen is dan ____ er onvoldoende water voor hen overblijft, mede ____
de verdamping. Maar als zo'n dam ____ eenmaal is, gaat men die
natuurlijk niet ____ weer afbreken (vernietigen). De protesten leiden
daarom ____ het algemeen tot niets.
    Ook in Nederland ____ er vaak problemen met betrekking ____
(m.b.t.) de rivieren. Die worden door onze ____ zodanig vervuild met
industrieel afval, dat het ____ grootste moeite kost het water te zuiveren
(____ te maken) en er drinkwater van een ____ kwaliteit van te maken.
Het blijkt moeilijk ____ met de verantwoordelijke buurlanden
overeenstemming te bereiken ____ een verbod op chemische lozingen.
Tijdens onderhandelingen ____ de schuldigen de lozingen te staken
(met ____ op te houden), maar in de praktijk ____ ze weer even
gemakkelijk van die belofte ____ . Uiteindelijk rest ons weinig anders
dan te ____ in (ons neer te leggen bij) de ____ . Helaas, je zou toch
mogen verwachten dat ____ wat zorgvuldiger (voorzichtiger) omgaat
met wat de ____ ons schenkt.

Geef antwoord:

a. Welke problemen noemt de tekst met betrekking tot stuwmeren?
b. Welke problemen rijzen er met betrekking tot de Nederlandse rivieren?
c. Bestaat er ook zo'n rivaliteit tussen uw land en een buurland?
d. Hebben uw landgenoten ook een bijnaam?
e. Hoe is de waterverdeling tussen uw land en de buurlanden geregeld?
f. Hoe staat het met de vervuiling van het oppervlaktewater?

Vul in of aan:

▪ Let op: stílstaan (bij), met betrekking (tot), het gaat (om), óphouden (met), voorzien (van), terwille (van), verbod (op), zich néérleggen (bij), berusten (in):

Misschien hebt u er nooit bij stilgestaan, _____ ook in Nederland zijn er problemen met _____ tot het drinkwater. Het gaat daarbij niet _____ de hoeveelheid van het water, maar om _____ kwaliteit. Zolang wij niet ophouden _____ het lozen van ons chemisch afval in het water, _____ het moeilijk om de bevólking te voorzien _____ drinkwater. Terwille van de volksgezondheid is een _____ op chemische lozingen noodzakelijk. Maar zullen de bedrijven _____ neerleggen bij de hoge kosten? Zullen de bedrijven daarin berusten?

▪ als – alle – alles – al – allen

Als je dacht dat _____ nu alle (= al de) problemen besproken hebben, _____ je je lelijk. Het was nog lang _____ alles! Wist je bijvoorbeeld al, dat de pleziervaarders _____ z'n allen zo veel schade toebrengen aan de rivieroevers?

---

lijken – schijnen – blijken

'Waterlanders' *lijkt* me een goede bijnaam	= *Ik denk* dat 'waterlanders' een goede bijnaam is.
Dit *schijnt* niet altijd te werken	= *Men zegt* dat dit niet altijd werkt.
De bronnen *blijken* op te drogen	= Men heeft *geconstateerd*/het is een *feit* dat de bronnen opdrogen.

32

Excursie

1 Het *eeuwige gevecht* van de Nederlanders tegen het water *boeit* mij al mijn
hele leven. De *Deltawerken*, uitgevoerd in de provincies Zeeland en Zuid-
Holland: ik weet er alles van. Ook over wat er zo'n veertig (40) jaar
geleden aan *voorafging*, de *watersnood*, heb ik veel *gelezen*. Maar hoe *uitvoerig*
5 alles ook *beschreven* wordt, het blijft toch enigszins *abstract*. Pas sinds
gistermiddag kan ik me er een *concrete voorstelling* van maken. De *jaarlijkse*
excursie van ons bedrijf *voerde* ons dit keer naar Zeeland, en ik heb nu zelf
over de dammen gewandeld en de *tentoonstelling bekeken*.

Een *combinatie* van *aanhoudende storm* (krachtige wind) en hoge
10 *waterstand*, dat komt niet zo vaak voor. Maar in februari 1953 *deed* zo'n
combinatie *zich* wel *voor*. De *dijken braken* op veel plaatsen *door*, en grote
delen van de Zeeuwse en Zuidhollandse *eilanden* kwamen onder water te
staan. Dat *kostte* meer dan 1800 mensen en duizenden dieren – koeien,
paarden, schapen – het leven. Ook de *materiële* schade was enorm. Huizen en
15 boerderijen werden *onbewoonbaar*, landbouwgrond werd *onbruikbaar* door
het *zout* van het zeewater.

Op de tentoonstelling waren *radio-uitzendingen* van destijds te horen, en
ook door het *overige voorlichtingsmateriaal* werd de *spanning* van toen bijna
voelbaar. De bevolking was *hevig geschokt:* een dergelijke watersnood mocht
20 niet meer *vóórkomen* (dat moest voorkómen worden), was men van *oordeel*.
Vandaar dat de regering al spoedig met het plan voor de Deltawerken
kwam. *Ditmaal* zou men de *definitieve overwinning* op de oude vijand *behalen*.

3969	excursie	excursion	excursion	Ausflug	darmawisata	eğitici gezi
3970	eeuwige	perpetual	éternel	ewige	abadi	sürekli
3971	gevecht	battle	combat	Kampf	perjuangan	mücadele
3972	boeit	enthrals	passionne	fesselt	menarik hati	ilgilendiriyor
3973	Deltawerken	Deltaworks	travaux du plan Delta	Deltawerke	bangun-bangunan Delta	delta yapıları
3975	voorafging (aan)	preceded	précéda	vorausging (+3e nv.)	mendahului	önceden (olanlar)
3976	watersnood	floods	inondation	Hochwasserka-tastrophe	bencana air bah	su baskını
3977	gelezen	read	lu	gelesen	membaca	okudum
3978	uitvoerig	detailed	en détail	ausführlich	terperinci	tafsilatlı
3979	beschreven	described	décrit	beschrieben	diperikan	anlatılsa (da)
3980	abstract	abstract	abstrait	abstrakt	abstrak	soyut
3981	concrete	concrete	concrète	konkrete	yang konkret	somut
3982	voorstelling	idea	image	Vorstellung	bayangan	imge, tahayyül
3983	jaarlijkse	annual	annuelle	alljährliche	tahunan	senelik
3984	voerde	led	amena	führte	membawa	götürdü
3985	tentoonstelling	exhibition	exposition	Ausstellung	pameran	sergi
3986	bekeken	looked at	(suis) allé voir	betrachtet	melihati	inceledim
3987	combinatie	combination	combinaison	Kombination	kombinasi	birleşme, kombinezon
3988	aanhoudende	relentless	incessante	nicht ablassendem	yang terus-menerus	aralıksız
3989	storm	storm	tempête	Sturm	angin badai	fırtına
3990	waterstand	water level	niveau des eaux	Wasserstand	tinggi air	su seviyesi
3991	deed zich voor	did arise	est arrivée	ergab sich	terjadi	oldu
3992	dijken	dykes	digues	Deiche	tanggul-tanggul	setler
3993	braken ... door	gave way	se rompirent	brachen	bobol	yıkıldı
3994	eilanden	islands	îles	Inseln	pulau-pulau	adalar
3995	kostte	cost	coûta	kostete	(-het leven) men-cabut nyawa	maloldu
3996	paarden	horses	chevaux	Pferde	kuda	atlar
3997	schapen	sheep	moutons	Schafe	domba	koyunlar
3998	materiële	material	matériel	materielle	kebendaan	maddi
3999	onbewoonbaar	uninhabitable	inhabitables	unbewohnbar	tak layak dihuni	oturulamaz
4000	onbruikbaar	unusable	inutilisable	unbrauchbar	tak dapat ditanami	kullanılamaz
4001	zout	salt	sel	Salz	garam	tuz
4002	radio-uitzendingen	radio broadcasts	émissions radio	Radiosendun-gen	siaran radio	radyo yayınları
4003	overige	remaining	autres	übrige	yang lain	diğer
4004	voorlichtingsma-teriaal	informative material	documents d'information	Informationsma-terial	bahan penerangan	enformasyon malzemeleri
4005	spanning	tension	tension	Spannung	ketegangan	gerilim
4006	voelbaar	tangible	sensible	fühlbar	terasa	hissedilebilir
4007	hevig	severely	fortement	heftig	amat	şiddetli
4008	geschokt	shocked	affectée	erschüttert	terkejut	şoke olmuştu
4009	vóórkomen	occur	arriver	vorkommen	terjadi	olmamalı
4010	oordeel	judgment	opinion	Urteil	(van -) berpendapat	düşünce
4011	vandaar dat	that's why	c'est pourquoi	deshalb	karena itu	bu yüzden
4012	ditmaal	this time	cette fois-ci	diesesmal	kali ini	bu defa
4013	definitieve	final	définitive	definitive	yang menyelesaikan	kesin
4014	overwinning (op)	victory (over)	victoire (sur)	Sieg (über)	kemenangan	zafer
4015	behalen	win	emporter	erringen	merebutkan	kazanmak

Men *startte* met het over vele kilometers *verhogen* van de dijken. Bovendien *sloot* men een aantal *zeearmen* met enorme dammen *af*. De *kust* werd
25 hierdoor zo'n 700 kilometer korter, en dus *veiliger*.

Maar deze *ingrepen brachten* tevens veranderingen *met zich mee* op een ander terrein. *Eb* en *vloed verdwenen*, en zout water werd half of volkomen *zoet*. En dat had consequenties voor de *visstand* – en dus de *visserij* –, de vogels en de planten.

30 *Deskundigen voorspelden* (*voorzagen*) dat het laatste *onderdeel* van de Deltawerken, de dam in de Oosterschelde, opnieuw talloze *organismen* zou *doen* verdwijnen. Zij *drongen* er *derhalve* op *aan* (*pleitten* er derhalve voor) om van volledige *afsluiting* van de Oosterschelde af te zien. De overheid *gaf toe*, maar was daardoor gedwongen kostbare *apparaten* en *technieken* te
35 ontwikkelen en *toe* te *passen*. Het resultaat heb ik nu met eigen ogen gezien. Het is een 'open' dam, waarin 62 *stalen* deuren zijn *geplaatst* (aange-bracht): het technische *hoogtepunt* van het *project*. Bij *kalme* zee zijn die *opgehaald* en hebben eb en vloed *vrij spel*. Maar *dreigt* er gevaar, dan laat men ze zakken en valt er niets meer te *vrezen*.
40 Gisteren was de kust blijkbaar *veilig*, want de deuren waren omhoog!

4016	startte	started	commença	fing an	memulai	başlandı
4017	verhogen	elevation	rehausser	erhöhen	peninggian	yükseltmek
4018	sloot ... af	closed off	fermait	sperrte ab	mengempang	kapatıldı
4019	zeearmen	estuaries	bras de mer	Meeresarme	teluk yang panjang dan sempit	deniz kolları
4020	kust	coast	côte	Küste	tepi laut	sahil
4021	veiliger	safer	plus sûre	sicherer	lebih aman	emniyetli
4022	ingrepen	operations	interventions	Maßnahmen	langkah-langkah	müdahaleler
4023	brachten met zich mee	brought with them	entraînaient	brachten mit sich	menyebabkan	yol açtı

4024	eb	ebb	reflux	Ebbe	air surut	cezir
4025	vloed	flow	flux	Flut	air pasang	met
4026	verdwenen	disappeared	disparaissent	verschwanden	tiada lagi	kayboldu
4027	zoet	fresh	douce	süß	tawar	tatlı
4028	visstand	fish level	quantité de poissons	Fischbestand	banyaknya ikan	balık miktarı
4029	visserij	fishing industry	pêche	Fischerei	penangkapan ikan	balıkçılık
4030	deskundigen	experts	spécialistes	Fachleute	ahli-ahli	uzmanlar
4031	voorspelden	predicted	prévoyaient	sagten voraus	meramalkan	önceden söylediler
4032	voorzagen	foresaw	prévoyaient	erwarteten	memperkirakan	tahmin ettiler
4033	onderdeel	portion	partie	Teil	bagian	bölüm
4034	organismen	organisms	organismes	Organismen	jenis jasad	organizmalar
4035	doen	cause to	faire	tun	(- verdwijnen) menghilangkan	-cek / -cak
4036	drongen ... aan (op)	pressed (for)	insistaient (pour)	drängten (auf)	mendesak	ısrar ettiler
4037	derhalve	therefore	par conséquent	darum	karena itu	bundan dolayı
4038	pleitten (voor)	pleaded (for)	plaidaient (pour)	befürworteten	menganjurkan (supaya)	savunmasını yaptılar
4039	afsluiting	closure	fermeture	Absperrung	pengempangan	kapatma
4040	gaf ... toe	conceded	cédait	gab nach	merelai	kabul etti
4041	apparaten	equipment	appareils	Apparate	peralatan	aletler
4042	technieken	techniques	techniques	Techniken	teknik	teknikler
4043	toe ... passen	apply	appliquer	anwenden	menerapkan	uygulamak
4044	stalen	steel	en acier	stählerne	baja	çelik
4045	geplaatst	placed	installées	installiert	dipasang	yerleştirilmis,
4046	hoogtepunt	pinnacle	sommet	Höhepunkt	puncak	zirve
4047	project	project	projet	Projektes	proyek	proje
4048	kalme	calm	calme	ruhiger	teduh	sakin
4049	opgehaald	drawn up	levées	hochgezogen	diangkat	açıktır
4050	vrij spel	free play	(sont) libres	freies Spiel	tak terhalang	engellenmez
4051	dreigt	threatens	menace	droht	mengancam	varsa
4052	vrezen	dread	craindre	fürchten	(iets te -) yang harus ditakuti	korkulacak
4053	veilig	safe	sûre	sicher	aman	tehlikesiz

Excursie

_____ eeuwige gevecht van de Nederlanders tegen _____ water boeit mij
al mijn hele _____. De Deltawerken, uitgevoerd in de provincies _____ en
Zuid-Holland: ik weet er alles _____. Ook over wat er _____ veertig (40)
jaar geleden aan voorafging, de watersnood, _____ ik veel gelezen. Maar
hoe uitvoerig alles _____ beschreven wordt, het blijft toch enigszins
abstract. _____ sinds gistermiddag kan ik me er een _____ voorstelling
van maken. De jaarlijkse excursie van _____ bedrijf voerde ons dit keer
naar Zeeland, _____ ik heb nu zelf over de dammen _____ en de
tentoonstelling bekeken.

Een combinatie van _____ storm (krachtige wind) en hoge waterstand, dat _____ niet zo vaak voor. Maar in februari 1953 _____ zo'n combinatie zich wel voor. _____ dijken braken op veel plaatsen door, en _____ delen van de Zeeuwse en Zuidhollandse eilanden _____ onder water te staan. Dat kostte meer _____ 1800 mensen en duizenden dieren – koeien, paarden, _____ – het leven. Ook de materiële schade was _____. Huizen en boerderijen werden onbewoonbaar, landbouwgrond werd _____ door het zout van het zeewater.

Op _____ tentoonstelling waren radio-uitzendingen van destijds te _____, en ook door het overige voorlichtingsmateriaal werd _____ spanning van toen bijna voelbaar. De bevolking _____ hevig geschokt: een dergelijke watersnood mocht niet _____ vóórkomen (dat moest voorkómen worden), was men _____ oordeel. Vandaar dat de regering al spoedig _____ het plan voor de Deltawerken kwam. Ditmaal _____ men de definitieve overwinning op de oude _____ behalen. Men startte met het over vele _____ verhogen van de dijken. Bovendien sloot men _____ aantal zeearmen met enorme dammen af. De _____ werd hierdoor zo'n 700 kilometer korter, _____ dus veiliger.

Maar deze ingrepen brachten tevens _____ met zich mee op een ander terrein. _____ en vloed verdwenen, en zout water werd _____ of volkomen zoet. En dat had consequenties _____ de visstand – en dus de visserij –, de _____ en de planten.

Deskundigen voorspelden (voorzagen) dat _____ laatste onderdeel van de Deltawerken, de dam _____ de Oosterschelde, opnieuw talloze organismen zou doen _____. Zij drongen er derhalve op aan (pleitten _____ derhalve voor) om van volledige afsluiting van de Oosterschelde _____ te zien. De overheid gaf toe, _____ was daardoor gedwongen kostbare apparaten en technieken _____ ontwikkelen en toe te passen. Het resultaat _____ ik nu met eigen ogen gezien. Het _____ een 'open' dam, waarin 62 stalen deuren _____ geplaatst (aangebracht): het technische hoogtepunt van het _____. Bij kalme zee zijn die opgehaald en _____ eb en vloed vrij spel. Maar dreigt _____ gevaar, dan laat men ze zakken en _____ er niets meer te vrezen.

Gisteren was _____ kust blijkbaar veilig, want de deuren waren _____!

Geef antwoord:

a. Vertel in uw eigen woorden iets over de Deltawerken.
b. Nederland vecht tegen de zee. Waartegen vecht uw land?
c. Is uw land weleens door een natuurramp getroffen?
d. Waarheen voerde uw laatste school- of bedrijfsexcursie u?
e. Vindt u dat technische ontwikkelingen die de veiligheid vergroten, belangrijker zijn dan het behoud van de natuur?

Vul in of aan:

Een combinatie van een werkwoord en het element '-baar', dat _____ niet vaak voor. Maar in deze tekst _____ zo'n combinatie zich drie keer voor! Huizen _____ onbewoonbaar, landbouwgrond werd onbruikbaar, de spanning werd _____ voelbaar: we zien de werkwoorden 'bewonen', 'gebruiken', '_____'. Het element '-baar' betekent dat het mogelijk _____, dat je het kunt. Je kon de _____ bijna voelen! En het element 'on-' ervoor _____ natuurlijk dat het níet kan: de mensen _____ níet in hun huizen blijven wonen, en _____ konden de landbouwgrond níet gebruiken.

is ... te/valt ... te	
Het valt niet te ontkennen ...	= Je kunt niet ontkennen ...
Er valt iets te snijden	= Er moet iets gesneden worden
Er valt niets te vrezen	= Je hoeft niet bang te zijn
Er is veel te doen	= We moeten veel doen
Hij is niet meer weg te denken	= Je kunt hem niet meer wegdenken
Het antwoord is niet te geven	= Er kan geen antwoord op die vraag gegeven worden

Discussie-opdracht

In de tekst is sprake van twee soorten dammen. Bespreek met een medecursist het verschil tussen deze twee soorten. Weet u misschien ook het verschil tussen een dijk en een dam?

33

Lieve S.,

1   Hier een kaartje uit het *zonnige* zuiden, met op de *voorkant* de *camping*. Bij het *kruisje* staat onze *caravan*, vlakbij de *toiletten*. Dat geeft nogal wat *lawaai* en een *vieze* geur (*lucht*), maar 'dan hoeven we *'s nachts* niet zo ver te lopen', zegt mijn moeder.

5   Mijn vader had blijkbaar besloten tot een *actieve* vakantie: fietsen, zwemmen en wandelen. Samen met ons, helaas. En thuis is hij niet in beweging te krijgen! Vanmorgen gingen we weer vroeg *op pad* (op weg), naar de *top* van een berg hier in de buurt *klimmen*.

    Nou is een *hoed* geen *overbodige luxe* hier, met die *brandende* zon, zeker
10   voor *kale* mannen. Maar mijn vader vond dat *overdreven*. Hij heeft nu een lichte *zonnesteek* en ligt met *zakken ijs* en *natte doeken* op zijn *voorhoofd* in de schaduw van het *toiletgebouw*. Voorlopig mag hij niet *autorijden*, dus we blijven wat langer hier.

    Mijn moeder is in *paniek*, want de uit Holland *meegenomen voorraden*
15   beginnen *op te raken*. We hebben nog maar voor één dag aardappelen en koffie. Bovendien bleek ze veel te weinig *hagelslag* en vlees in *blik* te hebben meegenomen. Maar ik lust langzamerhand wel eens iets anders dan die eeuwige Hollandse *pot*.

    Denise is tot over haar oren (heel erg) *verliefd*. Als ze niet voor de spiegel
20   staat, hangt ze wel om de *hals* van haar nieuwe *held*. Er zijn toch nog wel *knappere* jongens, heb ik gezegd, *wijzend* op *mogelijke kandidaten*, maar ze is niet *voor rede vatbaar* (wil er niets van horen). Liefde maakt *blind*, zullen we maar zeggen.

    Zelf kijk ik natuurlijk niet naar de meisjes. Ik denk alleen aan jou en ik
25   mis je.

Veel *liefs*, L. xxx

P.S. Mijn *adres* blijft voorlopig hetzelfde. Schrijf je me nog?

4054	zonnige	sunny	ensoleillé	sonnigen	penuh sinar matahari	güneşli
4055	voorkant	front	recto	Vorderseite	muka	ön taraf
4056	camping	camping site	camping	Campingplatz	bumi perkemahan	kamping
4057	kruisje	cross	petite croix	Kreuzchen	tanda salib	çarpı
4058	caravan	caravan	caravane	Wohnwagen	kereta kemah	karavan
4059	toiletten	toilets	toilettes	Toiletten	jamban-jamban	tuvaletler
4060	lawaai	noise	bruit	Lärm	bising	gürültü
4061	vieze	unpleasant	mauvaise	fiesen	busuk	pis
4062	lucht	smell	odeur	Geruch	hawa	koku
4063	's nachts	at night	la nuit	nachts	malam hari	geceleri
4064	actieve	active	actives	aktiven	giat	sportmence
4065	op pad	on our way	en route	los	(gingen -) meng-angkat kaki	yolda
4066	top	summit	sommet	Gipfel	puncak	tepesi
4067	klimmen	climb	grimper	klettern	mendaki	tırmanmak
4068	hoed	hat	chapeau	Hut	topi	şapka
4069	overbodige	superfluous	superflu	überflüssiger	yang berlebihan	gereksiz
4070	luxe	luxury	luxe	Luxus	barang luks	lüks
4071	brandende	burning	brûlant	brennenden	yang ber-nyala-2	yakıcı
4072	kale	bald	chauves	kahle	botak	kel
4073	overdreven	excessive	exagéré	übertrieben	berlebih-lebih	abartılı
4074	zonnesteek	sunstroke	coup de soleil	Sonnenstich	kelengar matahari	güneş çarpması
4075	zakken	packs	sacs	Säcken	kantong	torbalar
4076	ijs	ice	glace	Eis	es	buz
4077	natte	wet	humides	naßen	basah	ıslak
4078	doeken	cloths	bouts d'étoffe	Tüchern	kain	bezler
4079	voorhoofd	forehead	front	Stirne	dahi	alın
4080	toiletgebouw	toiletblock	sanitaires	Toiletten-gebäude	bangunan jamban	tuvalet binası
4081	autorijden	drive	conduire	Auto fahren	mengendarai mobil	araba kullanmak
4082	paniek	panic	paniquée	Panik	(in-) panik	telaş
4083	meegenomen	taken along	apportées	mitgenomme-nen	dibawa	getirdiğimiz
4084	voorraden	stocks	provisions	Vorräte	perbekalan	erzaklar
4085	op ... raken	run out	s'épuiser	erschöpft sein	habis	bitmek
4086	hagelslag	chocolate vermicelli	granulés de chocolat	Hagelzucker	cokelat serbuk	çukulata tozu
4087	blik	tin	(en) conserve	Dose	kaleng	konserve
4088	pot	plain cooking	cuisine, bouffe	Topf	makanan	yemek
4089	verliefd	in love	amoureuse	verliebt	jatuh cinta	aşık
4090	hals	neck	cou	Hals	leher	boyun
4091	held	hero	héros	Held	pahlawan	kahraman
4092	knappere	more handsome	plus beaux	bessere	yang lebih ganteng	daha yakışıklı
4093	wijzend	indicating	en montrant	zeigend	menunjuk	göstererek
4094	mogelijke	possible	éventuels	mögliche	yang layak	olası
4095	kandidaten	candidates	candidats	Kandidaten	calon	adaylar
4096	voor rede vatbaar	open to reason	raisonnable	der Vernunft zugänglich	mau mendengar-kan akal sehat	dinlenmiyor
4097	blind	blind	aveugle	blind	buta	kör
4098	liefs	love	je t'embrasse	Liebes	cumbuan	sevgiler
4099	adres	address	adresse	Adresse	alamat	adres

Lieve S.,

Hier een kaartje uit het zonnige zuiden, _____ op de voorkant de camping. Bij het _____ staat onze caravan, vlakbij de toiletten. Dat _____ nogal wat lawaai en een vieze geur (_____), maar 'dan hoeven we 's nachts niet _____ ver te lopen', zegt mijn moeder.

Mijn _____ had blijkbaar besloten tot een actieve vakantie: _____, zwemmen en wandelen. Samen met ons, helaas. _____ thuis is hij niet in beweging te _____! Vanmorgen gingen we weer vroeg op pad (_____ weg), naar de top van een berg _____ in de buurt klimmen.

Nou is een hoed _____ overbodige luxe hier, met die brandende zon, _____ voor kale mannen. Maar mijn vader vond _____ overdreven. Hij heeft nu een lichte zonnesteek _____ ligt met zakken ijs en natte doeken _____ zijn voorhoofd in de schaduw van het _____. Voorlopig mag hij niet autorijden, dus we _____ wat langer hier.

Mijn moeder is in _____, want de uit Holland meegenomen voorraden beginnen _____ te raken. We hebben nog maar voor _____ dag aardappelen en koffie. Bovendien bleek ze _____ te weinig hagelslag en vlees in blik _____ hebben meegenomen. Maar ik lust langzamerhand wel _____ iets anders dan die eeuwige Hollandse pot.

_____ is tot over haar oren (heel erg) _____. Als ze niet voor de spiegel staat, _____ ze wel om de hals van haar _____ held. Er zijn toch nog wel knappere _____, heb ik gezegd, wijzend op mogelijke kandidaten, _____ ze is niet voor rede vatbaar (wil _____ niets van horen). Liefde maakt blind, zullen _____ maar zeggen.

Zelf kijk ik natuurlijk niet _____ de meisjes. Ik denk alleen aan jou _____ ik mis je.

Veel liefs, L. xxx

P.S. Mijn _____ blijft voorlopig hetzelfde. Schrijf je me nog?

Geef antwoord:

a. Wie is Denise?
b. Wat vindt u van 'actieve' vakanties? Wat doet u het liefst in uw vakantie?

c. In welke tijd van het jaar gaan de meeste mensen in uw land met vakantie? Waar gaat men dan meestal naartoe?

d. Wat voor voorraden neemt een huismoeder uit uw land mee op reis?

e. Dragen de mensen in uw land een hoed? Waarom (niet)?

f. Maakt liefde blind?

Vul in of aan:

Beste allemaal, We zijn weer eens op _____ met de tent. Op dit moment kamperen _____ in het zonnige plaatsje X. Bij _____ kruisje zie je de top van de berg _____ onze overdreven actieve buurman elke morgen naartoe _____ (2137 m). Of liever: klom, want sinds gisteren ligt hij met ijszakken _____ zijn hoofd te herstellen van een zonnesteek, _____ verschijnsel dat hier veel voorkomt (= een veel voorkomend verschijnsel hier). Wij wandelen ook, _____ wij passen beter op voor de brandende __ (= de zon die brandt). 's Avonds genieten _____ van de regionale keuken. We _____ voorlopig op deze camping, omdat Natalie weer eens _____ is. Op knappe Leo van de buren. Hij is ook verliefd _____ haar, zegt hij. Ze zijn nu een eindje gaan _____, in de auto van zijn vader. 'Heeft _____ zijn rijbewijs wel?' riep ik nog, toch licht _____ paniek. Het valt niet _____, met opgroeiende kinderen (kinderen die opgroeien)! Ik schrijf jullie nog. Denk _____ ons! Hans en Ineke.

> **Grammatica §8 'leren, werken'**
>
> Daar loop*t* (= loop+t) mijn vader: hij wandel*t* (= wandel+t) tegenwoordig. Maar de zon bran*dt* (= brand+t) aan de hemel, dus ik raa*d* (= raad+-) hem aan om een hoed op te zetten. Je raa*dt* (= raad+t) zeker al wat er dan gebeur*t* (= gebeur+t)? Hoe raa*d* (= raad+-) je het zo!

Schrijfopdracht

Schrijf het kaartje dat S. terugschrijft aan L.

34

Broeikas(t)

1 Kunnen wij nog zonder *ijskast?* Ik in elk geval niet. Ik *sla 's zaterdags* eten *in*
voor de hele week, en om dat goed te houden heb ik een ijskast nodig.
Meer in het algemeen lijkt het leven niet mogelijk zonder de moderne
koeltechniek. Vormt de *koelcel* niet de basis van de voedselindustrie? En
5 kunnen ziekenhuizen *functioneren* zonder *vriesinstallaties?*
   Helaas brengt de ijskast niet alleen *verkoeling.* Hij werkt op *stoffen* die
voor het milieu een *bron* van *ellende* zijn. Nadat deze stoffen als *gassen* in de
dampkring gekomen zijn, *houden ze daar warmte vast.* Deskundigen *meten
toenemende hoeveelheden* van deze gassen in de dampkring, en *wijzen* deze
10 *verhoogde concentratie aan* als oorzaak van de eveneens (ook) *waargenomen*
stijging van de wereldtemperatuur. Dit '*broeikaseffect*' kan *ernstige*
gevolgen hebben. Men *gaat ervan uit* dat het ijs dat de *polen bedekt,* gaat
smelten. Hierdoor (Doordat het ijs *smelt,*) zal de *zeespiegel* stijgen, en dan
ziet het er voor de bewoners van laag gelegen gebieden op aarde *somber*
15 (weinig *vrolijk*) uit. Elders zal men weer te *lijden* hebben van *extreme droogte.*
De gassen hebben nóg een *nare eigenschap.* Eenmaal aanwezig in de
stratosfeer worden zij *actief,* en *tasten* ze de *ozonlaag aan.* Daardoor komen wij
bloot te *staan* aan *ultraviolette straling,* wat (*hetgeen*) *huidkanker* kan
veroorzaken.
20 Er zijn nog andere factoren die *bijdragen* tot het broeikaseffect:
verbranding van olie, gas en *hout,* en ook de moderne *methoden* van *bemesting*
en veeteelt, en de *ontbossing. Terugdringen* van deze activiteiten *grijpt* diep *in*

4100	broeikas	greenhouse	serre	Treibhaus	rumah kaca	sera
4101	ijskast	freezer	réfrigérateur	Eisschrank	lemari es	buzdolabı
4102	sla ... in	stock up	fais des provisions	decke mich ein mit	membeli sekaligus	alıyorm
4103	's zaterdags	on Saturdays	le samedi	samstags	tiap hari Sabtu	cumartesi günleri
4104	koeltechniek	cooling technology	technique de réfrigération	Kühltechnik	teknik pendingin	soğutma tekniği

4105	koelcel	cold room	chambre froide	Kühlraum	sel pendinginan	buzluk
4106	functioneren	function	fonctionner	funktionieren	berfungsi	çalışabilir mi
4107	vriesinstallaties	freezer installations	installations frigorifiques	Tiefkühlanlagen	instalasi pendingin	dondurucu tesisatlar
4 108	verkoeling	cooling	refroidissement	Kühlung	pendinginan	serinlik
4109	stoffen	substances	matières	Stoffe	zat-zat	maddeler
4110	bron	source	source	Quelle	asal mula	kaynak
4111	ellende	misery	catastrophe	Elends	sengsara	felaket
4112	gassen	gases	gaz	Gase	gas-gas	dazlar
4113	dampkring	atmosphere	atmosphère	Atmosphäre	atmosfer	havaküre
4114	houden ... vast	retain	retiennent	halten fest	tidak melepaskan	tutuyorlar
4115	warmte	heat	chaleur	Wärme	panas	ısı
4116	meten	measure	mesurent	messen	mengukur	ölçüyorlar
4117	toenemende	increasing	croissantes	zunehmenden	yang meningkat	artan
4118	hoeveelheden	quantities	quantités	Mengen	kwantitas	miktarlar
4119	wijzen ... aan	point to	désignent	weisen auf	menunjuk	gösteriyorlar
4120	verhoogde	heightened	accrue	erhöhte	yang makin tinggi	yüksek
4121	concentratie	concentration	concentration	Konzentration	konsentrasi	kons antrasyon
4122	waargenomen	perceived	observée	beobachteten	yang diamati	kaydedilen
4123	broeikaseffect	greenhouse effect	effet de serre	Treibhauseffet	efek rumah kaca	sera etkisi
4124	ernstige	grave	graves	ernsthafte	gawat	ciddi
4125	gaat ervan uit	assumes	suppose	geht davon aus	bertolak	tahmin ediliyor
4126	polen	poles	pôles	Pole	kutub	kutuplar
4127	bedekt	covers	recouvre	bedeckt	menutupi	kaplayan
4128	smelten	melt	fondre	schmelzen	mencair	eriyecek
4129	smelt	melts	fond	schmilzt	mencair	eriyince
4130	zeespiegel	sea level	niveau de la mer	Meeresspiegel	permukaan laut	deniz seviyesi
4131	somber	gloomy	sombre	düster	gelap	kötü
4132	vrolijk	cheerful	gai	fröhlich	riang	sevinçli
4133	lijden (van)	suffer (from)	souffrir (de)	leiden (unter)	menderita (sebab)	sıkıntı çekecek
4134	extreme	extreme	extrême	extremer	yang sangat amat	aşırı
4135	droogte	drought	chaleur	Trockenheit	kekeringan	kuraklık
4136	nare	disagreeable	désagréable	unangenehme	buruk	kötü
4137	eigenschap	characteristic	propriété	Eigenschaft	sifat	meziyet
4138	stratosfeer	stratosphere	stratosphère	Stratosphäre	stratosfer	stratosfer
4139	actief	active	actifs	aktiv	aktif	faal
4140	tasten ... aan	affect	attaquent	zersetzen	merongrong	etkiliyorlar
4141	ozonlaag	ozone layer	couche d'ozone	Ozonschicht	lapisan ozon	ozon tabakası
4142	bloot ... staan (aan)	are exposed (to)	être exposé (à)	ausgesetzt (+3e)	tidak terlindung terhadap	maruz kalıyoruz
4143	ultraviolette	ultraviolet	ultraviolet	ultravioletten	ultraungu	ültra viyole
4144	straling	rays	rayon	Strahlung	sinar	ışın
4145	hetgeen	which	ce qui	was	yang	bu da
4146	huidkanker	skin cancer	cancer de la peau	Hautkrebs	kanker kulit	deri kanseri
4147	bijdragen (tot)	contribute (to)	contribuent (à)	fördern	menyokong	katkıda bulunan
4148	verbranding	burning	combustion	Verbrennung	pembakaran	yakım
4149	hout	wood	bois	Holz	kayu	odun
4150	methoden	methods	méthodes	Methoden	cara-cara	yöntemler
4151	bemesting	fertilising	fumage	Düngung	pemupukan	gübreleme
4152	ontbossing	deforestation	déboisement	Entwaldung	penggundulan hutan	ormanların yok edilmesi
4153	terugdringen	repelling	diminuer	Zurückdringen	pemberantasan	azaltılma
4154	grijpt ... in	encroaches	intervient	greift ein	mempengaruhi	etkiliyor

in ons leven, en betekent een *terugkeer* naar een *ontwikkelingsfase* die wij *achter de rug meenden* (*dachten*) te hebben. Minder autorijden, *bezuinigen* op
25 energie, *afzien* van *industriële groei*, terug naar *ouderwetse* landbouwmethoden.

Of ligt de *sleutel* (de oplossing) in een '*schone*' technologie? Men zou denken dat technologische *vernieuwingen* minder *pijnlijk* zijn dan een alles *omvattende ingreep* in ons *leefpatroon*. Hoewel ... laatst *vernam* (*hoorde*) ik dat
30 de industrie werkt aan een schone auto die niet alleen minder *vermogen* heeft, maar bovendien op een *tweetakt motor* rijdt. En 't ergste: ze gaan auto's van *afbreekbaar plastic* maken! Een plastic *statussymbool* dat lawaai maakt en niet *hard* (snel) kan rijden, moeten we ons dat laten aandoen? Autobestuurders aller landen, verenigt u!

4155	terugkeer	return	retour	Rückkehr	pengembalian	geri dönüş
4156	ontwikkelings-fase	developmental phase	phase de déve-loppement	Entwicklungs-stufe	tahap perkembangan	gelişme devresi
4157	achter de rug	behind us	dépassée	hinter (+3e)	sudah ditamatkan	geçirdiğimizi
4158	meenden	supposed	croyions	meinten	menganggap	sandığımız
4159	dachten	thought	pensions	dachten	menyangkakan	düşündüğü müz
4160	bezuinigen	cut-backs	économiser	Sparmaßnah-men	menghemat	tasarruf yapma
4161	afzien (van)	forsaking	renoncer (à)	verzichten	mengurungkan	feragat etmek
4162	industriële	industrial	industrielle	industrielles	industri	endüstriye l
4163	groei	growth	croissance	Wachstum	pertumbuhan	gelişme
4164	ouderwetse	old-fashioned	archaïques	altmodische	kuno	eski
4165	sleutel	key	clé	Schlüssel	kunci	anahtar
4166	schone	clean	propre	sauberen	bersih	temiz
4167	vernieuwingen	renovations	rénovations	Reformen	pembaruan	yenilikler
4168	pijnlijk	painful	douloureuses	schmerzhaft	menyusahkan	acı veren
4169	omvattende	embracing	englobant	umfassender	(alles-) yang menyeluruh	kapsayan
4170	ingreep	intrusion	intervention	Eingriff	tindakan	etki
4171	leefpatroon	lifestyle	mode de vie	Lebensstil	pola hidup	yaşayış tarzı
4172	vernam	gathered	apprenais	vernahm	ambil tahu	duydum
4173	hoorde	heard	entendais	hörte	mendengar	duydum
4174	vermogen	power	puissance	Leistung	tenaga	güç
4175	tweetakt	two-stroke	deux-temps	Zweitakt-	dng proses 2 pukulan 1 peredaran	iki zamanlı
4176	motor	engine	moteur	Motor	motor	motor
4177	afbreekbaar	decomposable	biodégradable	auflösbar	yang dapat diuraikan	ayrışabilir
4178	plastic	plastic	plastique	Kunststoff	plastik	plastik
4179	statussymbool	status symbol	symbole de position sociale	Statussymbol	lambang status	saygınlık sembolü
4180	hard	fast	rapidement	schnell	cepat	hızlı
4181	autobestuurders	car drivers	automobilistes	Autofahrer	pengemudi mobil	otomobil sürücüleri
4182	aller	from all	de tous	aller	semua	bütün
4183	verenigt	unite	unissez	vereinigt	bersatulah	birleşin

Broeikas(t)

_____ wij nog zonder ijskast? Ik in elk _____ niet. Ik sla 's zaterdags eten in _____ de hele week, en om dat goed _____ houden heb ik een ijskast nodig. Meer _____ het algemeen lijkt het leven niet mogelijk_____ de moderne koeltechniek. Vormt de koelcel niet _____ basis van de voedselindustrie? En kunnen ziekenhuizen _____ zonder vriesinstallaties?

Helaas brengt de ijskast niet _____ verkoeling. Hij werkt op stoffen die

215

voor _____ milieu een bron van ellende zijn. Nadat _____ stoffen als gassen in de dampkring gekomen _____, houden ze daar warmte vast. Deskundigen meten _____ hoeveelheden van deze gassen in de dampkring, _____ wijzen deze verhoogde concentratie aan als oorzaak _____ de eveneens (ook) waargenomen stijging van de _____. Dit 'broeikaseffect' kan ernstige gevolgen hebben. Men _____ ervan uit dat het ijs dat de _____ bedekt, gaat smelten. Hierdoor (Doordat het ijs _____,) zal de zeespiegel stijgen, en dan ziet _____ er voor de bewoners van laag gelegen _____ op aarde somber (weinig vrolijk) uit. Elders _____ men weer te lijden hebben van extreme _____. De gassen hebben nóg een nare eigenschap. _____ aanwezig in de stratosfeer worden zij actief, _____ tasten ze de ozonlaag aan. Daardoor komen _____ bloot te staan aan ultraviolette straling, wat (_____) huidkanker kan veroorzaken.

Er zijn nog andere _____ die bijdragen tot het broeikaseffect: verbranding van _____, gas en hout, en ook de moderne _____ van bemesting en veeteelt, en de ontbossing. _____ van deze activiteiten grijpt diep in in _____ leven, en betekent een terugkeer naar een _____ die wij achter de rug meenden (dachten) _____ hebben. Minder autorijden, bezuinigen op energie, afzien _____ industriële groei, terug naar ouderwetse landbouwmethoden.

Of _____ de sleutel (de oplossing) in een 'schone' _____? Men zou denken dat technologische vernieuwingen minder _____ zijn dan een alles omvattende ingreep in _____ leefpatroon. Hoewel ... laatst vernam (hoorde) ik dat _____ industrie werkt aan een schone auto die _____ alleen minder vermogen heeft, maar bovendien op _____ tweetakt motor rijdt. En 't ergste: ze _____ auto's van afbreekbaar plastic maken! Een _____ statussymbool dat lawaai maakt en niet hard (_____) kan rijden, moeten we ons dat laten _____? Autobestuurders aller landen, verenigt u!

Geef antwoord:
a. Wat is het 'broeikaseffect', en waardoor wordt het veroorzaakt?
b. Wat is volgens u de hoofdoorzaak, en wat is er aan te doen?
c. Is leven zonder ijskast mogelijk?
d. Wat is uw ideale auto?

Vul in of aan:

▪ Gelukkig brengen de kranten niet altijd slecht nieuws. Laatst vernam _____ dat het met de aantasting van de _____ wel meevalt: Belgische deskundigen meten toenemende hoeveelheden ozon in de _____. En in een ander artikel heb _____ gelezen dat er door een stijging _____ de wereldtemperatuur ook meer wolken komen; hierdoor bereikt minder zonnewarmte de aarde, en dan _____ de wereldtemperatuur natuurlijk weer af!

▪ steeds meer; hoe ... hoe/des te

Wij weten nu veel meer over het milieu dan _____. Steeds meer stoffen blijken voor het milieu een _____ van ellende te zijn; er worden telkens _____ schadelijke stoffen ontdekt. En hoe meer van die _____ in de dampkring komen, hoe sneller de _____ stijgt; en des te sneller _____ ook de zeespiegel. Het meest schadelijk (het schadelijkst) _____ de gassen die de ozonlaag aantasten. Het wordt _____ duidelijker dat we een leefpatroon moeten kiezen dat minder _____ is voor het milieu.

Maak zinnen:

Maak een lopende tekst met de volgende zinnen. Verbind de zinnen met *die, daardoor, hierdoor, doordat, waardoor,* of zet er een punt tussen:
de ijskast werkt op bepaalde stoffen / de stoffen houden warmte vast / de wereldtemperatuur stijgt / de ijskappen smelten / de zeespiegel stijgt / laaggelegen gebieden op aarde krijgen problemen

Geef de inhoud:

1e alinea = het belang van de ijskast;
2e alinea = ...;
3e alinea = ...;
4e alinea = ...

35

De wereldbevolking

1 In Nederland en andere westerse landen worden minder kinderen
geboren dan er mensen *overlijden* (*doodgaan*), maar in veel
ontwikkelingslanden ligt (is) dat precies omgekeerd. In sommige
Afrikaanse landen krijgen vrouwen gemiddeld wel 7 of 8 kinderen. Over de
5 *gehele* (hele) wereld bezien is er dan ook sprake van een *explosieve* groei van
de bevolking.

In 1987 *kwam* de 5 *miljardste bewoner ter wereld*. *Omstreeks* het jaar 2000 zal
de wereldbevolking een *omvang* bereikt hebben van ongeveer 6 miljard
mensen. Op dit moment (*Momenteel*) worden er per dag zo'n 200.000
10 *baby's* geboren. Dat is evenveel als het aantal inwoners van de stad
Utrecht. En om het nog *inzichtelijker* (*begrijpelijker*) te maken: in de minuut
die nodig is om deze *alinea* te lezen, zijn er *alweer* 140 kinderen geboren in
de wereld.

Als er maar dertien (13) jaar nodig is voor een toename van de
15 wereldbevolking met 1 miljard mensen, hoe zal de wereld *er* dan over 100
jaar *uitzien*? Waar moeten al deze mensen wonen? Wat moeten ze eten?
Hoe blijven ze gezond? En zullen er wel voldoende mogelijkheden voor
onderwijs en werk zijn voor iedereen? Deze vragen *stonden* eind 1989 op
een internationaal *congres* (internationale *bijeenkomst*) in Amsterdam *ter*
20 *discussie*.

Grote moeilijkheden zullen *zich voordoen* op het gebied van de
voedselvoorziening, het milieu en de *woonomstandigheden*. Voldoende voedsel
produceren is nog wel *haalbaar*, maar het vervolgens *vervoeren* naar die
plekken waar het nodig is, vormt een enorm probleem. Juist in die
25 gebieden waar men onvoldoende voedsel kan *verbouwen*, bijvoorbeeld
door gebrek aan ruimte of water, ontbreken ook de wegen of andere
kanalen om het voedsel te vervoeren.

4184	overlijden	pass away	décèdent	hinscheiden	meninggal	vefat etmek
4185	doodgaan	die	meurent	sterben	berpulang	ölmek
4186	Afrikaanse	African	africains	afrikanischen	Afrika	Afrika
4187	gehele	whole	entier	ganze	seluruh	bütün
4188	explosieve	explosive	explosive	explosiven	yang eksplosif	patlayıcı
4189	kwam ter wereld	was born	est venu au monde	kam auf die Welt	dilahirkan	dünyaya geldi
4190	miljardste	billionst	milliardième	milliardste	kemilyar	milyarıncı
4191	bewoner	inhabitant	habitant	Einwohner	penduduk	sakin
4192	omstreeks	around	vers	um	sekitar	dalayında
4193	omvang	extent	quantité globale	Umfang	jumlahnya	boyut
4194	momenteel	momentarily	actuellement	augenblicklich	sekarang	şu anda
4195	baby's	babies	bébés	Babys	bayi	bebekler
4196	inzichtelijker	more insightful	plus compréhensible	begreiflicher	lebih jelas	daha kolay anlaşılır
4197	begrijpelijker	more understandable	plus compréhensible	verständlicher	lebih nyata	daha kolay anlaşılır
4198	alinea	paragraph	alinéa	Abschnitt	alinea	paragraf
4199	alweer	once again	encore	schon wieder	sudah lagi	yine
4200	er ... uit ... zien	look like	être l'aspect de	aussehen	tampak	olacak
4201	stonden ter discussie	were under discussion	étaient l'objet d'un débat	wurden diskutiert	dibahas	tartışma konusuydu
4202	congres	congress	congrès	Kongreß	kongres	kongre
4203	bijeenkomst	assembly	réunion	Treffen	pertemuan	toplantı
4204	zich voordoen	arise	survenir	sich ergeben	timbul	ortaya çıkıyor
4205	voedselvoorziening	provision of food	ravitaillement	Lebensmittelversorgung	pengadaan pangan	besin sağlama
4206	woonomstandigheden	living conditions	habitat	Wohnungssituation	keadaan perumahan	barınma
4207	haalbaar	achievable	faisable	machbar	dapat diwujudkan	yapılabilir
4208	vervoeren	transport	transporter	transportieren	mengangkut	nakliye etmek
4209	plekken	spots	lieux	Orte	tempat-tempat	yerler
4210	verbouwen	produce	cultiver	anbauen	menanamkan	yetiştirilen
4211	kanalen	channels	canaux	Kanäle	jalan-jalan	yollar

Nog grotere problemen verwacht men op *ecologisch vlak* (gebied). Steeds meer *bossen* zullen verdwijnen, steeds meer landbouwgrond zal *geleidelijk*
30   *uitgeput* raken, of zelfs veranderen in *woestijn*. Dit dwingt steeds meer mensen naar de steden te trekken: het gevolg is een *verregaande verstedelijking* van de wereld. In een stad als Bombay, die in 1950 nog geen 3 miljoen mensen *telde*, zullen aan het einde van deze eeuw *naar schatting* minstens 14 miljoen mensen wonen. De sociale en *hygiënische* problemen
35   in een dergelijke (zo'n) stad zijn enorm: gebrek aan water, goede huizen, scholen, werk en medische voorzieningen zijn maar een paar voorbeelden hiervan.

Oplossingen worden vooral *gezocht* in het *omlaagbrengen* van het aantal *geboorten*. In Indonesië is veel succes *geboekt* met een programma van de
40   overheid om de groei van het aantal inwoners te *verminderen*. Het grootste deel van de bevolking is nu op de hoogte (weet nu) van het bestaan van *voorbehoedmiddelen* en ongeveer de helft van de mensen gebruikt ze ook. Waar het veel andere ontwikkelingslanden echter aan ontbreekt, is voldoende medische zorg om dergelijke (zulke) *initiatieven* te *begeleiden*.

4212	ecologisch	ecological	écologique	ökologischen	ekologis	ekolojik
4213	vlak	sphere	plan	Gebiet	bidang	alan
4214	bossen	forests	forêts	Wälder	hutan-hutan	ormanlar
4215	geleidelijk	gradually	peu à peu	allmählich	lama-lama	yavaş yavaş
4216	uitgeput	exhausted	épuisé	erschöpft	ditanduskan	tükenmiş
4217	woestijn	desert	désert	Wüste	gurun	çöl
4218	verregaande	far-reaching	extrême	weitgehende	yang amat	aşırı
4219	verstedelijking	urbanisation	urbanisation	Verstädterung	urbanisasi	şehirleşme
4220	telde	numbered	comptait	zählte	mempunyai	sahip olan
4221	naar schatting	at an estimate	d'après les prévisions	schätzungsweise	kira-kira	tahminlere göre
4222	hygiënische	hygienic	d'hygiène	hygienischen	sanitasi	hijyenik
4223	oplossingen	solutions	solutions	Lösungen	pemecahan	çözümler
4224	gezocht	sought	recherchées	gesucht	dicari	aranıyor
4225	omlaagbrengen	bringing down	diminuer	Senkung	pengurangan	düşürmek, azaltmak
4226	geboorten	births	naissances	Geburten	kelahiran	doğumlar
4227	geboekt	achieved	remporté	gebucht	dicapai	kazanıldı
4228	verminderen	reduce	diminuer	herabsetzen	mengurangkan	azaltmak
4229	voorbehoedmiddelen	contraceptives	contraceptifs	Verhütungsmittel	obat atau alat anti hamil	doğum kontrol malzemeleri
4230	initiatieven	iniatives	initiatives	Initiativen	prakarsa-prakarsa	atılımlar
4231	begeleiden	support	suivre	begleiten	membimbing	rehberlik etmek

De wereldbevolking

In Nederland _____ andere westerse landen worden minder kinderen geboren _____ er mensen overlijden (doodgaan), maar in veel _____ ligt (is) dat precies omgekeerd. In sommige _____ landen krijgen vrouwen gemiddeld wel 7 _____ 8 kinderen. Over de gehele (hele) wereld bezien _____ er dan ook sprake van een explosieve _____ van de bevolking.

In 1987 kwam de 5 _____ bewoner ter wereld. Omstreeks het jaar 2000 _____ de wereldbevolking een omvang bereikt hebben _____ ongeveer 6 miljard mensen. Op dit moment (_____) worden er per dag zo'n 200.000 _____ geboren. Dat is evenveel als _____ aantal inwoners van de stad Utrecht. En _____ het nog inzichtelijker (begrijpelijker) te maken: in _____ minuut die nodig is om deze _____ te lezen, zijn er alweer 140 kinderen _____ in de wereld.

Als er _____ 13 jaar nodig is voor een toename van _____ wereldbevolking met 1 miljard mensen, hoe zal _____ wereld er dan over 100 jaar _____? Waar moeten al deze mensen wonen? Wat_____ ze eten? Hoe blijven ze gezond? En _____ er wel voldoende mogelijkheden voor onderwijs en _____ zijn voor iedereen? Deze vragen stonden eind _____ op een internationaal congres (internationale bijeenkomst) in Amsterdam _____ discussie.

Grote moeilijkheden zullen zich voordoen _____ het gebied van de voedselvoorziening, het milieu _____ de woonomstandigheden. Voldoende voedsel produceren is nog _____ haalbaar, maar het vervolgens vervoeren naar die _____ waar het nodig is, vormt een enorm _____. Juist in die gebieden waar men onvoldoende _____ kan verbouwen, bijvoorbeeld door gebrek aan ruimte _____ water, ontbreken ook de wegen of andere _____ om het voedsel te vervoeren.

Nog grotere _____ verwacht men op ecologisch vlak (gebied). Steeds _____ bossen zullen verdwijnen, steeds meer landbouwgrond zal _____ uitgeput raken, of zelfs veranderen in woestijn. _____ dwingt steeds meer mensen naar de steden _____ trekken: het gevolg is een verregaande verstedelijking _____ de wereld. In een stad als Bombay, _____ in 1950 nog geen 3 miljoen mensen _____, zullen aan het einde van deze eeuw _____ schatting minstens 14 miljoen mensen wonen. De _____ en hygiënische problemen in een dergelijke (_____) stad zijn enorm: gebrek aan water, goede _____, scholen, werk en medische voorzieningen zijn maar _____ paar voorbeelden hiervan.

Oplossingen worden vooral gezocht _____ het omlaagbrengen van het aantal geboorten. In Indonesië _____ veel succes geboekt met een programma _____ de overheid om de groei van het _____ inwoners te verminderen. Het grootste deel van _____ bevolking is nu op de hoogte (weet _____) van het bestaan van voorbehoedmiddelen en ongeveer _____ helft van de mensen gebruikt ze ook. _____ het veel andere ontwikkelingslanden echter aan _____, is voldoende medische zorg om dergelijke (zulke) _____ te begeleiden.

Geef antwoord:

a. Welke problemen doen zich voor als de wereldbevolking in het huidige tempo blijft groeien?
b. Hoeveel inwoners heeft de grootste stad in uw land ongeveer? Doen zich daar de sociale en hygiënische problemen voor die de tekst noemt?

c. Welke oplossingen heeft men hiervoor?
d. Kent uw land ecologische problemen? Geef voorbeelden.

Vul in of aan:

In veel westerse landen is het _____ geboorten klein. In
ontwikkelingslanden is het geboortecijfer _____. Zo hoog, dat er over de
gehele _____ gezien sprake is van een explosieve groei van de _____.
Waarom krijgen vrouwen in arme landen zoveel _____? In veel
ontwikkelingslanden is onvoldoende sociale en medische z_____. En als
de overheid niet voor je z_____ als je ziek of oud wordt, wie _____ dat dan
doen? Je kinderen! Juist doordat _____ zo slecht gaat in de
ontwikkelingslanden, is _____ aantal geboorten er zo groot.

Maak zinnen:

3 zinnen met: in Afrikaanse landen/gemiddeld/vrouwen/krijgen/7 of 8
                kinderen
3 zinnen met: nog grotere problemen/op ecologisch vlak/verwacht/men
4 zinnen met: per dag/op dit moment/200.000 baby's/worden/ geboren/
                er
4 zinnen met: in Indonesië/veel succes/ geboekt/is/(er)/ met een
                programma van de overheid

---

zo'n – zulke

zo'n stad   = *een dergelijke* stad
zulke steden   = *dergelijke* steden

Schrijfopdracht

Beschrijf in 150 woorden hoe de wereld er volgens u over 100 jaar uit zal
zien.

36

De eenzame *fietser*

1   Een *smal spoor* van *autobanden* door een *kale vlakte*, in de *verte driehoekige* heuvels onder een *trillende* lucht. De zon *brandt* aan de *hemel*. Het is het *traject* van Algerije naar Niger, 600 kilometer woestijn. *Om de* vijf kilometer een *paal* met de *afstanden* erop: 'In Guezzam 280', en op de
5   *achterkant:* 'Tamanrasset 120'.

Tegen de paal staat een fiets, en de fietser zit ernaast, *uit* te *rusten*. Hij heeft water in zijn *flessen* voor 3 dagen, verder is hij afhankelijk van de 3 à 4 auto's die per dag *passeren*. Zijn fiets – het *gewicht* van zijn *bagage schat* hij op 50 *kilo* – moet hij vaak door het zachte zand trekken. 's Avonds *zet* hij
10 bij *maanlicht* z'n *tentje op*, en maakt hij een maaltijd klaar op z'n *kooktoestel:* macaroni met kaas en *tomatenpuree*. Om zes uur *staat* hij weer *op*, en gaat hij op weg naar de volgende paal. Over 17 dagen hoopt hij in Niger te zijn. Zijn hele *fietstocht*, dwars door West-Afrika, zal tien maanden duren.

Hij is *natuurkundeleraar*, maar hij fietst liever. De fietsenfabriek betaalt
15 hem voor de verhalen die hij schrijft, en een andere fabriek heeft het *computertje* betaald dat de kilometers telt die hij *aflegt*. Soms verdwijnt het spoor, en kan hij alleen richting houden door scherp op de *palen* te *letten*. Aan z'n *landkaarten heeft* hij niet *veel:* er staat niets op! Hier en daar liggen oude auto's, aan hun *lot* overgelaten. Mooie citroëns, *tweedehands* in
20 Europa *gekocht*, maar kapotgegaan voordat ze *doorverkocht* konden worden.

Hij *maakt* wat *mee*. Een *Algerijnse* vrachtwagen komt langs, met *honderden liters* water aan *boord*. De *chauffeur* blijkt in IJmuiden gewerkt te hebben. Hij vraagt de *Algerijn* wat hij van Nederland vond. 'Je moet er zo hard
25 werken!', antwoordt de man. Dat vindt de fietser ook; daarom zitten ze nu

4232	fietser	cyclist	cycliste	Fahrradfahrer	pengendara sepeda	bisiklet sürücüsü
4233	smal	narrow	étroite	schmale	yang sempit	dar
4234	spoor	track	piste	Spur	bekas	iz
4235	autobanden	car tyres	pneus	Autoreifen	ban mobil	otomobil lastikleri
4236	kale	barren	aride	kahle	gundul	kıraç
4237	vlakte	plain	paysage	Fläche	dataran	düzlük
4238	verte	distance	lointain	Ferne	kejauhan	uzakta
4239	driehoekige	triangular	triangulaire	dreieckige	berbentuk segitiga	üçgen şeklinde
4240	trillende	shimmering	vibrant	zitterenden	yang beriak-riak	titreyen
4241	brandt	burns	brûle	brennt	me-nyala-2	kızgın
4242	hemel	sky	ciel	Himmel	langit	gökyüzü
4243	traject	stretch	trajet	Strecke	trayek	etap
4244	om de ...	every	tous (les)	alle	tiap	-de bir
4245	paal	post	poteau	Pfahl	tonggak	direk
4246	afstanden	distances	distances	Abstände	jarak-jarak	uzaklıklar
4247	achterkant	reverse side	verso	Rückseite	belakang	arka tarafta
4248	uit ... rusten	resting	se reposer	ausruhen	beristirahat	dinleniyor
4249	flessen	bottles	bidons	Flaschen	botol-botol	şişeler
4250	passeren	pass by	passent	vorbeifahren	lewat	geçen
4251	gewicht	weight	poids	Gewicht	berat	ağırlık
4252	bagage	luggage	bagage	Gepäcks	bagase	bagaj
4253	schat	estimates	estime	schätzt	mengirakan	tahmin ediyor
4254	kilo	kilo	kilos	Kilo	kilo	kilo
4255	zet ... op	pitches	monte	baut auf	mendirikan	kuruyor
4256	maanlicht	moonlight	clair de lune	Mondlicht	cahaya bulan	ay ışığı
4257	tentje	small tent	petite tente	Zeltchen	kemah kecil	çadır(cık)
4258	kooktoestel	cooker	réchaud	Kocher	alat pemasakan	ocak
4259	macaroni	macaroni	macaroni	Makkaroni	makaroni	makarna
4260	tomatenpuree	tomato purée	concentré de tomates	Tomatenpüree	saus tomat kental	domates püresi
4261	staat ... op	rises	se lève	steht auf	bangun	kalkıyor
4262	fietstocht	cycle trip	randonnée à bicyclette	Fahrradtour	perjalanan bersepeda	bisiklet gezintisi
4263	natuurkunde-leraar	physics teacher	professeur de physique	Physiklehrer	guru fisika	fizik öğretmeni
4264	computertje	small computer	petit ordinateur	Computerchen	komputer kecil	bilgisayar(cık)
4265	aflegt	covers	parcourt	ablegt	menempuh	katettiği
4266	palen	posts	poteaux	Pfähle	tonggak	direkler
4267	letten (op)	attend (to)	faire attention	achten (auf)	mengawasi	dikkat ederek
4268	landkaarten	maps	cartes routières	Landkarten	peta bumi	haritalar
4269	heeft veel (aan)	derives benefit (from)	lui servent beaucoup	nützen viel	berguna	faydası
4270	lot	lot	sort	Schicksal	nasib	kader
4271	tweedehands	second-hand	d'occasion	aus 2ter Hand	twedehan	elden düşme
4272	gekocht	bought	achetées	gekauft	dibeli	satın alınmış
4273	doorverkocht	resold	revendues	weiterverkauft	dijual lagi	başkasına satılmadan
4274	maakt ... mee	goes through a lot	voit	erlebt	mengalami	başından geçiyor
4275	Algerijnse	Algerian	algérien	algerischer	Aljazair	Cezayir'li
4276	honderden	hundreds	des centaines	hunderte	ratusan	yüzlerce
4277	liters	litres	(de) litres	Liter	liter	litre(ler)
4278	boord	board	bord	Bord	didalam mobil	yüklemiş
4279	chauffeur	driver	chauffeur	Chauffeur	sopir	şoför
4280	Algerijn	Algerian	Algérien	Algerier	orang Aljazair	Cezayir'li

dus hier! De Algerijn *biedt* hem water *aan*, om zijn *voorraad aan* te *vullen*. Het is niet *helder*; hij wil niet weer last krijgen van zijn *maag*, en doet er een *pil* in, om het te *ontsmetten*.

Een *karavaan kamelen kruist* zijn pad, *begeleid* door drie Touaregs, die hem
30 even interessant vinden als hij hen. Een *wilde* storm *steekt op*, het zand *danst* hem voor de ogen, en *dringt binnen* via oren, ogen, *neus* en *lippen*. Op zo'n moment *haat* hij de woestijn: hij kan zich niet meer op de *been* houden (blijven staan), en stopt, om *op adem* te *komen*.

35 En dan eindelijk de grens. Na twaalf dagen al, toch nog *meegevallen*! Acht *beambten wachten* hem *op*. Ze *applaudisseren*. Of hij bier wil? Of hij niet moe is? Of hij het niet *vervelend* vindt, al dat zand? *Gezamenlijk* bekijken de mannen zijn bagage. Het *onschuldige* fietscomputertje vinden ze *verdacht:* is het soms een *camera*? Heeft hij wel *papieren* van de fiets?
40 Maar tenslotte staan de grote *stempels* dan toch in zijn paspoort, en kan hij door. Ze nemen *afscheid*. De volgende *étappe* is begonnen.

4281	biedt ... aan	offers	offre	bietet an	mengunjukkan	sunuyor
4282	voorraad	stock	réserve	Vorrat	perbekalan	yedek
4283	aan ... vullen	replenish	remplir	ergänzen	menambahi	ikmal yapmak
4284	helder	clear	claire	klar	jernih	berrak
4285	maag	stomach	estomac	Magen	lambung	mide
4286	pil	tablet	pilule	Pille	pil	hap
4287	ontsmetten	disinfect	désinfecter	desinfizieren	menghapuskan kuman	dezenfekte etmek
4288	karavaan	caravan	caravane	Karawane	kafilah	kervan
4289	kamelen	camels	chameaux	Kamele	unta-unta	develer
4290	kruist	crosses	croise	kreuzt	berpapasan	rastlıyor
4291	begeleid	accompanied	accompagnée	begleitet	dibimbing	eşliğinde
4292	wilde	wild	violente	wilder	buas	şiddetli
4293	steekt ... op	springs up	se lève	erhebt sich	turun	çıkıyor
4294	danst	dances	danse	tanzt	beterbangan	dansediyor
4295	dringt ... binnen	penetrates	pénètre	dringt ein	menyelinap	içeri giriyor
4296	neus	nose	nez	Nase	hidung	burun
4297	lippen	lips	lèvres	Lippen	bibir	dudaklar
4298	haat	hates	déteste	hasst	membenci	nefret ediyor
4299	been	leg	jambe	Bein	(op de-) tegak	bacak
4300	op adem komen	recover his breath	reprendre haleine	zu Atem kommen	mengaso	dinlenmek
4301	meegevallen	better dan expected	bien passé	angenehm überrascht	kurang sukar daripada pengiraan	fena gitmedi
4302	beambten	officials	employés (à la douane)	Beamte	pegawai-pegawai	memurlar
4303	wachten ... op	are waiting for	attendent	erwarten	menantikan	bekliyorlar
4304	applaudisseren	applaud	applaudissent	klatschen	bertepuk tangan	alkışlıyorlar
4305	vervelend	tiresome	ennuyeux	langweilig	menjemukan	cansıkıcı
4306	gezamenlijk	jointly	ensemble	zusammen	bersama-sama	beraberce
4307	onschuldige	innocent	innocent	unschuldigen	yang tak mampu melanggar apapun	kabahatsiz
4308	verdacht	suspicious	suspect	verdächtig	mencurigakan	şüpheli
4309	camera	camera	caméra	Kamera	kamera	kamera
4310	papieren	papers	papiers	Papiere	surat-surat	kağıtlar
4311	stempels	stamps	tampons	Stempel	cap-cap	damgalar
4312	afscheid	leave	congé	Abschied	(nemen-) berpamit	vedalaşma
4313	étappe	stage	étape	Etappe	etape	etap

De eenzame fietser

Een smal spoor van autobanden _____ een kale vlakte, in de verte driehoekige _____ onder een trillende lucht. De zon brandt _____ de hemel. Het is het traject van _____ naar Niger, 600 kilometer woestijn. Om _____ vijf kilometer een paal met de afstanden _____: 'In Guezzam 280', en op de achterkant: 'Tamanrasset 120'.

_____ de paal staat een fiets, en _____ fietser zit ernaast, uit te rusten.

Hij _____ water in zijn flessen voor 3 dagen, _____ is hij afhankelijk van de 3 à _____ auto's die per dag passeren. Zijn _____ – het gewicht van zijn bagage schat hij _____ 50 kilo – moet hij vaak door het _____ zand trekken. 's Avonds zet hij bij _____ z'n tentje op, en maakt hij _____ maaltijd klaar op z'n kooktoestel: macaroni _____ kaas en tomatenpuree. Om zes uur staat _____ weer op, en gaat hij op weg _____ de volgende paal. Over 17 dagen hoopt _____ in Niger te zijn. Zijn hele fietstocht, _____ door West-Afrika, zal tien maanden duren.

_____ is natuurkundeleraar, maar hij fietst liever. De _____ betaalt hem voor de verhalen die hij _____, en een andere fabriek heeft het computertje _____ dat de kilometers telt die hij aflegt. _____ verdwijnt het spoor, en kan hij alleen _____ houden door scherp op de palen te _____. Aan z'n landkaarten heeft hij niet _____: er staat niets op! Hier en daar _____ oude auto's, aan hun lot overgelaten. _____ citroëns, tweedehands in Europa gekocht, maar _____ voordat ze doorverkocht konden worden.

Hij maakt _____ mee. Een Algerijnse vrachtwagen komt langs, met _____ liters water aan boord. De chauffeur blijkt _____ IJmuiden gewerkt te hebben. Hij vraagt de _____ wat hij van Nederland vond. 'Je moet _____ zo hard werken!', antwoordt de man. Dat _____ de fietser ook; daarom zitten ze nu _____ hier! De Algerijn biedt hem water aan, _____ zijn voorraad aan te vullen. Het is _____ helder; hij wil niet weer last krijgen _____ zijn maag, en doet er een pil _____, om het te ontsmetten.

Een karavaan kamelen _____ zijn pad, begeleid door drie Touaregs, die _____ even interessant vinden als hij hen. Een _____ storm steekt op, het zand danst hem _____ de ogen, en dringt binnen via oren, _____, neus en lippen. Op zo'n moment _____ hij de woestijn: hij kan zich niet _____ op de been houden (blijven staan), en _____, om op adem te komen.

En dan _____ de grens. Na twaalf dagen al, toch _____ meegevallen! Acht beambten wachten hem op. Ze _____. Of hij bier wil? Of hij niet _____ is? Of hij het niet vervelend vindt, _____ dat zand? Gezamenlijk bekijken de mannen zijn _____. Het onschuldige fietscomputertje vinden ze verdacht: is _____ soms een camera? Heeft hij wel papieren _____ de fiets?

Maar tenslotte staan de grote _____ dan toch in zijn paspoort, en kan _____ door. Ze nemen afscheid. De volgende étappe _____ begonnen.

228

Geef antwoord:

a. Waarom fietst de fietser door de woestijn?

b. Hoe weet hij waar hij naartoe moet? En hoe komt hij aan water?

c. Vindt u ook dat men in Nederland hard moet werken?

d. Wie kan ons meer over de Toearegs vertellen?

e. Wat is de vreemdste (vakantie)reis die u ooit meegemaakt heeft?

Vul in of aan:

Midden in een kale vlakte, naast een _____ spoor van autobanden, staat een fiets. Er _____ een fietser naast. Is hij gestopt om _____ adem te komen? Maakt hij een maaltijd _____ op zijn kooktoestel? Of is hij misschien _____ weg kwijt? Ik bied hem wat water _____. 'Zie je deze landkaarten?' vraagt hij. '_____ heb ik tweedehands gekocht. Ze kostten maar *f* 1,– _____ stuk. Maar je hebt er niet veel _____. Er staat namelijk niets op. En daarom _____ ik nu dus hier.' 'Je kunt toch _____ houden door scherp op de zon te _____ ', zeg ik.

Grammatica §10 'hebben of zijn?' §12 'onregelmatige werkwoorden'

De fietser *heeft* op de palen *gelet*, en *is* bij de grens *aangekomen*.

Hij *heeft* zand in zijn ogen *gekregen*, en *is* even *gestopt*.

De fietser *heeft* het niet zo moeilijk (vinden:) *gevonden*, het _____ hem zelfs (méévallen:) _____. Hij _____ zijn tentje (ópzetten:) _____, en _____ een heerlijk maaltje (koken:) _____. De volgende dag _____ hij vroeg (ópstaan:) _____, en _____ hij om zes uur weer (vérdergaan:) _____. Hij _____ na 12 dagen de grens (bereiken:) _____. De volgende étappe _____ (beginnen:) _____.

Maak zinnen:

3 zinnen met: hij/een maaltijd/heeft/klaargemaakt/op z'n kooktoestel

3 zinnen met: kwam/aan/hij/na 12 dagen/bij de grens

3 zinnen met: de fietser/maar 6 liter water/kon/in zijn flessen/meenemen

37

Boze boeren

1   Vroeg in de ochtend. Op de snelweg naar Den Haag is een *opmerkelijke* file
ontstaan. Een karavaan van *tractoren trekt* naar het Binnenhof (de Tweede
Kamer). Den Haag (de regering) heeft een *verlaging* van de
landbouwprijzen aangekondigd, en *hiertegen voeren* de boeren *actie*. Als hun
5   produkten zo weinig opbrengen, kunnen ze hun bedrijf niet *draaiende*
houden.

    Het Nederlandse landbouwbeleid wordt in Brussel gemaakt. De EG
heeft *zich* altijd *ten doel gesteld* de eigen boeren hoge prijzen te *garanderen*.
Maar omdat deze *protectie* te duur wordt, zijn er nu *prijsverlagingen*
10   *voorgesteld*. De boeren *verzetten zich met hand en tand*. Prijsverlagingen: nooit
en te *nimmer*!

4314	boze	angry	en colère	böse	marah	kızgın
4315	opmerkelijke	noticeable	étonnant	bemerkenswer- te	yang menarik perhatian	dikkati çeken
4316	tractoren	tractors	tracteurs	Traktoren	traktor-traktor	traktörler
4317	trekt	treks	s'en va	zieht	berarak	gidiyor
4318	verlaging	lowering	diminution	Senkung	penurunan	azaltma
4319	hiertegen	against this	contre cela	hiergegen	terhadap langkah ini	buna karşı
4320	voeren actie	campaign (against)	manifestent	führen Kampagne	beraksi	gösteri yapıyorlar
4321	draaiende	running	(- houden) faire tourner	laufend	untuk dilanjutkan	çalıştıramazlar
4322	zich ten doel gesteld	set out to	fixé pour but	sich zum Ziel gesetzt	mentargetkan	kendine amaç edinmiştir
4323	garanderen	guarantee	garantir	garantieren	menjamin	garanti etmek
4324	protectie	protection	protection	Schutz	proteksi	korunma
4325	prijsverlagingen	price reductions	diminutions de prix	Preissenkungen	penurunan harga	fiyat düşüklükleri
4326	voorgesteld	proposed	proposées	vorgeschlagen	diusulkan	teklif edildi
4327	verzetten zich	resist	s'(y) opposent	sträuben sich	melawan	karşı koyuyor;ar
4328	met hand en tand	tooth and nail	bec et ongles	mit Händen und Füßen	bersikeras	dişini tırnağına takarak
4329	nimmer	never	(au grand) jamais	nimmer	tak pernah	hiçbir zaman

Het nieuwe beleid van de EG heeft nog een ander doel. Men verwacht een einde te kunnen maken aan de *overproduktie*, een direct gevolg van het systeem van *subsidies*. Door die overproduktie ontstaan *overschotten:* de EG

15 kent een *graanoverschot*, een '*boterberg*' en een '*melkplas*'. De *vrees* dat de overproduktie niet minder zal worden, is echter *reëel*. Door de prijsverlagingen zal een aantal bedrijven weliswaar vanzelf verdwijnen, maar de boeren die wél *overeind* blijven, zullen hun produktie verhogen, omdat ze anders niet genoeg verdienen.

20 De *kwalijke dumping* van die overschotten op de *wereldmarkt gaat* intussen gewoon *door*. Eigenlijk zijn deze produkten natuurlijk te duur om *uit* te *voeren*, maar de Europese landen *brengen* de prijzen *omlaag* door subsidies op de export. Zo kunnen de produkten onder de prijs verkocht worden op de wereldmarkt. Arme landen kunnen *zich* hiertegen moeilijk *verdedigen*.

25 Zo kan de *lokale* produktie van *graan* zich vaak niet handhaven tegenover het aanbod uit het Westen.

Velen zoeken een oplossing voor deze problemen in internationaal overleg over *beperking* van de produktie, tezamen met *bindende* afspraken *omtrent* (over) een vrije *wereldhandel*. Natuurlijk zal de beperking van de

30 produktie voor veel boeren een *bittere* pil (*ervaring*) zijn, maar laten we hopen dat ze *gevoelig* zullen zijn voor het belang van een *evenwichtige* wereldeconomie met *eerlijke handelsbetrekkingen* tussen de landen.

4330	overproduktie	overproduction	surproduction	Überproduktion	produksi berlebih	imalat fazlası
4331	subsidies	subsidies	subventions	Subventionen	subsidi-subsidi	subvensiyon
4332	overschotten	surplusses	surplus	Überschuße	kelebihan-kelebihan	fazlalıklar
4333	graanoverschot	grain surplus	surplus de blé	Getreideüber-schuß	kelebihan gandum	tahıl fazlası
4334	boterberg	butter mountain	montagne de beurre	Butterberg	bukit mentega	tereyağ dağı
4335	melkplas	milk lake	'lac' de lait	Milchüberschuß	waduk susu	süt gölü
4336	vrees	fear	peur	Furcht	perasaan takut	korku
4337	reëel	real	réelle	begründet	bukan khayalan saja	gerçeğe uygun
4338	overeind	(stay) on their feet	debout	sich halten	dapat bertahan	geri (kalan)
4339	kwalijke	offensive	les méfaits (du)	schädliche	buruk	kötü
4340	dumping	dumping	dumping	Dumping	dumping	çok ucuz fiyata satış
4341	wereldmarkt	world market	marché mondial	Weltmarkt	pasaran dunia	dünya piyasası
4342	gaat ... door	continues	continue	geht weiter	berlangsung terus	devam ediyor
4343	uit ... voeren	export	exporter	ausführen	mengekspor	ihraç etmek
4344	brengen ... omlaag	bring down	diminuent	senken	menurunkan	düşürüyorlar
4345	zich verdedigen (tegen)	defend themselves	s'(en) défendre	sich verteidigen	mempertahankan diri	birşeye karşı kendini savunmak
4346	lokale	local	locale	örtliche	setempat	yereysel
4347	graan	grain	blé	Korn	gandum	tahıl
4348	beperking	limitation	réduction	Beschränkung	pembatasan	kısıtlama
4349	bindende	binding	contraignants	verbindliche	yang harus ditepati	bağlayıcı
4350	omtrent	about	concernant	hinsichtlich	perihal	ile ilgili
4351	wereldhandel	world trade	échanges internationaux	Welthandel	perdagangan dunia	dünya ticareti
4352	bittere	bitter	amère	bittere	getir	acı
4353	ervaring	experience	expérience	Erfahrung	pengalaman	tecrübe
4354	gevoelig (voor)	sensitive (to)	sensibles (à)	empfänglich	berperasaan	hassas
4355	evenwichtige	balanced	équilibrée	ausgeglichen	yang seimbang	dengeli
4356	eerlijke	fair	honnêtes	ehrlichen	yang benar	dürüst
4357	handels-betrekkingen	trade relations	relations commerciales	Handelsbezie-hungen	hubungan perdagangan	ticari ilişkiler

Boze boeren

Vroeg in de ochtend. Op de _____ naar Den Haag is een opmerkelijke
file _____. Een karavaan van tractoren trekt naar het _____ (de Tweede
Kamer). Den Haag (de regering) _____ een verlaging van de
landbouwprijzen aangekondigd, en _____ voeren de boeren actie. Als
hun produkten _____ weinig opbrengen, kunnen ze hun bedrijf niet _____
houden.

Het Nederlandse landbouwbeleid wordt in Brussel _____. De EG heeft
zich altijd ten doel _____ de eigen boeren hoge prijzen te
garanderen. _____ omdat deze protectie te duur wordt, zijn _____ nu

prijsverlagingen voorgesteld. De boeren verzetten zich _____ hand en tand. Prijsverlagingen: nooit en te _____!

Het nieuwe beleid van de EG heeft _____ een ander doel. Men verwacht een einde _____ kunnen maken aan de overproduktie, een direct _____ van het systeem van subsidies. Door die _____ ontstaan overschotten: de EG kent een graanoverschot, _____ 'boterberg' en een 'melkplas'. De vrees dat _____ overproduktie niet minder zal worden, is echter _____. Door de prijsverlagingen zal een aantal bedrijven _____ vanzelf verdwijnen, maar de boeren die wél _____ blijven, zullen hun produktie verhogen, omdat ze _____ niet genoeg verdienen.

De kwalijke dumping van _____ overschotten op de wereldmarkt gaat intussen gewoon _____. Eigenlijk zijn deze produkten natuurlijk te duur _____ uit te voeren, maar de Europese landen _____ de prijzen omlaag door subsidies op de _____. Zo kunnen de produkten onder de prijs _____ worden op de wereldmarkt. Arme landen kunnen _____ hiertegen moeilijk verdedigen. Zo kan de lokale _____ van graan zich vaak niet handhaven tegenover _____ aanbod uit het Westen.

Velen zoeken een _____ voor deze problemen in internationaal overleg over _____ van de produktie, tezamen met bindende afspraken _____ (over) een vrije wereldhandel. Natuurlijk zal de _____ van de produktie voor veel boeren een _____ pil (ervaring) zijn, maar laten we hopen _____ ze gevoelig zullen zijn voor het belang _____ een evenwichtige wereldeconomie met eerlijke handelsbetrekkingen tussen _____ landen.

Geef antwoord:

a. Hoe komt het dat de landbouwprijzen binnen de EG zo hoog zijn?
b. Welke doelen hebben de voorgestelde prijsverlagingen?
c. Wat verstaat men onder 'dumping'? Kent u nog andere voorbeelden dan die de tekst noemt?
d. Kent uw land boze boeren? Zo ja, wat voor acties voeren die?
e. Zou u boer of boerin willen zijn?

Brussel *maakt* het landbouwbeleid – Het *wordt* in Brussel *gemaakt*

Men *heeft* lage prijzen *voorgesteld* – Er *zijn* lage prijzen *voorgesteld*

Vul in of aan:

■ Nederland maakt het landbouwbeleid niet zelf, het wordt in Brussel _____. Lange tijd was het doel, de boeren _____ prijzen te garanderen voor hun produkten: er _____ hoge prijzen betaald voor die produkten. Maar dit werd _____ duur, en dus heeft men een nieuw beleid _____: er zijn prijsverlagingen voorgesteld. Men verwacht _____ hierdoor veel boerenbedrijven zullen verdwijnen, zodat er _____ einde gemaakt kan worden aan de overproduktie. _____ deskundigen vrezen dat dit niet zal lukken. _____ wordt gevreesd dat de boeren die wél _____ blijven hun produktie zullen verhogen. Ook de _____ zelf zijn tegen het nieuwe beleid. Overal _____ door de boeren actie gevoerd. Lage prijzen: _____ en te nimmer!

■ Let op: een einde maken (aan), gevoelig (voor), het belang (van), het gevolg (van), afspraken (met, omtrent/over), zich verdedigen (tegen)

Het is belangrijk om een _____ te maken aan de dumping van overschotten _____ de wereldmarkt. Maar het Westen is alleen gevoelig _____ het belang van eerlijke handelsbetrekkingen, als _____ zélf de gevolgen van dumping ondervindt. Zo _____ het Westen afspraken te maken met Japan _____ de verkoop van electronica, omdat het zich _____ kan verdedigen tegen Japan. Maar de _____ dumping van goederen in de Derde-wereldlanden gaat _____ door.

38

Schulden

1 Een *supermarkt* ergens in Nederland. Een *klant rekent af*. De juffrouw achter
de *kassa slaat* een bedrag *aan* van f 24,98. De klant geeft een *briefje (biljet)*
van vijfentwintig, en loopt door. Hij weet dat hij niet op *wisselgeld* hoeft te
wachten. Er zijn in Nederland geen *muntstukken* van één *cent* meer, de cent
5 is te weinig *waard* geworden. Dat geld minder waard wordt, is een
algemeen verschijnsel, alleen is het in het ene land *erger* dan in het andere.
Neem bijvoorbeeld Argentinië, waar in de supermarkt de *prijskaartjes*
twee maal per dag *vervangen* moeten worden: een taak waar iemand zijn
dag mee kan *vullen*. Iedereen kan zich vermoedelijk wel een voorstelling
10 maken van de gevolgen: een leven waarin je geen plannen kunt maken,
omdat je vandaag niet weet wat je morgen nog kunt ondernemen. Dit
geldt voor *individuen* zowel als (en ook) voor bedrijven.

Veel arme landen *zien* geen *kans* om een *evenwichtig* economisch systeem *op*
15 te *zetten* (te *creëren*). Hiervoor heeft men reeds (al) veel *verklaringen*
aangevoerd. De groei van de bevolking is natuurlijk een groot probleem,
veel landen worden *verscheurd* door *interne* of *externe conflicten*, vaak *heerst er*
corruptie, en is er niet voldoende kennis en *scholing*. Ook problemen als
erosie en droogte moeten hier *vermeld* worden.
20 Om hun economische ontwikkeling te *financieren* (betalen) zijn veel
arme landen enorme financiële verplichtingen *aangegaan* bij buitenlandse
banken. Maar ze verdienen niet genoeg om de *rente* te betalen, zeker niet nu
die rente in de jaren 80 – 90 plotseling *omhooggeschoten* is. En het lukt dan
natuurlijk helemaal niet om de schulden terug te betalen. Natuurlijk
25 trachten deze landen (doen zij *pogingen* om) de *tekorten* op te heffen met een
intensieve export naar het Westen. Een nadeel van dit beleid is echter dat
deze landen hierdoor afhankelijk worden van de prijzen op de
internationale markt. Bovendien verdwijnen de *exportinkomsten* vaak weer

4358	supermarkt	supermarket	supermarché	Supermarkt	pasaraya	süpermarket
4359	klant	customer	client	Kunde	langganan	müşteri
4360	rekent ... af	pays	paye	bezahlt	membayar	para ödüyor
4361	kassa	cash register	caisse	Kasse	kasa	kasa
4362	slaat ... aan	rings up	tape	schlägt an	mengetik	yazıyor
4363	briefje	note	billet	Schein	uang kertas	banknot
4364	biljet	bill	billet	Schein	bilyet	banknot
4365	wisselgeld	change	monnaie	Wechselgeld	uang kembalian	para üstü
4366	muntstukken	coins	pièces de monnaie	Münzen	mata uang	madeni paralar
4367	cent	cent	cent(ime)	Cent	sen	sent (kuruş)
4368	waard	value	(is -) vaut	Wert	berharga	değer
4369	erger	worse	plus grave	schlimmer	lebih gawat	daha kötü
4370	prijskaartjes	price tags	étiquettes (de prix)	Preisschildchen	kartu harga	fiyat kartları
4371	vervangen	replaced	changées	ausgetauscht	digantikan	değiştirmek
4372	vullen	fill	remplir	ausfüllen	mengisi	geçirmek
4373	individuen	individuals	individus	Individuen	orang pribadi	bireyler
4374	zien kans	see chance	réussissent	sehen Möglichkeit	sempat	imkan göremiyorlar
4375	evenwichtig	balanced	équilibré	ausgeglichen	yang seimbang	dengeli
4376	op ... zetten	establish	mettre sur pied	errichten	mengadakan	kurmak
4377	creëren	create	créer	schaffen	menciptakan	yaratmak
4378	verklaringen	explanations	explications	Erklärungen	penjelasan	açıklamalar
4379	aangevoerd	advanced	avancées	angeführt	dikemukakan	yapıldı
4380	verscheurd	torn	déchirés	zerrissen	terpecah-belah	parçalanıyor
4381	interne	internal	internes	innere	dalam negeri	iç
4382	externe	external	externes	äußere	luar negeri	dış
4383	conflicten	conflicts	conflits	Konflikte	pertentangan-pertentangan	sorunlar
4384	heerst	rules	règne	herrscht	merajalela	hüküm sürüyor
4385	corruptie	corruption	corruption	Korruption	korupsi	yolsuzluk -
4386	scholing	schooling	scolarisation	Ausbildung	pendidikan	eğitim
4387	erosie	erosion	érosion	Erosion	erosi	erozyon
4388	vermeld	mentioned	mentionnées	erwähnt	disebutkan	bahsedilmelidir
4389	financieren	finance	financer	finanzieren	membiayai	finanse etmek
4390	aangegaan	entered into	contracté	auf sich genommen	menanggung	girdiler
4391	banken	banks	banques	Banken	bank-bank	bankalar
4392	rente	interest	intérêts	Rente	bunga	faiz
4393	omhooggeschoten	shot up	montés en flèche	emporgeschnellt	membubung tinggi	yükseldi
4394	pogingen	attempts	tentatives	Versuche	(doen-) berupaya	denemeler
4395	tekorten	shortages	déficits	Defizite	ketekoran	açıklar
4396	intensieve	intensive	intensive	intensive	intensif	etkili, yoğun
4397	exportinkomsten	export revenues	revenus de l'exportation	Exporteinnahmen	penghasilan ekspor	ithal gelirleri

29 naar de buitenlandse banken, zodat er weinig overblijft voor *investeringen* in de eigen economie.

Door al deze oorzaken *komen* deze landen vaak *terecht* in een *'inflatiespiraal'*. Eén van de gevolgen hiervan is dat het geld steeds minder waard wordt. Het voorbeeld van de *Argentijnse* supermarkt laat zien wat

34 die voor het dagelijks leven kan *betekenen*.

Hoe zijn deze *trieste (ongelukkige)* ontwikkelingen te *keren*? Velen stellen zich op het standpunt dat de Derde-wereldlanden zelf meer *verantwoordelijkheid* moeten nemen, en een eigen *koers* moeten gaan *varen*. Het Westen hoeft *zich* niet steeds als 'grote broer' op te *stellen*, is de

39 gedachte: de NIC's[1] redden het toch ook op eigen *kracht?*

Een andere *visie* luidt, dat de arme landen eerst *bevrijd* moeten worden van hun schulden. *Vermindering* van de schulden is een eerste *voorwaarde* voor de ontwikkeling van hun economie. En *feitelijk* (in feite), zo *voegt* men *hieraan toe*, zijn de rijke landen ook verplicht een *gebaar* te maken om het

44 *vraagstuk* van de schulden *op* te *lossen*. Want ligt de basis van de westerse economie uiteindelijk niet ook in de vroegere *koloniale aanwezigheid* in de arme landen? Wie zijn hier eigenlijk de *schuldeisers*?

1. **N**ewly **I**ndustrialized **C**ountries, onder andere: Taiwan, Zuid-Korea, Singapore, Maleisië, Mexico, Brazilië.

4398	investeringen	investments	investissements	Investierungen	penanaman modal	yatırımlar
4399	komen ... terecht	find themselves	tombent	kommen zurecht	jatuh kedalam	uğruyorlar
4400	inflatiespiraal	inflation spiral	spirale inflationniste	Inflationsspirale	spiral inflasi	enflasyon spirali
4401	Argentijnse	Argentinian	argentin	argentinische	Argentina	Arjantin
4402	betekenen	mean	signifier	bedeuten	mengakibatkan	anlam taşıdığını
4403	trieste	sad	attristants	traurige	menyedihkan	hüzünlü
4404	ongelukkige	unhappy	malheureux	unglückliche	sial	şanssız
4405	keren	stem	enrayer	umkehren	ditanggulangi	durdurmak
4406	verantwoorde- lijkheid	responsibility	responsabilité	Verantwortung	tanggung jawab	sorumluluk
4407	koers	course	direction	Kurs	haluan	yön
4408	varen	sail	naviguer	fahren	menggariskan	tespit etmek
4409	zich ... op ... stellen	behave	adopter une attitude	sich betragen	mengambil kedudukan	davranmak
4410	kracht	strength	force	Kraft	kekuatan	güç
4411	visie	vision	opinion	Ansicht	pendapat	görüş
4412	bevrijd	liberated	libérés	befreit	diperlepaskan	kurtulmalılar
4413	vermindering	reduction	diminution	Abnahme	pengurangan	azaltma
4414	voorwaarde	condition	condition	Bedingung	syarat	ön şart
4415	feitelijk	actually	de fait	in Wirklichkeit	sebetulnya	esasında
4416	voegt toe (aan)	adds (to)	ajoute (à)	fügt (3e) hinzu	ditambahkan	ekleniyor
4417	hieraan	to this	à cela	hieran	-----	buna
4418	gebaar	gesture	geste	Geste	tindakan tulus	jest
4419	vraagstuk	problem	problème	Problem	persoalan	konu
4420	op ... lossen	solve	résoudre	lösen	memecahkan	çözmek
4421	koloniale	colonial	coloniale	kolonialen	penjajahan	kolonisel
4422	aanwezigheid	presence	présence	Anwesenheit	-----	varlık
4423	schuldeisers	creditors	créanciers	Gläubiger	penagih utang	alacaklılar

Schulden

Een supermarkt ergens in Nederland. Een _____ rekent af. De juffrouw achter de kassa _____ een bedrag aan van *f* 24,98. De _____ geeft een briefje (biljet) van vijfentwintig, en _____ door. Hij weet dat hij niet op _____ hoeft te wachten. Er zijn in Nederland _____ muntstukken van één cent meer, de cent _____ te weinig waard geworden. Dat geld minder _____ wordt, is een algemeen verschijnsel, alleen is _____ in het ene land erger dan in _____ andere. Neem bijvoorbeeld Argentinië, waar in de _____ de prijskaartjes twee maal per dag vervangen _____ worden: een taak waar iemand zijn dag _____ kan vullen. Iedereen kan zich vermoedelijk wel _____ voorstelling maken van de gevolgen: een leven _____ je geen plannen kunt maken, omdat je _____ niet weet wat je morgen nog kunt _____. Dit geldt voor individuen zowel als (en _____) voor bedrijven.

Veel arme landen zien geen ____ om een evenwichtig economisch systeem op te ____ (te creëren). Hiervoor heeft men reeds (al) ____ verklaringen aangevoerd. De groei van de bevolking ____ natuurlijk een groot probleem, veel landen worden ____ door interne of externe conflicten, vaak heerst ____ corruptie, en is er niet voldoende kennis ____ scholing. Ook problemen als erosie en droogte ____ hier vermeld worden.

Om hun economische ontwikkeling ____ financieren (betalen) zijn veel arme landen enorme ____ verplichtingen aangegaan bij buitenlandse banken. Maar ze ____ niet genoeg om de rente te betalen, ____ niet nu die rente in de ____ 80 – 90 plotseling omhooggeschoten is. En het lukt ____ natuurlijk helemaal niet om de schulden terug ____ betalen. Natuurlijk trachten deze landen (doen zij ____ om) de tekorten op te heffen met ____ intensieve export naar het Westen. Een nadeel ____ dit beleid is echter dat deze landen ____ afhankelijk worden van de prijzen op de ____ markt. Bovendien verdwijnen de exportinkomsten vaak weer ____ de buitenlandse banken, zodat er weinig overblijft ____ investeringen in de eigen economie.

Door al ____ oorzaken komen deze landen vaak terecht in ____ 'inflatiespiraal'. Een van de gevolgen hiervan is ____ het geld steeds minder waard wordt. Het ____ van de Argentijnse supermarkt laat zien wat ____ voor het dagelijks leven kan betekenen.

Hoe ____ deze trieste (ongelukkige) ontwikkelingen te keren? Velen ____ zich op het standpunt dat de ____ zelf meer verantwoordelijkheid moeten nemen, en een ____ koers moeten gaan varen. Het Westen hoeft ____ niet steeds als 'grote broer' op te ____, is de gedachte: de NIC's redden ____ toch ook op eigen kracht?

Een andere ____ luidt, dat de arme landen eerst bevrijd ____ worden van hun schulden. Vermindering van de ____ is een eerste voorwaarde voor de ontwikkeling ____ hun economie. En feitelijk (in feite), zo ____ men hieraan toe, zijn de rijke landen ____ verplícht een gebaar te maken om het ____ van de schulden op te lossen. Want ____ de basis van de westerse economie uiteindelijk ____ ook in de vroegere koloniale aanwezigheid in ____ arme landen? Wie zijn hier eigenlijk de ____?

Geef antwoord:

a. Wat wordt bedoeld met het 'schuldenvraagstuk'?
b. Waardoor heeft de export naar het Westen niet het gewenste effect?
c. Heeft u zelf kennis gemaakt met het verschijnsel inflatie?
d. Wat is het grootste probleem waar uw land voor staat?
e. Helpt ontwikkelingshulp?

Vul in of aan:

■ Let op: bevrijden (van), vermindering (van), noodzakelijk (voor), ontwikkeling (van), tóevoegen (aan):

Veel mensen vinden dat de arme landen _____ moeten worden van hun schulden. Vermindering _____ de schulden is noodzakelijk voor de _____ van hun economie. En velen voegen hieraan _____, dat het Westen ook verplícht is het _____ van de schulden op te lossen: schuldverlichting, een verplichting!

■ Grammatica §17 'woordvolgorde: omdat – daarom'

Nu (= *Nu de rente hoog is*,) kunnen ze hun schulden niet terugbetalen.
Nu (= *Nu* ....,) zijn de muntstukken van één cent afgeschaft.
Nu (= *Nu* ....,) blijft er weinig over voor de eigen economie.

---

doordat = oorzaak; zodat = gevolg

Doordat veel geld naar het buitenland verdwijnt, blijft er weinig over.
= Veel geld verdwijnt naar het buitenland, *zodat* er weinig overblijft.
Doordat de rente hoog is, lukt het niet de schulden te betalen.
= De rente is hoog, *zodat* het niet lukt de schulden te betalen.

Geef de inhoud:

1e alinea: gevolgen van geldontwaarding; 2e alinea: ....;
3e alinea: het schuldenvraagstuk, en enkele gevolgen daarvan; 4e alinea:
...................; 5e alinea: ....; 6e alinea: ....

39

Het laatste journaal

1   Goeienavond, het is 12 uur. Het laatste journaal.
    Zweden. Zoals al werd *voorspeld*, heeft centrum-*rechts* de overwinning
    behaald in de verkiezingen. Nu de *stemmen* geteld zijn, blijken de *socialisten*
5   *verslagen* te zijn. Na 60 jaar *gestalte* (vorm) gegeven te hebben aan het
    zogenaamde 'Zweedse model', zullen de socialisten nu *opzij* moeten
    treden voor een centrum-rechtse regering. De *zittende* regering heeft
    inmiddels haar (zijn) ontslag *aangeboden*.
10   **Voetbal**. Het Europese *bekerduel* tussen FC Den Haag en de Italiaanse
    kampioen Fiorentina is *uitgelopen* op een *massale vechtpartij*. Aanleiding tot de
    ongeregeldheden was het *omstreden winnende doelpunt* dat *sterspeler* Parodini in
    de laatste minuut *wist* te maken. Hij had de bal even tevoren echter met
    de hand *aangeraakt*. Toen de *scheidsrechter* vervolgens de hevig *protesterende*
15   Haagse *aanvoerder* uit het *veld zond* (*stuurde*), gingen *supporters* van beide
    kampen met elkaar *op de vuist* (elkaar *te lijf*). Er *vielen rake klappen*, en in de
    verwarring liepen diverse toeschouwers *verwondingen op*. Voor het begin van
    de *wedstrijd* had de politie al tientallen supporters *gearresteerd* wegens het
    bezit van *vuurwapens*. Daarbij werden o.a. twee *pistolen, alsmede* (en ook)
20   enkele *brandbommen in beslag genomen*.
    Het weer. *Verwachting* voor morgen: kans op regen. *Temperatuur vannacht*
    rond 8 graden en morgen *overdag* ongeveer 18 graden.
25   *Dames* en *heren*, dit was het laatste journaal. Voor nu of voor later,
    goeienacht (*welterusten*).

4424	voorspeld	predicted	prévu	vorausgesagt	diramalkan	tahmin edildiği
4425	rechts	right	droit	rechts	kanan	sağ
4426	behaald	achieved	remporté	erzielt	mendapat	kazandı
4427	stemmen	votes	voix	Stimmen	suara-suara	oylar
4428	socialisten	socialists	socialistes	Sozialisten	sosialis	sosyalistler
4429	verslagen	beaten	battus	geschlagen	dikalahkan	yenildiler
4430	gestalte	shape	forme	Form	bentuk	şekil
4431	opzij	aside	à l'écart	auf die Seite	(-treden) menyisi	kenara

4432	zittende	sitting	en exercice	sitzende	yang sampai kini memerintah	şimdiki
4433	aangeboden	offered	présenté	angeboten	mengundurkan diri	sundu
4434	bekerduel	cup match	match de coupe	Pokalspiel	pertandingan piala	kupa karşılaşması
4435	kampioen	champion	champion	Sieger	juara	şampiyon
4436	uitgelopen (op)	turned (into)	abouti (à)	hinausgelaufen	berakhir	dönüştü
4437	massale	wholesale	généralisée	massale	masal	toplu
4438	vechtpartij	fight	bagarre	Prügelei	perkelahian	kavga
4439	ongeregeld- heden	disturbances	troubles	Tumulte	kerusuhan	kargaşal ıklar
4440	omstreden	disputed	litigieux	umstritten	yang diperseng- ketakan	tartışmalı
4441	winnende	winning	gagnant	entscheidende	yang membawa kemenangan	oyun kazandıran
4442	doelpunt	goal	but	Tor	gol	gol
4443	sterspeler	star player	joueur-vedette	Star	bintang pemain	as oyuncu
4444	wist (te)	managed (to)	réussissait (à)	wußte (zu)	berhasil	attığı
4445	aangeraakt	touched	touché	berührt	menyentuh	değdi
4446	scheidsrechter	referee	arbitre	Schiedsrichter	wasit	hakem
4447	protesterende	protesting	(qui) protestait	protestierenden	yang memprotes	protesto eden
4448	aanvoerder	captain	capitaine	Anführer	pemimpin	takım kaptanı
4449	veld	field	terrain	Feld	lapangan	saha
4450	zond	dispatched	envoya	sandte	mengirimkan	kovunca
4451	stuurde	sent	exclua	schickte	mengeluarkan	kovunca
4452	supporters	supporters	supporters	Fans	suporter-suporter	taraftarlar
4453	kampen	camps	camps	Lagern	pihak	taraflar
4454	op de vuist	(resorted) to fists	aux mains	ins Hand- gemenge	(gingen -) meninju	yumruk yumruğa
4455	te lijf gingen	(had) a go at	s'attaquèrent	zu Leibe	(gingen -) menyerang	birbirlerine saldırdılar
4456	vielen	fell	il y avait	fielen	terjadi	atıldı
4457	rake	telling	au but	gezielte	keras	isabetli
4458	klappen	blows	(des) coups	Schläge	pemukulan	tokat
4459	verwarring	confusion	confusion	Verwirrung	kekacauan	karışıklık
4460	liepen ... op	received	reçurent	zogen zu	mengalami	-dılar
4461	verwondingen	injuries	blessures	Verwundungen	luka-luka	yaralar
4462	wedstrijd	match	match	Wettstreit	pertandingan	müsabaka
4463	gearresteerd	arrested	arrêté	festgenommen	ditangkap	tutuklamıştı
4464	vuurwapens	firearms	armes à feu	Schußwaffen	senjata api	ateşli silahlar
4465	pistolen	pistols	révolvers	Pistolen	pistol-pistol	tabancalar
4466	alsmede	as well as	ainsi que	so wie	serta	aynı zamanda
4467	brandbommen	firebombs	bombes incendiaires	Brandbomben	bom-2 pembakar	yangın bombaları
4468	in beslag genomen	confiscated	confisqués	beschlagnahmt	disita	el konuldu
4469	verwachting	forecast	prévision	Erwartung	ramalan	tahmin
4470	temperatuur	temperature	température	Temperatur	suhu	ısı, sıcaklık
4471	vannacht	tonight	cette nuit	heute abend	nanti malam	bu gece
4472	overdag	during the day	pendant la journée	tagsüber	siang hari	gündüz
4473	dames	ladies	mesdames	Damen	ibu-ibu	bayanlar
4474	heren	gentlemen	messieurs	Herren	bapak-bapak	baylar
4475	goeienacht	good night	bonne nuit	gute Nacht	selamat malam	iyi geceler
4476	welterusten	sleep well	dormez bien	schlafen Sie gut	selamat tidur	rahatlık versin

Het laatste journaal

Goeienavond, het is 12 uur. Het laatste _____.

Zweden. Zoals al werd voorspeld, heeft centrum-_____ de overwinning behaald in de verkiezingen. Nu _____ stemmen geteld zijn, blijken de socialisten verslagen _____ zijn. Na 60 jaar gestalte (vorm) gegeven _____ hebben aan het zogenaamde 'Zweedse model', zullen _____ socialisten nu opzij moeten treden voor een _____-rechtse regering. De zittende regering heeft inmiddels _____ (zijn) ontslag aangeboden.

Voetbal. Het Europese bekerduel _____ FC Den Haag en de Italiaanse _____ Fiorentina is uitgelopen op een massale vechtpartij. Aanleiding _____ de ongeregeldheden was het omstreden winnende doelpunt _____ sterspeler Parodini in de laatste minuut wist _____ maken. Hij had de bal even tevoren _____ met de hand aangeraakt. Toen de scheidsrechter _____ de hevig protesterende Haagse aanvoerder uit het _____ zond (stuurde), gingen supporters van beide kampen _____ elkaar op de vuist (elkaar te lijf). _____ vielen rake klappen, en in de verwarring _____ diverse toeschouwers verwondingen op. Voor het begin _____ de wedstrijd had de politie al tientallen _____ gearresteerd wegens het bezit van vuurwapens. Daarbij _____ o.a. twee pistolen, alsmede (en ook) _____ brandbommen in beslag genomen.

Het weer. Verwachting _____ morgen: kans op regen. Temperatuur vannacht rond _____ graden en morgen overdag ongeveer 18 graden.

_____ en Heren, dit was het laatste journaal. _____ nu of voor later, goeienacht (welterusten).

Geef antwoord:

a. Waarom heeft de Zweedse regering haar ontslag aangeboden?
b. 'Voetbal is oorlog', zeggen sommigen. Wat vindt u?
c. In welke sport zijn uw landgenoten goed?
d. Is het dragen van wapens verboden in uw land?
e. Wat was gisteren het belangrijkste nieuws? Klopte het weerbericht voor vandaag?

Vul in of aan:

Onderwijs. De laatste bijeenkomst van de cursus Nederlands voor ＿＿＿ is uitgelopen op een massale vechtpartij. Aanleiding ＿＿＿ de ongeregeldheden was de omstreden uitspraak ＿＿＿ stercursiste Delfomania, dat het Nederlands een gemakkelijke ＿＿＿ is. Toen de docent aan de protesterende deelnemers vroeg ＿＿＿ ándere talen soms makkelijker waren, gingen sprekers van verschillende ＿＿＿ met elkaar op de vuist. Voor het ＿＿＿ van de bijeenkomst waren enkele deelnemers ＿＿＿ wegens het bezit van woordenboeken, grammatica's en ＿＿＿ met onregelmatige werkwoorden.

Let op: voorspéllen, úitlopen (op), overwínnen, áánbieden

Zoals de onderzoekers al hadden (voorspellen:) ＿＿＿, zijn de verkiezingen (uitlopen:) ＿＿＿ op een teleurstelling voor de socialisten: centrum-rechts heeft (overwinnen:) ＿＿＿. De zittende regering heeft direct haar ontslag (aanbieden:) ＿＿＿.

Parodini *maakte* in de laatste minuut een doelpunt; hij *had* de bal echter even tevoren met de hand *aangeraakt*.
Er *ontstond* een vechtpartij; vóór de wedstrijd *had* de politie al enkele supporters *gearresteerd*.

Schrijfopdracht

Schrijf een nieuwsbericht van ongeveer 150 woorden voor het journaal.

Index

Vaste voorzetsels en delen van vaste uitdrukkingen zijn tussen haakjes
toegevoegd. Ook lidwoorden zijn toegevoegd, zo nodig met een indicatie
van de enkelvoudige vorm: activiteiten (de --teit) = de activiteit.
Afgeleide woorden op -ing, -tie, -er, -heid, -teit hebben altijd het lidwoord
de, verkleinwoorden (-je, -tje, enz.) altijd het: in deze gevallen is het
lidwoord niet gegeven.

250

253

255

257